Métodos Num

Galo René Fernández Díaz

Métodos Numéricos en procesos y sistemas energéticos

Una introducción a la solución de problemas de la industria

Editorial Académica Española

Publisher:
Editorial Académica Española
is a trademark of
Dodo Books Indian Ocean Ltd., member of the OmniScriptum S.R.L Publishing group
str. A.Russo 15, of. 61, Chisinau-2068, Republic of Moldova Europe
Printed at: see last page
ISBN: 978-620-3-87432-7

MÉTODOS NUMÉRICOS
EN PROCESOS Y
SISTEMAS ENERGÉTICOS

Ing. Galo René Fernández Díaz, M. Sc.

INDICE

3

PRESENTACIÓN

Este módulo es teórico práctico, tiene el propósito de dar a los maestrantes los conocimientos básicos necesarios para resolver problemas complejos, que las matemáticas elementales no podrían, es decir pueda diseñar métodos que se puedan aplicar a situaciones reales ya que los métodos tradicionales del cálculo como la derivación, integración, cálculo de ceros o raíces de ecuaciones no lineales, no funcionan con la exactitud requerida; es decir que cuando lo que conocemos de matemáticas no funciona es necesario el empleo de otras herramientas que permitan medir el margen de error de los aparatos de cálculo computacional como calculadoras y computadores.

Obtendrá también información del impacto en el medio ambiente, así como también lo que es desarrollo sustentable y los tipos de generación de energía existentes en el mundo.

OBJETIVOS DEL LIBRO

El objetivo de este módulo es analizar, deducir y aplicar métodos de solución a diversos problemas científicos y de ingeniería que no tienen una solución analítica y por consiguiente no resulta práctico.

Implementar los métodos desarrollados en clase haciendo uso de los recursos que permita la informática mediante la utilización de lenguajes de propósito general, en una primera etapa de propósito específico, lo que posteriormente permitirá al alumno una mayor compenetración con los métodos.

Diseñar métodos que se puedan aplicar a situaciones reales cuando los métodos tradicionales del cálculo no funcionan con la exactitud requerida.

UNIDAD 1. CONCEPTOS INTRODUCTORIOS A LOS MÉTODOS NUMÉRICOS.

1.1 Historia e importancia de los métodos numéricos.

Los métodos numéricos constituyen técnicas mediante las cuales es posible formular problemas matemáticos, de tal forma que puedan resolverse utilizando operaciones aritméticas. Aunque existen muchos tipos de métodos numéricos, éstos comparten una característica común: invariablemente requieren de un buen número de tediosos cálculos aritméticos. No es raro que con el desarrollo de computadoras digitales eficientes y rápidas, el papel de los métodos numéricos en la solución de problemas en ingeniería haya aumentado de forma considerable en los últimos años.[1]

Un método numérico es una forma mediante el que se obtiene, casi siempre de manera aproximada, la solución de ciertos problemas ejecutando cálculos puramente aritméticos y lógicos (operaciones aritméticas elementales, cálculo de funciones, consulta de una tabla de valores, cálculo preposicional, etc.). Un procedimiento consiste en una lista finita de instrucciones precisas que especifican una secuencia de operaciones algebraicas y lógicas (algoritmo), que provocan o bien una aproximación de la solución del problema (solución numérica) o bien un mensaje. La eficiencia en el cálculo de dicha aproximación depende, en parte, de la facilidad de implementación del algoritmo y de las características especiales y limitaciones de los instrumentos de cálculo (los computadores).

Hasta el siglo XVII la teoría de ecuaciones estuvo muy limitada, considerando que los matemáticos de esos tiempos no fueron capaces de aceptar que los números negativos y los números complejos podían ser raíces de ecuaciones polinómicas.

El papiro de Rhind (1650 A.C.) y el de Moscú (1800 A.C.) son los dos documentos más antiguos encontrados en referencia a las matemáticas egipcias. El primero también conocido como el papiro Ahmes, lleva el nombre del anticuario escocés Henry Rhind se encuentra en el museo de Lóndres y el otro en el museo de Moscú. En el papiro de Rhind se encuentra la solución a 87 problemas, mientras que en el de Moscú 25. Otros papiros son el rollo de cuero, con 26 operaciones de sumas de fracciones de numerador 1, y los de Kahun, Berlín, Reiner y Ajmin.

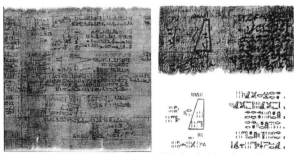

Figura 1.1 Papiros de Rhind y de Moscú

Mucho antes, los egipcios utilizaron el método de la Falsa Posición o Regula Falsi para encontrar una raíz en ecuaciones de segundo grado sencillas (aunque este

7

nombre le fue dado posteriormente). Por ejemplo, para hallar una solución aproximada de la ecuación $x + x/7 = 19$, primero se toma una aproximación de la x que simplifique el cálculo del primer término, como $x = 7$. Al sustituir la x por 7, el resultado es 8, en vez de 19. Por lo que se necesita un factor de corrección, que se obtiene dividiendo 19 entre 8. Este factor es 2, que se multiplica por el primer valor, 7, obteniéndose así que la raíz aproximada de la ecuación es 16.

Para ecuaciones cuadráticas con una variable x, como $x^2 - 5x = 6$, ya se encontraban soluciones hacia el año 2000 A.C. en libros de los matemáticos Babilónicos. Aunque estos no conocían las raíces negativas ni complejas, su método para las raíces positivas es el mismo método de la Falsa Posición que se utiliza en la actualidad, y que utilizaron también los egipcios.

El método de exhaución es un procedimiento geométrico ideado por los griegos mediante el cual podemos aproximarnos al perímetro o al área de figuras curvas, aumentado la precisión de la aproximación conforme avanzamos en el cálculo.

El ejemplo más conocido del método de exhaución es el ideado por Arquímedes y recogido en su libro *Método*. Allí se muestran los dos procedimientos que utilizó Arquímedes para determinar la longitud de la circunferencia que consistían en inscribir o circunscribir polígonos regulares.

Un matemático y científico importante fue Herón de Alejandría, que en el siglo I ideó un método de aproximación de la raíz de ecuaciones como $x^2 = 2$. En este método, primero se toma una aproximación como $\frac{3}{2}$ para calcular una nueva aproximación utilizando la regla: $\frac{\frac{3}{2}+\frac{2}{\frac{3}{2}}}{2}$ o $\frac{17}{12}$. Repitiendo este método se llega a $\frac{577}{408}$, que es una buena aproximación de $\sqrt{2}$, llamando a estas aproximaciones y cálculos repetidos iteraciones.

En el año 1635 el matemático y filósofo francés René Descartes publicó un libro sobre la teoría de ecuaciones, escribiendo en él la ley de los signos que permite desvelar las raíces positivas y negativas de una ecuación algebraica, también se la conoce como la "Ley Cartesiana de los signos".

Unos años más tarde, el físico y matemático inglés Isaac Newton descubrió un método iterativo para encontrar las raíces de una ecuación, el mismo que estudiaremos más adelante. Hoy se denomina Método de Newton-Raphson porque la forma en que se utiliza actualmente pertenece a la utilizada por Joseph Raphson (matemático inglés). Es uno de los métodos más utilizado para encontrar las raíces de ecuaciones no lineales, y a partir de él han surgido numerosas modificaciones tratando de mejorar sus características.

En 1768 Leonard Paul Euler desarrolló un método para encontrar soluciones aproximadas a problemas de ecuaciones diferenciales con lo que se da inicio a los métodos por integración numérica.

Antes del inicio de la época de los computadores los ingenieros sólo disponían de tres métodos en sí para resolver los problemas matemático; el primero usaba métodos exactos o analíticos, que no ayudaban a solucionar la mayoría de los problemas; el segundo fueron las soluciones gráficas, que obviamente con la ayuda de los computadores actuales resulta menos tedioso y por último se utilizaban para

8

implementar los métodos numéricos, calculadoras o reglas de cálculo, pero por obvias razones esto era demasiado lento y muy tedioso.

Antiguamente se gastaba bastante energía en la técnica misma de solución, en lugar de utilizarla en la definición del problema y su interpretación (figura 2). Esta situación desafortunada se debió al tiempo y trabajo monótono que se requería para obtener resultados numéricos.

El día de hoy, los computadores y los métodos numéricos ofrecen una excelente alternativa para resolver cálculos complicados. Al utilizar el poder de los medios computacionales se obtienen soluciones directamente, sin tener que recurrir a consideraciones de simplificación o a técnicas demasiado lentas. Aunque las soluciones analíticas no han perdido su valor, tanto como para resolver problemas, como para brindar una mayor comprensión, los métodos numéricos representan opciones que aumentan, en forma considerable, la capacidad para enfrentar y resolver los problemas y de una manera más exacta. Resultado de lo antes indicado, se dispone de más tiempo para aprovechar las pericias de las personas. Consecuentemente, es posible dar más importancia a la formulación del problema y a la interpretación de la solución misma.

Figura 1.2 Fases de la solución de problemas antes (a) y después (b) de las computadoras [1]

La ciencia y la tecnología representan los fenómenos reales a través de modelos matemáticos. El estudio de estos modelos permite conocer en profundidad el proceso del fenómeno, así como su avance en el futuro. La matemática aplicada es la rama de las matemáticas que se dedica a buscar y aplicar las herramientas más adecuadas para la resolución de este tipo de problemas basándose en modelos matemáticos. Desgraciadamente, no siempre es posible aplicar métodos analíticos clásicos por diferentes razones, entre otras:

- Cuando no se dispone de métodos que se adapten a un modelo en particular.
- Su aplicación es muy compleja. Es preferible disponer de una solución aproximada.
- La solución formal es muy complicada y hace difícil cualquier interpretación posterior.
- No existen métodos analíticos capaces de proporcionar soluciones al problema.

9

Los Métodos Numéricos son una herramienta imprescindible en el campo de las ciencias aplicadas, que tratan de crear métodos que aproximen, de forma eficiente, las soluciones de problemas previamente formulados matemáticamente. En la mayoría de los casos, el problema matemático se deriva de un problema práctico en áreas experimentales como la Física, Química, Ingeniería, Economía, etc... Sobre él se aplican, típicamente, dos tipos de estrategias generales:

1. Se dan por supuestas algunas hipótesis de carácter simplificador que ayudan a llegar a una fórmula matemática solucionable.

2. Se prescinde de alguna de estas hipótesis para llegar a una enunciación matemática más complicada, que no se puede resolver abiertamente, pero cuya solución puede calcularse de una forma más aproximada.

Las dificultades que surgen en la resolución explícita de los modelos hacen que no se puedan encontrar efectivamente las soluciones, en otros casos que el proceso de resolver el problema precise de infinitas operaciones. Es entonces cuando los métodos numéricos proporcionan soluciones aproximadas a tales problemas.

Los métodos numéricos nos vuelven idóneos para razonar esquemas numéricos a fin de resolver problemas matemáticos, de ingeniería, administración y científicos en una computadora, reducir esquemas numéricos básicos, escribir programas y resolverlos en una computadora y utilizar correctamente el software existente para dichos métodos, esto incrementa nuestra habilidad para el uso de las computadoras, ampliando nuestra pericia matemática y el conocimiento de los principios científicos básicos.

Los métodos numéricos son herramientas muy poderosas para la solución de ecuaciones grandes, resolver geometrías complicadas. Es posible utilizar programas "enlatados" que contenga métodos numéricos. Hay muchos problemas que no pueden resolverse con programas enlatados. Si usted es conocedor de los métodos numéricos entonces tiene la capacidad de diseñar sus propios programas. Los métodos numéricos son vehículo eficiente para aprender a servirse de las computadoras.

Los métodos numéricos pueden ser aplicados para resolver procedimientos matemáticos en:

- Cálculo de derivadas
- Integrales
- Ecuaciones diferenciales
- Operaciones con matrices
- Interpolaciones
- Ajuste de curvas
- Polinomios

Hay que entender que todos los fenómenos físicos pueden ser representados mediante ecuaciones; por ejemplo, las ecuaciones de calor, momentum, masa. Generalmente, la solución analítica no es viable y se tienen que usar métodos numéricos para resolver estas ecuaciones.

Los métodos numéricos se aplican en áreas tales como:

- Ingeniería Civil
- Ingeniería Mecánica

- Ingeniería Química.
- Ingeniería Aeronáutica
- Administración
- Ingeniería de alimentos
- Ingeniería Eléctrica
- Diseño de fármacos
- Biología
- Ingeniería Industrial, etc.

Las ecuaciones que se formulan en los métodos numéricos pueden utilizarse para simular cualquier proceso u operación unitaria en ingeniería química (intercambiadores de calor, reactores, destiladores, columnas empacadas, etc.). Para diseñarlas, conviene primero simularlas numéricamente. La simulación numérica, con todas sus limitaciones, nos da una primera aproximación que nos permite tomar decisiones más atinadas cuando se trata de diseñar procesos químicos, reduciendo significativamente el costo del diseño. Por ejemplo para construir un reactor, en la computadora, puedes mover las variables (presión, temperatura, composición, flujo, etc.) y las dimensiones de tu equipo a tu arbitrariedad, total si explota el reactor no causará ningún daño, después podemos hacer un construir el modelo físico y probarlo y ver si coincide con nuestra predicción numérica.

En el proceso de la solución de problemas por medio de computadores se requieren los siguientes pasos:

- Especificación del problema. Con esto se indica que se debe identificar perfectamente el problema y sus limitaciones, las variables que intervienen y los resultados deseados.
- Análisis. Es la formulación de la solución del problema denominada también algoritmo, de manera que se tenga una serie de pasos que resuelvan el problema y que sean susceptibles de ejecutarse en la computadora.
- Programación. Este paso consiste en traducir el método de análisis o algoritmo de solución expresándole como una serie detallada de operaciones.
- Verificación. Es la prueba exhaustiva del programa para eliminar todos los errores que tenga de manera que efectúe lo que desea los resultados de prueba se comparan con soluciones conocidas de problemas ya resueltos.
- Documentación. Consiste en preparar un instructivo del programa de manera que cualquier persona pueda conocer y utilizar el programa.
- Producción. Es la última etapa en la que solo se proporcionan datos de entrada del programa obteniéndose las soluciones correspondientes.

Desde tiempos ancestrales el papel del ingeniero ha sido el de conocer e interpretar los mecanismos de la naturaleza para así poder ponerla al servicio del hombre. Para ello ha utilizado sus conocimientos, intuición, experiencia y los medios naturales a los que en cada momento ha tenido disponibles. Con el gran poder de cómputo que se tiene en estos días, el ingeniero dispone de grandes ventajas para poder llevar a cabo su misión y abordar cada día retos más ambiciosos en la solución de nuevos problemas, cuyos aspectos políticos, económicos, científicos o tecnológicos pueden tener mayor impacto en la mejora de la calidad de la vida del hombre.

Una rama muy importante de la ingeniería, es el estudio de la mecánica de fluidos, en donde las ecuaciones que rigen el fenómeno físico tienen ciertas características que las hacen difíciles de abordar desde el punto de vista numérico. Un aspecto muy importante de una aplicación de la Mecánica de Fluidos es el de crear laboratorios virtuales para modelar fenómenos físicos. Por ejemplo el túnel de viento para modelar el paso de un vehículo a una cierta velocidad y determinar el coeficiente de penetración en el aire, el cual puede incidir en el gasto energético del vehículo para poder mantener una velocidad constante. Podemos observar un ejemplo de esto en la siguiente imagen:

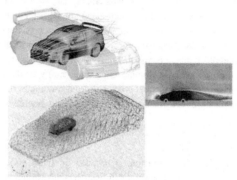

Figura 1.3. Simulación del túnel de viento

Existen también problemas acoplados fluido-estructura, en donde el resultado de uno influye en los resultados que se esperan del otro. Un ejemplo muy típico de este tipo de problemas acoplados es el modelado de la vela de un barco. En este tipo de problemas, cuando el viento sopla sobre la vela, la deforma geométricamente hablando y modifica las presiones que el viento provoca sobre la vela. De esta forma la geometría de la vela se ve alterada, y los esfuerzos que actúan sobre la vela, pueden a su vez deformas aún más la geometría. Si no se realiza una simulación realista de este tipo de fenómenos, los resultados numéricos no representarán el fenómeno físico real.

Figura 1.4. Simulación de la vela de un barco

En la ingeniería eléctrica, un problema común es conocer el valor de la corriente en un circuito o el valor de las caídas de voltaje de los elementos del mismo. Para ello se usan distintos tipos de análisis de circuito.

Los más conocidos son el análisis de mallas o análisis nodal, estos se desprenden de las leyes de Kirchhoff, Con estas dos técnicas, es posible analizar cualquier circuito lineal mediante la obtención de un conjunto de ecuaciones simultáneas que después sean resueltas para obtener los valores requeridos de corriente o tensión.

En la ingeniería eléctrica el proceso de medición generalmente requiere el uso de un instrumento como medio físico para determinar la magnitud de una variable. Los instrumentos constituyen una extensión de las facultades humanas y en muchos casos permiten a las personas determinar el valor de una cantidad desconocida la cual no podría medirse utilizando solamente las facultades sensoriales, por lo cual se hace uso de voltímetros, galvanómetros, multímetros de gancho, e incluso instrumentos más sofisticados como el Megger de Tierras y el osciloscopio. Ninguna medición se puede realizar con una exactitud perfecta, pero es importante descubrir cuál es la exactitud real y como se generan los diferentes errores en las mediciones. Un estudio de los errores es el primer paso al buscar modos para reducirlos con objeto de establecer la exactitud de los resultados finales. El análisis de errores es muy importante en la ingeniería eléctrica para evitar danos ya sea al equipo o al usuario mismo. Por lo cual las mediciones realizadas tienen que ser lo más exactas y precisas posibles y sobre todo tratar de reducir los errores al mínimo.

En la ingeniería ambiental podemos encontrar el caso del análisis del efecto de los gases de invernadero y las lluvias en el medio ambiente. Con la ayuda de los métodos numéricos podemos analizar la ley de los gases ideales y no ideales, muy utilizada en la ingeniería química y en la bioquímica. En la ingeniería mecánica podemos analizar también la fricción dentro de las tuberías y mangueras.

Los métodos numéricos aplicados al estudio de estructuras sometidas a esfuerzos de origen sísmico han sido utilizados habitualmente en ingeniería. La limitación tradicional con que se encontraba el analista radicaba en el enorme esfuerzo de cálculo mecánico necesario para obtener respuestas significativas tan pronto como el modelo matemático a analizar presentaba una cierta complejidad. Esta situación se vio sustancialmente modificada por la aparición del ordenador que, justamente, libera al proyectista del trabajo repetitivo irracional y permite dedicar tiempo a la reflexión, a la par que aumenta espectacularmente la capacidad de modelado.

1.2 Lenguajes de programación.

Como ya se había indicado anteriormente los métodos numéricos son técnicas algorítmicas que están basadas en operaciones aritméticas sencillas para solucionar los problemas matemáticos. En otras palabras podemos indicar que:

Método numérico = Matemáticas + Computación

Para ayudarnos con la resolución de este tipo de operaciones se han creado varios lenguajes de programación o programas, dentro de los cuales podemos enunciar Fortran, C++, Qbasic, GNU Octave, MatLab, Patran, Comsol Multiphysics, Salome, Elmer, Excel, Integra Lab, Derive, etc. Existen además repositorios donde podemos encontrar un sinnúmero de programas que nos podrían ayudar, entre estos tenemos a NetLib, NAG, Numerical récipes, IMSL Numerical Libraries.

1.2.1 Octave

Octave es un software para la solución de problemas de ingeniería *(al estilo de MATLAB)*. Comparte la sintaxis de MATLAB pero es más poderoso en el sentido de su orientación a objeto. Además es software libre y actualmente dispone de una interfaz de usuario hecha en QT y muy amigable. Para el trazado de gráficos emplea la herramienta GNUplot, también libre y de calidad en la generación de gráficas científicas. Es un programa multiplataforma ya que puede correr bajo Windows, Linux y MacOS entre otros. Se maneja por línea de comando, aunque existen numerosas GUI's1, como qtOctave (Ubuntu).

Figura 1.5. Logo de software GNU Octave

Existen dos maneras de trabajar con Octave: de forma directa, ingresando comandos por la línea de comandos (CLI), o bien generando un script en su interfaz gráfica (GUI). Un script es un archivo de texto plano que contiene una serie de instrucciones que Octave puede interpretar y ejecutar, de extensión .m. Lo más usual es trabajar con scripts.

Funciones matemática:

sqrt()	(raíz cuadrada)
log()	(logaritmo natural)
log10()	(logaritmoen base 10)
sin(), cos(), tan(), etc	(funciones trigonométricas

Funciones gráfica

plot()	genera una salida gráfica
stem()	genera un gráfico 2D
bar()	genera una barra gráfica
polar()	genera una gráfica 2D en coordenadas polares
semilogx()	similar a plot(), pero uno o ambos ejes tiene escala logarítmica
axes()	crea un objeto en ejes cartesianos
axis()	limita los ejes de una gráfica
grid	controla la aparición de la rejilla gráfica
figure	genera multigráficas

Ejemplos:

Línea de Comandos   Gráficos

14

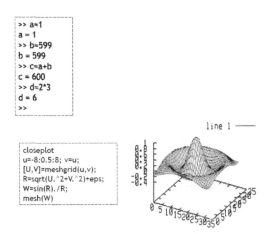

```
>> a=1
a = 1
>> b=599
b = 599
>> c=a+b
c = 600
>> d=2*3
d = 6
>>
```

```
closeplot
u=-8:0.5:8; v=u;
[U,V]=meshgrid(u,v);
R=sqrt(U.^2+V.^2)+eps;
W=sin(R)./R;
mesh(W)
```

line 1 ———

1.2.2 Patran

Patran es un programa de ingeniería asistida por computadora (CAE) que proporciona una interfaz gráfica al pre- y posprocesado de modelos de elementos finitos y sus resultados. The MacNeal-Schwendler Corporation (MSC) es la empresa que lo comercializa. Dado que ambos productos son distribuidos por la misma compañía, se usa frecuentemente como pre- y posprocesador de Nastran. Fuente: https://es.wikipedia.org/wiki/Patran

Patran es más ampliamente utilizado pre / post procesamiento de software para análisis de elementos finitos (FEA), que proporciona el modelado de sólidos, el mallado y la configuración de análisis de MSC Nastran, Marc, Abaqus, LS-DYNA, ANSYS, y Pam Crash.

Patran proporciona un rico conjunto de herramientas que simplifican la creación de modelos de análisis listos para lineal, dinámica no lineal, explícito, térmicas y otros solucionadores de elementos finitos

Figura 1.6. Logo de Patran

La secuencia de trabajo simplificada consiste en:

1. Definir una geometría.
2. Mallar con elementos finitos dicha geometría.
3. Asignar propiedades a los elementos finitos.
4. Definir las condiciones de contorno para cada caso de carga.
5. Definir las cargas externas aplicadas para cada caso de carga.

6. Definir el tipo de análisis.

7. Exportar un fichero de entrada para un software de análisis de elementos finitos y ejecutarlo.

8. Importar en Patran los resultados del análisis.

9. Analizar los resultados mediante la interfaz gráfica.

1.2.3 Comsol Multiphysics

COMSOL Multiphysics (antes conocido como **FEMLAB**) es un paquete de software de análisis y resolución por elementos finitos para varias aplicaciones físicas y de ingeniería, especialmente fenómenos acoplados, o multifísicos. COMSOL Multiphysics también ofrece una amplia y bien gestionada interfaz a MATLAB y sus *toolboxes* que proporcionan una amplia variedad de posibilidades de programación, preprocesado y postprocesado. También proporciona una interfaz similar a COMSOL Script. Los paquetes son multiplataforma (Windows, Mac, Linux, Unix.) Además de las interfaces de usuario convencionales basadas en físicas, COMSOL Multiphysics también permite entrar sistemas acoplados de ecuaciones en derivadas parciales (EDP). Las EDP se pueden entrar directamente o utilizando la llamada forma débil (ver el Método de los elementos finitos para una descripción de la formulación débil).

Es un paquete de modelización para la simulación de cualquier proceso físico que se pueda describir mediante ecuaciones en derivadas parciales. Está provisto de la última tecnología y algoritmos que pueden manejar problemas complejos de forma rápida y precisa, mientras que su intuitiva estructura está diseñada para proporcionar una gran facilidad de uso y flexibilidad.

Figura 1.7. Logo de Comsol Multiphysics

Es posible modelar sistemas de fenómenos físicos acoplados y poder, así, manejar la creciente demanda de representaciones realistas del mundo que nos rodea. Proporciona un entorno de modelado multifísico amigable, rápido y versátil. Es un software de modelado y simulación ideal para la investigación, el desarrollo de productos y la educación.

1.2.4 Salome

Es un software de código abierto que ofrece una plataforma genérica para pre- y post-procesamiento para la simulación numérica. Es una solución multiplataforma. Tiene una arquitectura abierta y flexible realizada a partir de componentes reutilizables. Se distribuye como software de código abierto bajo los términos de la licencia GNU

LGPL. Puede ser utilizada como aplicación independiente para la generación de modelos de CAD, su preparación para los cálculos numéricos y de post-procesamiento de los resultados del cálculo.

Con Salomé se pueden manejar las propiedades físicas y las cantidades de elementos geométricos adjunta, realizar cálculos utilizando uno o más solucionadores externos, mostrar los resultados de cálculo, la gestión de estudios

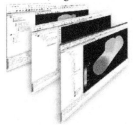

Figura 1.8. Interfaz Salome

Las características principales de Salomé son:

- Apoya la interoperabilidad entre CAD y modelado de software de computación
- Hace más fácil la integración de nuevos componentes en sistemas heterogéneos de computación numérica.
- Establece la prioridad de multifísica de acoplamiento entre el software de computación.
- Proporciona una interfaz de usuario genérico de uso fácil y eficiente, lo que ayuda a reducir los costes y los retrasos de la realización de los estudios.
- Reduce el tiempo de formación a la hora específica para el aprendizaje de la solución de software basados en esta plataforma.

1.2.5 Elmer

Elmer es un programa para la solución de problemas de elementos finitos distribuido por la CSC (Finnish IT center for science), entidad administrada por el ministerio de educación finlandés. En su última versión, es soportada por diversas plataformas: (Unix, GNU/Linux, Windows, Mac). El desarrollo de Elmer se ha realizado con el apoyo de universidades de Finlandia, centros de investigación y la industria. Fuente: https: //es.wikipedia.org/wiki/Elmer_FEM_solver

Elmer viene programado con distintos "juegos" de ecuaciones diferenciales parciales para facilitar el modelamiento de sistemas mecánicos, de estructuras, electromagnéticos, de transferencia de calor y de acústica entre otras.

El programa se distribuye en paquetes integrados en un solo paquete. Algunos de los paquetes que forman parte son:

- ElmerPost
- ElmerFront
- ElmerGrid

Elmer

Figura 1.9. Logotipo de Elmer

1.2.6 Integralab

Es un software para integración de funciones y solución de ecuaciones diferenciales por métodos numéricos. Posee un ambiente que permite visualizar la gráfica de una función. Este software tiene diferentes tipos de interfaces entre ellas tenemos:

La clase Parser que se utiliza para evaluar expresiones, se usa las técnicas utilizadas en el diseño de compiladores.

Figura 1.10. Logotipo de Integra Lab

La clase IntegraLAB permite elaborar la interface de usuario GUI. Esta hace uso de los paquetes swing.*, awt.*, io.*, que Java posee. Se encuentra el código en Java de los métodos de integración y solución de ecuaciones diferenciales ordinarias que se utilizan.

La clase NewtonDialog. Esta clase permite presentar el cuadro de diálogo que permite insertar o introducir en cuadros de texto: la función a integrar, los límites de integración, número de intervalos. Adicionalmente permite escoger las opciones (Trapecio, Simpson 1/3, Simpson 3/8 y Boole), finalmente presenta la solución o respuesta encontrada por el algoritmo seleccionado en opciones. La función miembro algor( ) se encuentra sobrecargada y permite la selección de los algoritmos numéricos, escritos para el software.

La clase LegendreDialog. Esta clase en cuanto al cuadro de diálogo que presenta al ser seleccionada, es idéntico al cuadro de diálogo presentado por la clase newtonDialog; pero se diferencia en que, el frame para las "opciones" o métodos, es titulado ahora "número de puntos" (dos, tres, cuatro, cinco y seis) acerca de los cuales se quiere tener en cuenta para los cálculos.

La clase basicasDialog. Esta clase permite a IntegraLAB la solución de ecuaciones diferenciales ordinarias para el problema del valor inicial. En ella se escribe el código Java que permite mostrar el cuadro de dialogo correspondiente para el ingreso de la función a evaluar, las opciones (Euler, Heun, RK2, y RK4), asimismo los datos (el intervalo, el número de segmentos y el valor inicial), asimismo; al presionar el botón [Go] presenta una caja con la malla de puntos encontrados por el algoritmo elegido.

1.2.7 MatLab.

MATLAB (abreviatura de MATrix LABoratory, «laboratorio de matrices») es un sistema de cómputo numérico que ofrece un entorno de desarrollo integrado (IDE) con un lenguaje de programación propio (lenguaje M). Está disponible para las plataformas Unix, Windows, macOS y GNU/Linux.

Entre sus prestaciones básicas se hallan la manipulación de matrices, la representación de datos y funciones, la implementación de algoritmos, la creación de interfaces de usuario (GUI) y la comunicación con programas en otros lenguajes y con otros dispositivos hardware. El paquete MATLAB dispone de dos herramientas adicionales que expanden sus prestaciones, a saber, Simulink (plataforma de simulación multidominio) y GUIDE (editor de interfaces de usuario - GUI). Además, se pueden ampliar las capacidades de MATLAB con las cajas de herramientas (toolboxes); y las de Simulink con los paquetes de bloques (blocksets). Fuente: https://es.wikipedia.org/wiki/MATLAB.

Figura 1.11. Logotipo de MatLab.

Las aplicaciones de MATLAB se desarrollan en un lenguaje de programación propio. Este lenguaje es interpretado, y puede ejecutarse tanto en el entorno interactivo, como a través de un archivo de script (archivos *.m). Este lenguaje permite operaciones de vectores y matrices, funciones, cálculo lambda, y programación orientada a objetos.

Dentro de los beneficios que ofrece MatLab podemos indicar:
- Simulación de procesos.
- Permite construir modelos simples para testear teorías.
- Ofrece Toolboxes complementarias para amplia variedad de aplicaciones de ingeniería e investigación.
- Lenguaje de alto nivel para cálculos científicos e ingeniería.
- Identificación y simulación de sistemas.
- Visualiza, explora y analiza datos.
- Diseño de control, procesamiento de señales e imágenes.
- Creación de gráficos para visualizar datos.
- Rapidez y precisión en la ejecución de proyectos.

1.2.8 Derive.

Es un potente programa para el cálculo matemático avanzado: variables, expresiones algebraicas, ecuaciones, funciones, vectores, matrices, trigonometría, etc.

19

También tiene capacidades de calculadora científica, y puede representar funciones gráficas en dos y tres dimensiones en varios sistemas coordenados.

La potencia de Derive es enorme y no resulta complicado de manejar, máxime teniendo en cuenta la gran cantidad de posibilidades que ofrece. Es fácil navegar a través de él y consultar la ayuda online y la tabla de contenidos. El usuario también puede personalizar menús, barras de herramientas y atajos de teclado.

Figura 1.12. Logotipo de Derive

1.3 Conceptos básicos: punto flotante, cifra significativa, precisión, exactitud, incertidumbre, sesgo, convergencia, condicionamiento y estabilidad.

Es de mucha importancia antes de introducirnos al estudio de los métodos numéricos el conocimientos de ciertos conceptos que nos van a ayudar a comprender y dar con una solución más acertada del problema a resolver.

Entre estos conceptos podemos encontrar: punto (coma) flotante, cifra significativa, precisión, exactitud, incertidumbre, sesgo,

1.3.1 Punto (coma) Flotante

La representación de punto o coma flotante (en inglés floating point) es una forma de notación científica usada en los computadores con la cual se representan números reales extremadamente grandes y pequeños de una manera muy eficiente y compacta, y con la que se pueden realizar operaciones aritméticas. El estándar actual para la representación en coma flotante es el IEEE 754.

Como la representación en coma flotante es casi idéntica a la notación científica tradicional, con algunos añadidos y algunas diferencias, primero describiremos la notación científica para entender cómo funciona, y luego describiremos la representación de coma flotante y las diferencias.

La notación científica se usa para representar números reales. Siendo r el número real a representar, la representación en notación científica está compuesta de tres partes:

$$r = cb^e$$

donde

c. El coeficiente, formado por un número real con un solo dígito entero seguido de una coma (o punto) y de varios dígitos fraccionarios.

b. La base, que en nuestro sistema decimal es 10, y en el sistema binario de los computadores es 2.

e. El exponente entero, el cual eleva la base a una potencia.

El signo en el coeficiente nos indica si el número real es positivo o negativo.

El coeficiente tiene una cantidad determinada de dígitos significativos, los cuales indican la precisión del número representado, cuantos más dígitos tenga el coeficiente, más precisa es la representación. Por ejemplo, π lo podemos representar en notación científica, con 3 cifras significativas, $3,14 \times 10^0$, o con 12 cifras significativas, $3,14159265359 \times 10^0$, teniendo en la segunda representación mucha más precisión que la primera.

El coeficiente es multiplicado por la base elevada a un exponente entero. En nuestro sistema decimal la base es 10. Al multiplicar el coeficiente por la base elevada a una potencia entera, lo que estamos haciendo es desplazando la coma del coeficiente tantas posiciones (tantos dígitos) como indique el exponente. La coma se desplaza hacia la derecha si el exponente es positivo, o hacia la izquierda si es negativo.

A continuación un ejemplo de cómo cambia un número al variar el exponente de la base:

$2,71828 \times 10$-2 representa al número real $0,0271828$

$2,71828 \times 10$-1 representa al número real $0,271828$

$2,71828 \times 10$ 0 representa al número real $2,71828$ (el exponente cero indica que la coma no se desplaza)

$2,71828 \times 10$ 1 representa al número real $27,1828$

$2,71828 \times 10$ 2 representa al número real $271,828$

Un valor real se puede extender con una cantidad arbitraria de dígitos. La coma flotante permite representar solo una cantidad limitada de dígitos de un número real, solo se trabajará con los dígitos más significativos, (los de mayor peso) del número real, de tal manera que un número real generalmente no se podrá representar con total precisión sino como una aproximación que dependerá de la cantidad de dígitos significativos que tenga la representación en coma flotante con que se está trabajando

En la representación binaria de coma flotante, el bit de mayor peso define el valor del signo, 0 para positivo, 1 para negativo. Le siguen una serie de bits que definen el exponente. El resto de bits son la parte significativa o también conocida como mantisa.

Debido a que la mantisa está generalmente normalizada, en estos casos, el bit más significativo de la mantisa siempre es 1, así que no se representa cuando se almacena sino que es asumido implícitamente. Para poder realizar los cálculos ese bit implícito se hace explícito antes de operar con el número en coma flotante.

Abajo tenemos 3 números en una representación de coma flotante de 16 bits. El bit de la izquierda es el signo, luego hay 6 bits para el exponente, seguidos de 9 bits para la parte significativa:

Signo	Exponente	Parte Significativa	
1	100011	011101100	= 0xC6EC
0	011011	111001101	= 0x37CD
0	101001	000000001	= 0x5201

21

El signo es expresado por el bit de la izquierda, con 0 indicando que el número es positivo y 1 indicando que el número es negativo. En los ejemplos de arriba, el primer número es negativo y los dos últimos son positivos.

El exponente indica cuánto se debe desplazar hacia la derecha o hacia la izquierda la coma binaria de la parte significativa. En este caso, el exponente ocupa 6 bits capaces de representar 64 valores diferentes, es decir, es un exponente binario (de base 2) que va desde -31 a +32, representando potencias de 2 entre 2-31 y 2+32, indicando que la coma binaria se puede desplazar hasta 31 dígitos binarios hacia la izquierda (un número muy cercano a cero), y hasta 32 dígitos binarios hacia la derecha (un número muy grande).

Pero el exponente no se almacena como un número binario con signo (desde -31 hasta +32) sino como un entero positivo equivalente que va entre 0 y 63. Para ello, al exponente se le debe sumar un desplazamiento (bias), que en este caso de exponente de 6 bits (64 valores), es 31 (31 es la mitad de los 64 valores que se pueden representar, menos 1), y al final, el rango del exponente de -31 a +32 queda representado internamente como un número entre 0 y 63, donde los números entre 31 y 63 representan los exponentes entre 0 y 32, y los números entre 0 y 30 representan los exponentes entre -31 y -1 respectivamente.

La mantisa, en este caso, está formada por 10 dígitos binarios significativos, de los cuales tenemos 9 dígitos explícitos más 1 implícito que no se almacena. Esta parte significativa generalmente está normalizada y tendrá siempre un 1 como el bit más significativo.

Formatos binarios de los números en coma flotante del estándar IEEE 754 (2008).

Tipo	Representación (número de bits)			
	Signo	Exponente	Significante	Total
Medio (*half*)	1	5	10	16
Simple (*single*)	1	8	23	32
Doble (*double*)	1	11	52	64
Cuádruple (*quad*)	1	15	112	128

Figura 1.13. Tabla de representación en coma flotante estándar IEEE 754

1.3.2 Cifra significativa

El concepto de cifra significativa lo podemos definir como aquella que aporta información no ambigua ni superflua acerca de una determinada medida experimental, son cifras significativas de un numero vienen determinadas por su error. Son cifras que ocupan una posición igual o superior al orden o posición de error.

Cuando se emplea un número en un cálculo, debe haber seguridad de que pueda usarse con confianza. El concepto de cifras significativas tiene dos implicaciones importantes en el estudio de los métodos numéricos.

1. Los métodos numéricos obtienen resultados aproximados. Por lo tanto, se debe desarrollar criterios para especificar qué tan precisos son los resultados obtenidos.

2. Aunque ciertos números representan número específicos, no se pueden expresar exactamente con un número finito de cifras.

Reglas de operaciones con cifras significativas.

Regla 1: los resultados experimentales se expresan con una sola cifra dudosa, e indicando con + - la incertidumbre en la medida.

Regla 2: las cifras significativas se cuentan de izquierda a derecha, a partir del primer dígito diferente de cero y hasta el digito dudoso.

Regla 3: al sumar o restar dos números decimales, el número de cifras decimales del resultado es igual al de la cantidad con el menor número de ellas.

Regla 4: al multiplicar o dividir dos números, el número de cifras significativas del resultado es igual al del factor con menos cifras.

Las cifras significativas permiten determinar la confianza de un valor numérico, su importancia en los Métodos Numéricos radica primero en que dado que éstos son técnicas iterativas, se puede establecer como criterio de parada el hecho de que una solución alcance determinado número de cifras significativas; y segundo, se utilizan para decidir la precisión de un método numérico. Por ejemplo, el número 2.820×10^3 posee cuatro dígitos significativos.

El número de cifras significativas es el número de dígitos, que se pueden usar con confianza, al medir una variable. Los dígitos significativos, son los primeros dígitos en la mantisa, cuando se escribe en forma decimal normalizada.

Ejemplos:

46 ml	2 cifras significativas
8002 g	4 cifras significativas
0,0570 m^3	3 cifras significativas
4,9 x 10^4 moléculas	2 cifras significativas
670 Kg	3 cifras significativas
3000000	7 cifras significativas
0,00001Kg	1 cifra significativa

1.3.3 Precisión y exactitud

En ingeniería, ciencia, industria, estadística, exactitud y precisión no son equivalentes. Es importante resaltar que la automatización de diferentes pruebas o técnicas puede producir un aumento de la precisión. Esto se debe a que con dicha automatización, lo que logramos es una disminución de los errores manuales o su corrección inmediata.

Precisión: se refiere a la dispersión del conjunto de valores obtenidos de mediciones repetidas de una magnitud. Cuanto menor es la dispersión mayor la precisión. Una medida común de la variabilidad es la desviación estándar de las mediciones y la precisión se puede estimar como una función de ella.

Exactitud: se refiere a cuán cerca del valor real se encuentra el valor medido. En términos estadísticos, la exactitud está relacionada con el sesgo de una estimación. Cuanto menor es el sesgo más exacto es una estimación.

También se refiere a la aproximación de un numero o de una medida al valor verdadero que se supone representa.

Cuando expresamos la exactitud de un resultado se expresa mediante el error absoluto que es la diferencia entre el valor experimental y el valor verdadero. También es la mínima variación de magnitud que puede apreciar un instrumento.

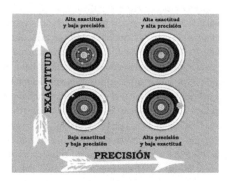

Figura 1.14. Gráfica representativa de la exactitud y la precisión.

Fuente: https://www.diferenciador.com/diferencia-entre-exactitud-y-precision/

Precisión es el detalle con el que un instrumento o procedimiento puede medir una variable mientras que exactitud es lo que se acerca esta medición al valor real. Por ejemplo, una regla tiene una precisión de milímetro mientras que un metro de electricista tiene una precisión de centímetro. Sin embargo será más exacto medir un muro con un metro que con una regla ya que el instrumento es más apropiado.

1.3.4 Incertidumbre

Incertidumbre también se le conoce como Imprecisión. Se refiere al grado de alejamiento entre sí, a las diversas aproximaciones a un valor verdadero.

Situación bajo la cual se desconocen las probabilidades de ocurrencia asociados a los diferentes resultados de un determinado evento.

Según el Vocabulario Internacional de Metrología (VIM), se conoce como incertidumbre al parámetro no negativo que caracteriza la dispersión de los valores atribuidos a un mensurando, a partir de la información que se utiliza.

La norma ISO 3534-1:1993 (Estadística. Vocabulario y símbolos. Parte 1: Términos estadísticos generales y términos empleados en el cálculo de probabilidades), describe la incertidumbre como *"una estimación unida al resultado de un ensayo que caracteriza el intervalo de valores dentro de los cuales se afirma que está el valor verdadero"*. El problema que nos encontramos con esta definición es que el valor "real" o "verdadero" de lo medido es desconocido.

1.3.5 Sesgo

Existe sesgo cuando la ocurrencia de un error no aparece como un hecho aleatorio (al azar) advirtiéndose que este ocurre en forma sistemática. Es un alejamiento sistemático del valor verdadero a calcular.

Error sistemático o sesgo es aquel que se produce en las mediciones, que se realizan de una magnitud, dicho de otra manera, es el efecto de un error que ocurre de manera persistente o constante. Puede ser originado en un defecto del instrumento, en una rasgo del operador o del proceso de medición u observación.

Según el VIM sesgo de medida es el valor estimado de un error sistemático.

1.3.6 Convergencia

La convergencia de un método numérico es la garantía de que, al realizar un buen número de iteraciones, las aproximaciones obtenidas se acercan cada vez más al verdadero valor buscado.

En el orden en que un método numérico requiere de un menor número de iteraciones que otro, para acercarse al valor numérico deseado, se dice que tiene una mayor rapidez de convergencia.

Se entiende por estabilidad de un método numérico el nivel de garantía de convergencia, y es que algunos métodos numéricos no siempre convergen y, por el contrario divergen; es decir, se alejan cada vez más y más del resultado deseado.

En la medida en la que un método numérico, ante una muy amplia gama de posibilidades de modelado matemático, es más seguro que converja que otro, entonces se dice que tiene una mayor estabilidad.

Normalmente se pueden encontrar métodos que convergen rápidamente, pero son demasiado inestables y, por el contario, modelos muy estables, pero de lenta convergencia.

En Métodos numérico la velocidad con la cual una sucesión converge a su límite es llamada orden de convergencia. Este concepto es, desde el punto de vista práctico, muy importante si necesitamos trabajar con secuencias de sucesivas aproximaciones de un método iterativo. Incluso puede hacer la diferencia entre necesitar diez o un millón de iteraciones.

1.3.7 Condicionamiento.

Un problema numérico (matemático) se dice que está bien condicionado, si pequeñas variaciones en los datos de entrada se traducen en pequeñas variaciones de los resultados. O sea no produce una variación sustancial en los resultados.

1.3.8 Estabilidad

Un proceso numérico es inestable cuando los pequeños errores que se producen en alguna de sus etapas se agrandan en etapas posteriores y degradan seriamente la exactitud del cálculo en su conjunto.

La estabilidad numérica es una característica de los algoritmos numéricos. Describe cómo los errores en los datos de entrada se propagan a través del algoritmo. En un método estable, los errores debidos a las aproximaciones disminuyen a medida que la computación procede. En un método inestable, cualquier error en el proceso se engrandece conforme el cálculo procede.

La estabilidad numérica de un método junto con el número de condición define cuán buen resultado podemos obtener usando métodos aproximados para calcular cierto problema matemático.

1.4 Teoría de errores

En el análisis numérico dentro de las matemáticas, o en las ciencias y la ingeniería en general, el término error está relacionado con la duda o incertidumbre de los resultados o los datos de inicio, sin que ello represente que los resultados estén equivocados. Es decir, no se pone en duda la fiabilidad del método, sino que al analizar el error, buscamos el grado de incertidumbre de los valores encontrados.

A la hora de examinar el grado de confianza de un método o algoritmo, es cuando adquiere mayor importancia el estudio de los errores que pueden afectar a los cálculos, operaciones que intervienen en el algoritmo, y así poder ver cómo estos errores pueden afectar a los resultados.

Los errores numéricos surgen del uso de aproximaciones para representar operaciones y cantidades matemáticas. Éstas incluyen los errores de truncamiento que resultan del empleo de aproximaciones como un procedimiento matemático exacto y los errores de redondeo, que se producen cuando se usan números que tienen un límite de cifras significativas para representar números exactos.[1]

Es conveniente tener presente en todo momento cuáles son las fuentes de los errores, ya que puede ser una ayuda definitiva a la hora de resolver eventuales problemas prácticos, si bien es cierto que éstas actúan siempre juntas, haciendo muy difícil el conocimiento detallado de la contribución de cada una en cada caso.

Los métodos numéricos ofrecen soluciones aproximadas muy cercanas a las soluciones exactas; la discrepancia entre una solución verdadera x y una aproximada x* constituye un error:

$$x = x^* \pm error$$

1.4.1 Error absoluto.

El error absoluto se define como el valor absoluto de la diferencia entre el valor verdadero y el valor aproximado:

$$E_a = |x - x^*|$$

El error absoluto se expresa en las mismas unidades que x y no toma en cuenta el orden de magnitud de la cantidad que se está midiendo. El error absoluto puede ser un valor positivo o negativo, según si la medida es superior al valor real o inferior.

El error absoluto es un indicador de la imprecisión que tiene una determinada medida. De hecho, cuando se proporciona el resultado de una medida suele venir acompañada de dicha imprecisión.

Ejemplo: Imagina que al medir un determinado objeto con un instrumento de precisión ± 1 cm obtenemos el valor de 23.5 cm. Si adicionalmente sabemos que la imprecisión absoluta de esa medida es 0.2 cm, entonces el resultado de esa medición se representa como: 23.5 cm ± 0.2 cm donde el valor real de la magnitud queda incluida en el intervalo 23.3 cm <= 23.5 cm <= 23.7 cm.

De forma general:

1. Si únicamente realizamos una sola medición con el instrumento de medida, el resultado final será el valor leído ± la precisión del instrumento de medida.

2. Si realizamos n medidas en las mismas condiciones, tomaremos como valor la media aritmética (X) ± el menor valor entre la imprecisión absoluta y la precisión del instrumento de medida.

1.4.2 Error relativo.

El error relativo normaliza el error absoluto respecto al valor verdadero de la cantidad medida:

$$E_r = \frac{|x - x^*|}{|x|}$$

El error relativo es adimensional y puede quedar expresado así, en forma fraccional, o se puede multiplicar por 100 para expresarlo en términos porcentuales:

$$e(\%) = E_r x 100$$

También se puede decir que es el cociente entre el error absoluto y el valor que consideramos como exacto (la media). Al igual que el error absoluto puede ser positivo o negativo porque puede se puede producir por exceso o por defecto.

El error relativo tiene la tarea de servir de indicador de la calidad de una medida. Para entender esto utilizaremos otro ejemplo. Imagina que se comete un error absoluto de 1 metro al medir una finca de 200 metros y otra de 3000. Si calculamos los errores relativos en ambas mediciones tenemos que son 1/200 y 1/3000. Dado que en la segunda medición el error relativo es más pequeño quiere decir que la calidad de la medida es mucho mejor que la de la primera. De hecho si lo piensas, bien es mucho mejor equivocarse en un metro cuando cuento 3000 metros que cuando cuento 200 metros.

Cuando se realizan una medición se considera que su calidad es mucho mayor cuanto más pequeño es el error relativo que se comete.

1.4.3 Error por truncamiento.

También se lo conoce como error de discretización o error de truncatura. Es el error que aparece al transformar un procedimiento infinito en uno finito. Al hablar de una iteración, el error por truncamiento se entiende como el error por no seguir iterando y aproximando a la solución de manera indefinida.

En otras palabras los errores de truncamiento son aquellos que resultan al usar una aproximación en lugar de un procedimiento matemático exacto.

Se originan debido a que se procede a calcular una solución mediante una aproximación y por el empleo de un número finito de términos de la serie para realizar un cálculo que requiere un número infinito.

1.4.4 Error por redondeo.

Es aquel tipo de error en donde el número significativo de dígitos después del punto decimal se ajusta a un número específico provocando con ello un ajuste en el último dígito que se toma en cuenta. Es decir aparece cuando se corta la sucesión de decimales de la mantisa mediante el redondeo de la última cifra.

Se originan debido a que los cálculos numéricos no pueden realizarse con una precisión infinita y al empleo de un número finito de términos para realizar un cálculo que requiere un número finito de ellos. El error de redondeo aparece cuando se corta la sucesión de decimales de la mantisa mediante el redondeo de la última cifra que se quiere simplificar.

1.5 Ejercicios.

Ejercicio 1.1. Un paracaidista con una masa de 68,1 kg, salta desde un aeroplano, calcular la velocidad antes de abrir el paracaídas. El coeficiente de arrastre c es igual a 12,5 kg/s.

Solución. Según la segunda ley de Newton podemos indicar que $F = m*a$, donde F es la fuerza neta que se actúa sobre el cuerpo (dinas o, gramo centímetro por segundo cuadrado, $g\ c\ /s^2$), m es la masa del cuerpo (gramos) y a es la aceleración (centímetros por segundo al cuadrado, m/s^2). Considerando que la aceleración depende del cambio de velocidad con respecto al tiempo tendríamos:

$$F = \frac{dv}{dt} * m$$

La fuerza total está compuesta por dos fuerzas contrarias, una de atracción hacia abajo, provocada por la gravedad F_{DY} la otra hacia arriba provocada por la resistencia del aire F_v.

$$F = F_D + F_V$$

A la atracción de la gravedad le daremos sentido positivo y tiene un valor de $9.80\ m/s^2$ nuestra fuerza de atracción sería:

$$F_D = mg$$

La resistencia del aire la podemos formular indicando que es proporcional a la velocidad. Así a mayor velocidad de caída, mayor será la fuerza hacia arriba.

$$F = cv$$

De aquí tenemos que la fuerza total será igual a

$m\frac{dv}{dt} = mg - cv$ (1) o dividiendo ambos lados por m tendremos $\frac{dv}{dt} = g - \frac{c}{m}v$ (2)

la solución exacta de la ecuación (2) para la velocidad del paracaidista que cae, no puede obtenerse usando simples manipulaciones algebraicas y operaciones aritméticas. En vez de eso, deberán aplicarse las técnicas del cálculo para obtener una solución exacta. Por ejemplo, si el paracaidista inicialmente está en reposo (u = 0 en t = 0), se puede usar el cálculo para resolver la ecuación (2), así

$$v(t) = \frac{gm}{c}[1 - e^{-(\frac{c}{m})t}]$$

Esta solución es en forma analítica.

Encontraremos un método numérico que sea más exacto para ello aproximamos el valor de cambio de la velocidad con respecto al tiempo:

$$\frac{dv}{dt} \approx \frac{\Delta v}{\Delta t} = \frac{v(t_{i+1}) - v(t_i)}{t_{i+1} - t_i} \quad (3)$$

Donde Δv y Δt son diferencias en la velocidad y el tiempo calculadas sobre intervalos finitos. Si reemplazamos la ecuación (3) en la (1)

$$\frac{v(t_{i+1}) - v(t_i)}{t_{i+1} - t_i} = g - \frac{c}{m} v(t_i) \quad (4)$$

Ordenando la ecuación anterior tendremos

$$v(t_{i+1}) = v(t_i) + [g - \frac{c}{m} v(t_i)](t_{i+1} - t_i) \quad (5)$$

El script que formaría en GNU Octave sería:

```
clc
disp("Cálculo de la velocidad de caída de un paracaidista")
disp("Solución analítica")
m=72.2;
fprintf("La masa es %ikg \n",m)
g=9.81;
fprintf("Gravedad es %im/seg2 \n",g)
c=12.5;
fprintf("El coeficiente de arrastre es %i \n",c)
tf=10;
fprintf("Tiempo máximo a calcular %iseg \n",tf)
disp ("Tiempo     Velocidad")
for t=1:tf
    v=(g*m/c)*(1-exp(-(c/m)*t));
    printf(" %i      %5.2f \n",t, v)
endfor
disp ("---------------------------------------")

disp("Solución con métodos numéricos")
disp ("Tiempo     Velocidad")
ti=0;
vi=0;
tf=10;
for ti2=ti:2:tf
vf=vi + (g-((c/m)*vi))*(ti2-ti);
vi=vf;
ti=ti2;
fprintf(" %i      %5.2f \n", ti2, vf)
endfor
```

Y el resultado que nos daría es lo siguiente:
Cálculo de la velocidad de caída de un paracaidista

Solución analítica
La masa es 72.2kg
Gravedad es 9.81m/seg2
El coeficiente de arrastre es 12.5
Tiempo máximo a calcular 10seg
Tiempo   Velocidad
1   9.01
2   16.58
3   22.95
4   28.31
5   32.82
6   36.61
7   39.80
8   42.48
9   44.73
10   46.63

Solución con métodos numéricos
Tiempo   Velocidad
0   0.00
2   19.62
4   32.45
6   40.83
8   46.31
10   49.90
>>

Ejercicio 1.2 Para el paracaidista en caída libre con arrastre lineal, suponga un primer saltador de 75 kg con coeficiente de arrastre de 12 kg/s. Si un segundo saltador tiene un coeficiente de arrastre de 15 kg/s y una masa de 82 kg, ¿cuánto tiempo le tomará alcanzar la misma velocidad que el primero adquiera en 10 s?

Ejercicio 1.3 Calcular la velocidad del paracaidista del ejemplo 1.1 cuando inicia su caída con una velocidad inicial de 12m/s.

Ejercicio 1.4 Aproximar los números reales indicados más abajo empleando un método de cinco cifras significativas con la técnica dela coma flotante, del truncado y del redondeo.

e, π, $\sqrt{2}$, e^{10}, 10^{π}, $8!$, $9!$

x	Real	Coma	Trunca	Redond
e	2,718	0,2718281	0,2718	0,2718
π	3.141	0,3141592	0,3141	0,3141
$\sqrt{2}$	1,414	0,1414213	0,1414	0,1414
e^{10}	22.02	0,2202646	0,2202	0,2202

10^π	1.385	0,1385455	0,1385	0,1385
8!	40.23	0,4023x10	0,4023	0,4023
9!	362.8	0,362880x	0,3628	0,3628

Ejercicio 1.5 Aproximar los números reales indicados más abajo empleando un método de seis cifras significativas con la técnica dela coma flotante, del truncado y del redondeo.

22/7, e^{12}, $\sqrt{3}$, $\sqrt{19\pi*(9/e)^9}$, π/e, 12!, 9! / 4!, 7!/3, 4'879.265,12

Ejercicio 1.6 Suponga que se tiene que medir la longitud de un puente y la de un remache, y se obtiene 9 999 y 9 cm, respectivamente. Si los valores verdaderos son 10 000 y 10 cm, calcule a) el error verdadero y b) el error relativo porcentual verdadero en cada caso.

Solución

a) El error en la medición del puente es $E_a = |x - x^*|$

E_a = 10 000 – 9 999 = 1 cm

y en la del remache es de E_a = 10 – 9 = 1 cm

b) El error relativo porcentual para el puente es $E_r = \frac{|x-x^*|}{|x|}*100\%$

$$E_r = \frac{1}{10000} 100\% = 0.01\%$$

y para el remache es de

$$E_r = \frac{1}{10} 100\% = 10\%$$

Por lo tanto, aunque ambas medidas tienen un error de 1 cm, el error relativo porcentual del remache es mucho mayor. Se concluye entonces que se ha hecho un buen trabajo en la medición del puente; mientras que la estimación para el remache dejó mucho que desear.

UNIDAD 2. SOLUCION DE SISTEMAS ALGEBRAICOS.

2.1 Ecuaciones lineales.

En la práctica son muy pocas las ecuaciones que se pueden resolver con métodos sencillos, cuando tenemos 4 o más ecuaciones se vuelve muy laborioso y estamos obligados a utilizar equipos computacionales.

Antes de la aparición de las computadoras, las técnicas que se utilizaban para resolver ecuaciones algebraicas lineales consumían mucho tiempo y por ende eran poco prácticas. Esos procedimientos restringieron la creatividad debido a que con frecuencia los métodos eran difíciles de implementar y entender.

El surgimiento de los computadores, fácilmente accesibles en estos momentos, hizo posible y práctico resolver grandes sistemas de ecuaciones algebraicas lineales simultáneas. Así, se puede enfrentar ejemplos y problemas más complicados. Además, se cuenta con más tiempo para poder utilizar sus habilidades creativas, ya que pondrá mayor énfasis en la formulación del problema y en la interpretación de la solución.

El álgebra lineal es fundamental, tanto para el análisis científico como para los métodos numéricos, que no podríamos hacer mucho sin tener un conocimiento básico de ella.

En la etapa final de la resolución numérica del modelo matemático de un problema físico, una vez culminado el proceso de discretización en el que se sustituye el modelo continuo por una adaptación en dimensión finita, se tiene que resolver un sistema de ecuaciones que en la mayoría de los casos son lineales.

Los dos problemas básicos que se presentan son: la busca de la solución de un sistema $Ax = b$ de igual número de ecuaciones que de incógnitas y el cálculo de valores-vectores propios de una matriz cuadrada.

Dentro de las técnicas para resolver sistemas lineales, se distinguen dos grandes familias de métodos, los métodos directos y los métodos iterativos, basados en dos filosofías diferentes de abordar el problema. En los métodos directos se obtiene la solución mediante un número finito de operaciones y esta solución sería exacta si las operaciones pudieran efectuarse con aritmética infinita. En los métodos iterativos se construye mediante una relación de recurrencia una sucesión infinita, que a partir de una estimación inicial y bajo ciertas condiciones converge a la solución buscada.

Un elemento importante en el estudio de los sistemas lineales es su número de condición o condicionamiento. Este valor es una medida de la influencia de las perturbaciones en los datos iniciales, errores en los coeficientes de la matriz A y en las componentes del vector b constante, en la solución del sistema lineal, y está asociado al concepto de estabilidad.

Matlab y GNU Octave son unas herramientas espectaculares en la resolución de problemas numéricos lineales pero ello no excusa conocer los algoritmos más importantes sobre los que basan sus códigos, así como sus limitaciones.

2.1.1 Métodos Directos

Entre los métodos directos de resolución de sistemas lineales de ecuaciones tenemos el método de eliminación gaussiana, el de descomposición LU (variante del método de Gauss), la descomposición de Cholesky, el método Gauss – Jordan.

2.1.1.1 Eliminación Gaussiana.

La eliminación de Gauss es el método que se utiliza en forma más amplia de los métodos directos, para resolver un conjunto de ecuaciones lineales, que también se utiliza para calcular determinantes e invertir matrices.

Un conjunto de N ecuaciones tiene la forma:

$$a_{1,1}x_1 + a_{1,2}x_2 + a_{1,3}x_3 + \cdots + a_{1,N}x_N = y_1$$
$$a_{2,1}x_1 + a_{2,2}x_2 + a_{2,3}x_3 + \cdots + a_{2,N}x_N = y_2$$

$$\cdot$$
$$\cdot$$

$$a_{N,1}x_1 + a_{N,2}x_2 + a_{N,3}x_3 + \cdots + a_{N,N}x_N = y_N$$

donde los $a_{i,j}$ son los coeficientes, los x_i son las incógnitas y y_i son los términos independientes o libres. En este caso el número de incógnitas es igual al número de ecuaciones, siendo esta la forma más usual de ecuaciones lineales. Si estos números son distintos, pueden existir las soluciones, pero esto hay que estudiar con más cuidado. Los problemas en donde el número de ecuaciones es distinto del número de incógnitas lo estudiaremos más adelante.

La eliminación de Gauss sólo se aplica cuando el conjunto no es homogéneo, un conjunto no es homogéneo cuando uno de los términos libres no es igual a cero.

Para simplificar la exposición, consideraremos un problema ideal en el que el conjunto de ecuaciones tiene una solución única y no aparece ninguna dificultad en el proceso de solución. La eliminación de Gauss consiste en: a) la eliminación hacia adelante, y b) la sustitución hacia atrás. La idea básica del método, consiste en utilizar transformaciones elementales de fila y/o columna para eliminar sucesivamente las variables empezando por la primera ecuación y la primera variable y continuando con el resto. De esta manera, tras (n−1) eliminaciones se llega a un sistema equivalente al dado, de matriz triangular superior que se resuelve directamente por sustitución hacia atrás.

La primera ecuación se multiplica por $a_{2,1}/a_{1,1}$ y se le resta a la segunda ecuación para eliminar el primer término de la segunda; de la misma forma, el primer término de las ecuaciones restantes, i > 2, se elimina restando la primera ecuación multiplicada por $a_{i,1}/a_{1,1}$. Así, las ecuaciones se deberían ver así:

$$a_{1,1}x_1 + a_{1,2}x_2 + a_{1,3}x_3 + \cdots + a_{1,N}x_N = y_1$$
$$a'_{2,2}x_2 + a'_{2,3}x_3 + \cdots + a'_{2,N}x_N = y_2$$

$$\cdot$$

$$a'_{N,2}x_2 + a'_{N,3}x_3 + \cdots + a'_{N,N}x_N = y_N$$

donde

$$a'_{i,j} = a_{i,j} - (\frac{a_{i,1}}{a_{1,1}})a_{1,j}$$

Es importante recalcar que la primera ecuación no ha cambiado. En seguida, el segundo término de cada una de Las ecuaciones, desde la tercera hasta la última, i > 2, se elimina restando la segunda ecuación multiplicada por $a'_{i,2}/a'_{2,2}$. Después de terminar este paso, se eliminan los terceros términos de las demás ecuaciones, de La cuarta a la última. Al finalizar este proceso de eliminación hacia adelante, el conjunto de ecuaciones se vera de la forma siguiente:

$$a_{1,1}x_1 + a_{1,2}x_2 + a_{1,3}x_3 + \cdots + a_{1,N}x_N = y_1$$
$$a'_{2,2}x_2 + a'_{2,3}x_3 + \cdots + a'_{2,N}x_N = y_2$$
$$a''_{3,3}x_3 + \cdots + a''_{3,N}x_N = y_3$$

$$\cdot$$

$$a_{N,N}^{(N-1)} x_N = y_N^{(N-1)}$$

Los términos principales de cada una de las ecuaciones anteriores reciben el nombre de pivotes.

El procedimiento de sustitución hacia atrás comienza con La última ecuación. Se obtiene La solución de x_N en la última ecuación:

$$x_N = y_{N,N}^{(N-1)}/a_{N,N}^{(N-1)}$$

Sucesivamente

$$x_{N-1} = \left[y_{N-1}^{(N-2)} - a_{N-1,N}^{(N-1)}x_N\right]/a_{N-1,N-1}^{(N-2)}$$

.
.
.

$$x_1 = [y_1 - \sum_{j=2}^{N} a_{1,j}x_j]/a_{1,1}$$

Con esto se completa la eliminación de Gauss.

La eliminación de Gauss se puede realizar escribiendo solo los coeficientes y los lados derechos en una forma de arreglo. De hecho, esto es precisamente lo que hace un programa de computadora. Incluso para los cálculos a mano, es más conveniente utilizar el arreglo que escribir todas las ecuaciones. La expresión en forma de arreglo de la ecuación es:

$$a_{1,1} \; a_{1,2} \; a_{1,3} \ldots a_{1,N-1} \; a_{1,N} \; y_1$$
$$a_{2,1} \; a_{2,2} \; a_{2,3} \ldots a_{2,N-1} \; a_{2,N} \; y_2$$
.
.
.
$$a_{N,1} \; a_{N,2} \; a_{N,3} \ldots a_{N,N-1} \; a_{N1,N} \; y_{N1}$$

Ejemplo 2.1 Resuelva por el método de eliminación de Gauss el siguiente sistema de ecuaciones:

$$4x_1 - 9x_2 + 2x_3 = 5$$
$$2x_1 - 4x_2 + 6x_3 = 3$$
$$x_1 - x_2 + 3x_3 = 4$$

La matriz aumentada sería

$$\begin{bmatrix} 4 & -9 & 2 & \bigm| & 5 \\ 2 & -4 & 6 & \bigm| & 3 \\ 1 & -1 & 3 & \bigm| & 4 \end{bmatrix}$$

Triangularización

Al sumar la primera ecuación multiplicada por (-2/4) a la segunda, y la primera ecuación multiplicada por (-1/4) a la tercera, resulta

$$\begin{bmatrix} 4 & -9 & 2 & \bigm| & 5 \\ 0 & 0,5 & 5 & \bigm| & 0,5 \\ 0 & -1,25 & 2,5 & \bigm| & 2,75 \end{bmatrix}$$

Sumando la segunda fila multiplicada por (-1,25/0,5) a la tercera se obtiene la matriz

$$\begin{bmatrix} 4 & -9 & 2 & | & 5 \\ 0 & 0,5 & 5 & | & 0,5 \\ 0 & 0 & -10 & | & 1,5 \end{bmatrix}$$

De esta matriz podemos sacar el valor de $x_3 = -\,{1,5}/{10} = 0,15$

Reemplazando el valor de x_3 en la segunda fila tendremos:

$$x_2 = \frac{0,5 - \left(5 * (-0,15)\right)}{0,5} = 2,5$$

Finalmente sustituimos los valores de x_2 y x_3 en la primera fila y obtendremos el valor de x_1

$$x_1 = (5 + (9 * 2,5) - (2 * 0,15))/4 = 6,95$$

Al sustituir cada uno de los valores en las ecuaciones podemos demostrar que el resultado es correcto.

Crearemos un script en Octave el cual quedará de la siguiente manera

```
function Respuesta = Gauss01 (a)
  disp("Método de Eliminación de Gauss")
  for m =1 : rows (a)
    k = a (m,m);
    a(m,:) = a(m,:)/k;
    for n=1 : rows(a)
      if n !=m
        k = a (n,m);
        a(n,:)= a(n,:)- k * a(m,:);
      endif
    endfor
  endfor
  Respuesta = a (:, columns(a));
endfunction
```

Para ver los resultados escribiremos en la ventana de comando:
Gauss01(a), donde a sería la matriz aumentada.

2.1.1.2 Descomposición LU.

El nombre proviene de las palabras inglesas "Lower" y "Upper, que al traducirlas al español significan "Inferior" y "Superior".

La factorización o descomposición de la matriz A del sistema lineal $Ax = b$, se la realiza con el producto de dos matrices triangulares una triangular inferior y otra triangular superior. La descomposición LU involucra solo operaciones sobre los coeficientes de la matriz [A].

Una vez que se obtiene la descomposición se resuelve el sistema lineal

$$(LU)x = L(U)x = b$$

Resolviendo sucesivamente los dos sistemas lineales triangulares

$$Ly = b$$

$$Ux = y$$

[L] será una matriz diagonal inferior con números 1 sobre la diagonal. [U] es una matriz diagonal superior en la que sobre la diagonal no necesariamente tiene que haber números 1.

La matriz A originalmente sería:

$$A = \begin{pmatrix} a_{1,1} & a_{1,2} & a_{1,3} \\ a_{2,1} & a_{2,2} & a_{2,3} \\ a_{3,1} & a_{3,2} & a_{3,3} \end{pmatrix}$$

y las matrices triangulares serían

$$L = \begin{pmatrix} 1 & 0 & 0 \\ l_{1,2} & 1 & 0 \\ l_{1,3} & l_{2,3} & 1 \end{pmatrix}$$

$$U = \begin{pmatrix} u_{1,1} & u_{1,2} & u_{1,3} \\ 0 & u_{2,2} & u_{2,3} \\ 0 & 0 & u_{3,3} \end{pmatrix}$$

Para resolver nuestro sistema realizamos $Ux = y$, para encontrar x y resolvemos $Ly = b$, para encontrar el valor de y.

Iniciamos el proceso encontrando la matriz triangular superior [U]

1. Convertimos todos los números abajo del pivote, tomando en cuenta de no convertir a este en 1.
2. Para obtener lo antes indicado es necesario obtener un factor, que convierta en cero los valores debajo del pivote.
3. Este factor es igual al número que se desea convertir en cero dividido con el número del pivote
4. Al factor lo multiplicamos primero por -1, luego por el pivote y al resultado obtenido lo sumamos al valor que se encuentra en la posición que deseamos cambiar, es decir el valor en la posición que se convertirá en cero.

La matriz triangular inferior [L] se la forma de la siguiente manera

1. Colocamos unos en la diagonal principal
2. Utilizamos el mismo concepto del factor anterior, obtendremos ceros en la parte superior a la diagonal principal.

Para entender un poco mejor el desarrollo de este procedimiento realizaremos el siguiente ejemplo.

Ejemplo 2.2 Encontrar los valores de x_1, x_2 y x_3 para el siguiente sistema de ecuaciones:

$$4x_1 - 2x_2 - x_3 = 9$$
$$5x_1 + x_2 - x_3 = 7$$
$$x_1 + 2x_2 - 4x_3 = 12$$

Hay que denotar que si la matriz es de 2x2 se hará una iteración; si es 3x3, serán dos iteraciones; si es de 4x4, 3 iteraciones; y así sucesivamente.

$$A = \begin{pmatrix} 4 & -2 & 1 \\ 5 & 1 & -1 \\ 1 & 2 & 4 \end{pmatrix}$$

$$B = \begin{pmatrix} 9 \\ 7 \\ 12 \end{pmatrix}$$

Encontramos [U]

Iteración 1

factor 1 $= (a_{2,1}/a_{1,1}) = {}^5/_4 = 1,25$

factor 2 $= (a_{3,1}/a_{1,1}) = {}^1/_4 = 0,25$

fila 2 = -(factor 1)*(fila 1)+(fila 2)

fila 3 = -(factor 1)*(fila 1)+(fila 3)

$a_{1,1} = a_{1,1}, \quad a_{1,2} = a_{1,2}, \quad a_{1,3} = a_{1,3}$

$a_{2,1} = -(1,25) * (4) + (5) = 0$

$a_{2,2} = -(1,25) * (-2) + (1) = 3,5$

$a_{2,3} = -(1,25) * (-1) + (-1) = 0,25$

$a_{3,1} = -(0,25) * (4) + (1) = 0$

$a_{3,2} = -(0,25) * (-2) + (2) = 2,5$

$a_{3,3} = -(0,25) * (-1) + (-1) = 0,75$

$$U = \begin{pmatrix} 4 & -2 & -1 \\ 0 & 3,5 & 0,25 \\ 0 & 2,5 & -0,75 \end{pmatrix}$$

Iteración 2

factor 3 $= u_{3,2}/u_{2,2}) = {}^{2,5}/_{3,5} = 0,7142857143$

fila 3 = (factor 3)*(fila 2) + (fila 3)

$a_{3,1} = -(2,5/3,5) * (0) + (0) = 0$

$a_{3,2} = -(2,5/3,5) * (3,5) + (2,5) = 0$

$$a_{3,3} = -\left(\frac{2,5}{3,5}\right) * (0,25) + (-0,75) = 0,9285714286$$

$$U = \begin{pmatrix} 4 & -2 & -1 \\ 0 & 3,5 & 0,25 \\ 0 & 0 & -0.9285714286 \end{pmatrix}$$

Vamos a hallar la matriz L

Iteración 1

$l_{1,2} = (factor\ 1) = 1,25$

$l_{1,3} = (factor\ 2) = 0,25$

Iteración 2

$l_{2,3} = (factor\ 3) = 0,7142857143$

$$L = \begin{pmatrix} 1 & 0 & 0 \\ 1,25 & 1 & 0 \\ 0,25 & 0,7142857143 & 1 \end{pmatrix}$$

El siguiente paso es encontrar los valores de $Ly = b$

$$\begin{array}{llll} y_1 & & & = 9 \\ 1,25y_1 & +y_2 & & = 7 \\ 0,25y_1 & +0,7142857143y_2 & +y_3 & = 12 \end{array}$$

Obtenemos los valores de y

$y_1 = 9$

$y_2 = 7 - 1{,}25y_1 = 7 - (1{,}25 * 9) = -4{,}25$

$y_3 = 12 - 0{,}25(y_1) - 0{,}7142857143(y_2) =$

$= 12 - 0{,}25(9) - 0{,}7142857143(-4{,}25) = 12{,}785714285775$

Como último paso resolvemos la ecuación $Ux = y$

$$
\begin{array}{rcccr}
4x_1 & +2x_2 & -x_3 & = & 9 \\
& 3{,}5x_2 & +0{,}25x_3 & = & 4{,}25 \\
& & -0{,}9285714286x_3 & = & 12{,}785714285775
\end{array}
$$

De aquí obtenemos los valores de x

$$x_3 = \frac{12{,}785714285775}{-0{,}9285714286} = -13{,}769230768872$$

$$x_2 = \frac{4{,}25 - 0{,}25(x_3)}{3{,}5} = \frac{4{,}25 - (0{,}25 * 13{,}769230768872)}{3{,}5}$$

$$= \frac{4{,}25 - 3{,}442307692218}{3{,}5} = -0{,}230769230795$$

$$x_1 = \frac{9 - 2x_2 + x_3}{4} = \frac{9 - 2(0{,}230769230795) + (-13{,}769230768872)}{4}$$

$$= -1{,}307692307616$$

Para poder realizar estas operaciones en Octave será necesaria crear dos archivos script, en el uno ingresaremos la función que nos va a permitir realizar las matrices triangulares y el otro correremos las operaciones para encontrar el resultado de los valores de x

Script DescompoLU

%Descomposición de las matrices L y U

```
function DescompoLU (A)
  clc
  z=0;
  x=0;
  [n,n]= size(A);
  L=eye(n);
  U=eye(n);
    for k=1:n
      L(k,k)=1;
      U(1,k)=A(1,k);
      for i=k:n
        U(k,i)=A(k,i)-L(k,1:k-1)*U(1:k-1,i);
      endfor
      for i=k+1:n
        L(i,k)=(A(i,k)-L(i,1:k-1)*U(1:k-1,k))/U(k,k);
      endfor
    endfor
  L
  U
```

```
assignin("base","u",U)
assignin ("base","l",L)

Script DescompoLU2
%Cálculo de la Descomposición por L U
DescompoLU(A)
z=inv(l)*b;
x=inv(u)*z
```

Antes de correr los scripts será necesario ingresar los valores de la matriz [A] y los coeficientes independientes [b].

2.1.1.3 Descomposición de Cholesky.

Una matriz simétrica es aquella donde $a_{ij} = a_{ji}$ para toda i y j. En otras palabras, [A] = [A]T. Tales sistemas se presentan comúnmente en problemas de contexto matemático y de ingeniería. Estas matrices ofrecen ventajas computacionales, ya que únicamente se necesita la mitad de espacio de almacenamiento y, en la mayoría de los casos, sólo se requiere la mitad del tiempo de cálculo para su solución.

Una matriz simétrica A, cuyas componentes son números reales, es positiva definida si y solo si los determinantes de las submatrices de A son positivos.

$$|a_{1,1}| > 0, \quad \begin{vmatrix} a_{1,1} & a_{1,2} \\ a_{2,1} & a_{2,2} \end{vmatrix} > 0, ..., \quad \begin{vmatrix} a_{1,1} & a_{1,2} & ... & a_{1,1} \\ a_{2,1} & a_{2,2} & ... & a_{2,n} \\ . & . & & . \\ . & . & & . \\ a_{n,1} & a_{n,2} & ... & a_{n,n} \end{vmatrix} > 0$$

Uno de los métodos más populares usa la descomposición de Cholesky. Este algoritmo se basa en el hecho de que una matriz simétrica se descompone así:

$[A] = [L][L]^T$

Es decir, los factores triangulares resultantes son la transpuesta uno de otro.

Los términos de la ecuación anterior se desarrollan al multiplicar e igualar entre sí ambos lados. El resultado se expresa en forma simple mediante relaciones de recurrencia. Para el renglón k-ésimo,

$$l_{ki} = \frac{a_{ki} - \sum_{j=1}^{i=1} l_{ij} l_{kj}}{l_{ii}} \quad \text{para } i = 1, 2, ..., k-1 \quad (2.1)$$

$$\text{y } l_{ii} = \sqrt{(a_{kk} - \sum_{j=1}^{k-1} l_{kj}^2)} \quad (2.2).$$

Nota. Se pide al estudiante realizar el algoritmo para el método de Cholesky.

Ejemplo 2.3 Aplique el método de Descomposición por Cholesky a la matriz simétrica:

$$A = \begin{pmatrix} 6 & 15 & 55 \\ 15 & 55 & 225 \\ 55 & 225 & 979 \end{pmatrix}$$

$$b = \begin{pmatrix} 4 \\ 6 \\ 12 \end{pmatrix}$$

para la primera fila (k=1) utilizaremos la segunda ecuación y calculamos

$$l_{11} = \sqrt{a_{11}} = \sqrt{6} = 2,4495$$

para la segunda fila en la que k=2, aplicando la ecuación (1), tendremos

$$l_{21} = \frac{a_{21}}{l_{11}} = \frac{15}{2,4495} = 6,1237$$

con la ecuación 2, obtenemos el valor de l_{22}

$$l_{22} = \sqrt{(a_{22} - l_{21}^2)} = \sqrt{(55 - (6,1237)^2)} = 4,1833$$

para la tercera fila cuando i=1 aplicamos la primera ecuación para l_{31}

$$l_{31} = \frac{a_{31}}{l_{11}} = \frac{55}{2,4495} = 22,454$$

para i=2 aplicando la primera ecuación para encontrar el valor l_{32}

$$l_{32} = \frac{a_{32} - l_{21}l_{31}}{l_{22}} = \frac{225 - 6,1237(22,454)}{4,1833} = 20,916$$

para l_{33} utilizamos la segunda ecuación

$$l_{33} = \sqrt{(a_{33} - (l_{31}^2 + l_{32}^2))} = \sqrt{(979 - ((22,454)^2 + (20,916)^2))} = 6,1109$$

De esta manera la descomposición por el método de Cholesky queda así

$$L = \begin{pmatrix} 2,4495 & & \\ 6,1237 & 4,1833 & \\ 22,454 & 20,916 & 6,1109 \end{pmatrix}$$

Resolviendo el sistema $Lc = b$

$$= \begin{pmatrix} 4 & 2,4495 & 0 & 0 \\ 6 & 6,1237 & 4,1833 & 0 \\ 12 & 22,454 & 20,916 & -6,1109 \end{pmatrix} \begin{matrix} c_1 \\ c_2 \\ c_3 \end{matrix}$$

$$c_1 = \frac{4}{2,4495} = 1,6329$$

$$c_2 = \frac{6 - (6,1237 * 1,6329)}{4,1833} = -0,95603$$

$$c_3 = \frac{12 - (22,454 * 1,6329) - (20,916 * (-0,95603))}{-6,1109} = 0,76401$$

Resolvemos el sistema $L^T x = c$

$$\begin{pmatrix} 1,6329 & 2,4495 & 6.1237 & 22.454 \\ -0.95603 & 0 & 4,1833 & 20,916 \\ 0.76401 & 0 & 0 & -6,1109 \end{pmatrix} \begin{matrix} x_1 \\ x_2 \\ x_3 \end{matrix} =$$

$$x_3 = \frac{0,76401}{-6,1109} = 0,12502$$

$$x_2 = \frac{-0,95603 - (20,916 * (-0,12502))}{4,1833} = 0,39655$$

$$x_1 = \frac{1,6329 - (22,454 * (-0,12502)) - (6.1237 * 0,39655)}{2,4495}$$

$$= 0,8214$$

2.1.1.4 Descomposición de Gauss - Jordan.

En el álgebra lineal, la eliminación de Gauss-Jordan, llamada así en honor de Carl Friedrich Gauss y Wilhelm Jordan, es un algoritmo que se usa para determinar la inversa de una matriz y las soluciones de un sistema de ecuaciones lineales.

El método de Gauss-Jordan es una variación de la eliminación de Gauss. La diferencia principal consiste en que cuando una incógnita se elimina en el método de Gauss-Jordan, ésta es eliminada de todas las otras ecuaciones, no sólo de las subsecuentes. Además, todos los renglones se normalizan al dividirlos entre su elemento pivote. De esta forma, el paso de eliminación genera una matriz identidad en vez de una triangular (más abajo ilustrada). En consecuencia, no es necesario usar la sustitución hacia atrás para obtener la solución.

$$\begin{pmatrix} a_{11} & a_{12} & a_{13} & | & b_1 \\ a_{21} & a_{12} & a_{13} & | & b_2 \\ a_{31} & a_{12} & a_{13} & | & b_3 \end{pmatrix}$$

$$\begin{pmatrix} 1 & 0 & 0 & | & b_1^n \\ 0 & 1 & 0 & | & b_2^n \\ 0 & 0 & 1 & | & b_3^n \end{pmatrix}$$

$$x_1 \qquad \qquad = b_1^n$$
$$x_2 \qquad = b_2^n$$
$$x_3 = b_3^n$$

Las ecuaciones se reducen a una forma en que la matriz coeficiente del sistema sea diagonal y ya no se requiera la sustitución regresiva. Los pivotes se eligen en el método de Gauss con pivoteo y, de la misma manera que una vez intercambiadas las filas, se eliminan los elementos arriba y abajo del pivote.

Ejemplo 2.4 Resolver el siguiente sistema de ecuaciones por el método de Gauss–Jordan.

$$4x_1 \quad -9x_2 \quad +2x_3 = 5$$
$$2x_1 \quad -4x_2 \quad +6x_3 = 3$$
$$x_1 \quad -x_2 \quad +3x_3 = 4$$

Solución. Escribimos la matriz aumentada del sistema de ecuaciones anterior

$$\begin{matrix} 4 & -9 & 2 & 5 \\ 2 & -4 & 6 & 3 \\ 1 & -1 & 3 & 4 \end{matrix}$$

Debemos tomar en cuanta cuál de los valores absolutos de la primera columna es mayor, en este caso el mayor se encuentra en la primera fila y por consiguiente no es necesario realizar ningún intercambio de ecuaciones. Continuamos multiplicando a la primera fila por (2), a la segunda por 4 y realizamos la suma de estas dos nuevas ecuaciones, al valor resultante lo dividimos para 4 y tendremos la siguiente matriz

$$\begin{matrix} 4 & -9 & 2 & 5 \\ 0 & 0,5 & 5 & 0,5 \\ 0 & 1,25 & 2,5 & 2,75 \end{matrix}$$

El elemento de que tiene el máximo valor absoluto en la parte relevante de la segunda columna (filas 2 y 3) es 1.25; por tanto, la fila 3 debe intercambiarse con la 2 y obtendremos la siguiente matriz

$$\begin{matrix} 4 & -9 & 2 & 5 \\ 0 & 1,25 & 2,5 & 2,75 \\ 0 & 0,5 & 5 & 0,5 \end{matrix}$$

Sumamos la segunda fila multiplicada por (-(-9) / 1.25) a la primera fila, y la segunda multiplicada por (-0.5 / 1.25) a la tercera, se obtiene el siguiente arreglo

$$\begin{matrix} 4 & 0 & 20 & 24{,}8 \\ 0 & 1{,}25 & 2{,}5 & 2{,}75 \\ 0 & 0 & 4 & -0{,}6 \end{matrix}$$

Finalmente, sumamos a la tercera fila multiplicada por ($-20/4$) a la primera fila, y a la tercera multiplicada por ($-2{,}5/4$) a la segunda fila, con lo cual obtendríamos

$$\begin{matrix} 4 & 0 & 0 & 27{,}8 \\ 0 & 1{,}25 & 0 & 3{,}125 \\ 0 & 0 & 4 & -0{,}6 \end{matrix}$$

Escribimos esta matriz en forma sistema de ecuaciones obtenemos

$$4x_1 = 27{,}8$$
$$1{,}25x_2 = 3{,}1258$$
$$4x_3 = -0{,}6$$

De aquí obtendremos los siguientes valores

$$x_1 = \frac{27{,}8}{4} = 6{,}95 \qquad x_2 = \frac{3{,}1258}{1{,}25} = 2{,}5 \qquad x_3 = -\frac{0{,}6}{4} = -0{,}15$$

Calculamos el determinante $|A| = (1)^1(4)(1{,}25)(4) = -20$

Donde la potencia 1, significa que solo hubo un intercambio de filas.

El programa para este tipo factorización es el siguiente:

```
%Método de descomposición de Gauss - Jordan Rev1
clc
disp("Método de Descomposición de Gauss - Jordan 3 x 3")
disp ('Ingrese la matriz por favor: ');
    A=input("");
    for i=2:3
    A(i,:)=A(i,:) - A(1,:)*A(i,1)/A(1,1);
    endfor
    A1=A
    if A(2,2)<A(3,2)
    % Se intercambia la fila 2 con la fila 3
      copia=A(3,:); A(3,:)=A(2,:); A(2,:)=copia;
      Ac=A
      for i=1:3
       if i~=2
        A(i,:) = A(i,:) - A(2,:)*A(i,2)/A(2,2);
       endif
      endfor
      for i=1:3
       if i~=2
        A(i,:) = A(i,:) - A(2,:)*A(i,2)/A(2,2);
       endif
      endfor
      A2=A
      for i=1:2
      A(i,:)=A(i,:)-A(3,:)*A(i,3)/A(3,3);
```

```
      endfor
      for i=1:3
        x(i)=A(i,4)/A(i,i);
      endfor
    else
      for i=1:3
        if i~=2
          A(i,:) = A(i,:) - A(2,:)*A(i,2)/A(2,2);
        endif
      endfor
      for i=1:3
        if i~=2
          A(i,:) = A(i,:) - A(2,:)*A(i,2)/A(2,2);
        endif
      endfor
      A2=A
      for i=1:2
        A(i,:)=A(i,:)-A(3,:)*A(i,3)/A(3,3);
      endfor
      for i=1:3
        x(i)=A(i,4)/A(i,i);
      endfor
    endif
  x
```

Nota: Se pide al estudiante revisar cuanto las matrices ya no sea 3 x 3, sino que fuere 4 x 4 o mayor.

2.1.2 Métodos Iterativos

Dentro de los métodos iterativos podemos encontrar, el método iterativo de Jacobi, método iterativo de Gauss – Seidel.

Al resolver un sistema de ecuaciones lineales por eliminación, la memoria de maquina requerida es proporcional al cuadrado del orden de A, y el trabajo computacional es proporcional al cubo del orden de la matriz coeficiente A (véase sección 3.4). Debido a esto, la solución de sistemas lineales grandes ($n \geq 50$), con matrices coeficientes densas,* se vuelve costosa y difícil en una computadora con los métodos de eliminación, ya que para ello se requiere de una memoria amplia; además, como el número de operaciones que se debe ejecutar es muy grande, pueden producirse errores de redondeo también muy grandes. Sin embargo, se han resuelto sistemas de orden 1000, y aun mayor, aplicando los métodos que se estudiaran en esta seccion.[4]

Estos sistemas de un número muy grande de ecuaciones se presentan en la solución numérica de ecuaciones diferenciales parciales, en la solución de los modelos resultantes en la simulación de columnas de destilación, etc. En favor de estos sistemas, puede decirse que tienen matrices con pocos elementos distintos de cero y que estas

،

43

poseen ciertas propiedades (simétricas, bandeadas, diagonal dominantes, entre otras), que permiten garantizar el éxito en la aplicación de los métodos que presentamos a continuacion.[4]

2.1.2.1 Método de Iteración de Jacobi (método de desplazamiento simultáneo).[4]

Se parte de A x = b para obtener la ecuación

$$A x - b = 0 \qquad (2.3)$$

ecuación vectorial correspondiente a $f(x) = 0$. Se busca ahora una matriz B y un vector c, de modo que la ecuación vectorial

$$x = B x + c \qquad (2.4)$$

sea solo un arreglo de la ecuación (2.3); es decir, que la solución de una sea también la solución de la otra. La ecuación (2.4) correspondería a $x = g(x)$. En seguida se propone un vector inicial $x^{(0)}$, como primera aproximación al vector solución x. Luego, se calcula con la ecuación (2.4) la sucesión vectorial $x^{(1)} x^{(2)}$, ..., de la siguiente manera:

$$x^{(k+1)} = B x^{(k)} + c, \qquad k = 0, 1, 2, \ldots$$

donde

$$x^{(k)} = [x_1^k x_2^k \ldots x_n^k k]^T$$

Para que la sucesión $x^{(0)}, x^{(1)}, \ldots, x^{(n)}, \ldots$, converja al vector solución x es necesario que eventualmente x_j^m, $1 \leq j \leq n$ (los componentes del vector $x^{(m)}$) se aproximen tanto a x_j, $1 \leq j \leq n$ (los componentes correspondientes a x), que todas las diferencias $| x_{jm} - x_j |$, $1 \leq j \leq n$ sean menores que un valor pequeño previamente fijado, y que se conserven menores para todos los vectores siguientes de la iteración; es decir

$$\lim_{n \to \infty} x_j^n = x_j \qquad 1 \leq j \leq n$$

La forma como se llega a la ecuación (2.4) define el algoritmo y su convergencia. Dado el sistema $A x = b$, la manera más sencilla es despejar x_1 de la primera ecuación, x_2 de la segunda, y así sucesivamente.

Para ello, es necesario que todos los elementos de la diagonal principal de A, por razones obvias, sean distintos de cero. Para ver esto en detalle considérese el sistema general de tres ecuaciones (naturalmente puede extenderse a cualquier número de ecuaciones).

Sea entonces

$$\begin{array}{rcl} a_{1,1}x_1 \quad a_{1,2}x_2 \quad a_{1,3}x_3 & = & b_1 \\ a_{2,1}x_1 \quad a_{2,2}x_2 \quad a_{2,3}x_3 & = & b_2 \\ a_{3,1}x_1 \quad a_{3,2}x_2 \quad a_{3,3}x_3 & = & b_3 \end{array}$$

con a_{11}, a_{22} y a_{33} diferentes de cero.

Despejamos x_1 de la primera ecuación, x_2 de la segunda, y x_3 de la tercera

$$x_1 = \qquad -\frac{a_{1,2}}{a_{1,1}}x_2 \quad -\frac{a_{1,3}}{a_{1,1}}x_3 \quad +\frac{b_1}{a_{1,1}}$$

$$x_2 = \frac{a_{2,1}}{a_{2,2}}x_1 \qquad \frac{a_{2,3}}{a_{2,2}}x_3 \quad +\frac{b_2}{a_{2,2}}$$

$$x_3 = \frac{a_{3,1}}{a_{3,3}}x_1 \quad +\frac{a_{3,2}}{a_{3,3}}x_2 \qquad +\frac{b_3}{a_{3,3,}}$$

en notación matricial quedaría de la siguiente manera

$$\begin{pmatrix}x_1\\x_2\\x_3\end{pmatrix} = \begin{pmatrix} 0 & -\frac{a_{1,2}}{a_{1,1}} & -\frac{a_{1,3}}{a_{1,1}} \\ \frac{a_{2,1}}{a_{2,2}} & 0 & \frac{a_{2,3}}{a_{2,2}} \\ \frac{a_{3,1}}{a_{3,3}} & +\frac{a_{3,2}}{a_{3,3}} & 0 \end{pmatrix}\begin{pmatrix}x_1\\x_2\\x_3\end{pmatrix} + \begin{pmatrix}\frac{b_1}{a_{1,1}}\\\frac{b_2}{a_{2,2}}\\\frac{b_3}{a_{3,3}}\end{pmatrix} \qquad (2.5)$$

$$B = \begin{pmatrix} 0 & -\frac{a_{1,2}}{a_{1,1}} & -\frac{a_{1,3}}{a_{1,1}} \\ \frac{a_{2,1}}{a_{2,2}} & 0 & \frac{a_{2,3}}{a_{2,2}} \\ \frac{a_{3,1}}{a_{3,3}} & +\frac{a_{3,2}}{a_{3,3}} & 0 \end{pmatrix} \qquad y \qquad c = \begin{pmatrix}\frac{b_1}{a_{1,1}}\\\frac{b_2}{a_{2,2}}\\\frac{b_3}{a_{3,3,}}\end{pmatrix}$$

Una vez que se tiene la forma (2.5), se propone un vector inicial $x^{(0)}$ que puede ser $x^{(0)} = 0$, o algún otro que sea aproximado al vector solución x.

Si $\qquad x^k = \begin{pmatrix}x_1^k\\x_2^k\\x_2^k\end{pmatrix}$

es el vector aproximación a la solución x después de k iteraciones, entonces se tiene para la siguiente aproximación

$$x^{(k+1)} = \begin{matrix}x_1^{(k+1)}\\x_2^{(k+1)}\\x_3^{(k+1)}\end{matrix} = \begin{matrix}\frac{1}{a_{1,1}}(b_1 - a_{1,2}x_2^k - a_{1,3}x_3^k)\\[6pt]\frac{1}{a_{2,2}}(b_2 - a_{2,1}x_2^k - a_{2,3}x_3^k)\\[6pt]\frac{1}{a_{3,3}}(b_3 - a_{3,1}x_2^k - a_{3,2}x_3^k)\end{matrix}$$

O también, para un sistema de n ecuaciones con n incógnitas y usando notación más compacta y de mayor utilidad en programación, tenemos

$$x_i^{(k+1)} = -\frac{1}{a_{ii}}\left[-b_i + \sum_{\substack{j=1\\j\neq i}}^{n} a_{i,j}x_j^k\right], \text{ para } 1 \leq j \leq n \qquad (2.6)$$

Ejemplo 2.4 Resuelva el siguiente sistema por el método de Jacobi

$$\begin{array}{rrrrl}4x_1 & -x_2 & & & = 1\\ -x_1 & +4x_2 & -x_3 & & = 1\\ & -x_2 & 4x_3 & -x_4 & = 1\\ & & -x_3 & +4x_4 & = 1\end{array}$$

Solución. Despejamos x_1 en la primera ecuación, x_2 en la segunda, etc. Obtendremos el siguiente sistema.

$$x_1 = \frac{x_2}{4} + \frac{1}{4}$$

$$x_2 = \frac{x_1}{4} \quad \frac{x_3}{4} + \frac{1}{4}$$

$$x_3 = \frac{x_2}{4} \quad \frac{x_4}{4} + \frac{1}{4}$$

$$x_4 = \frac{x_3}{4} + \frac{1}{4}$$

Cuando no tenemos una aproximación al vector solución, por lo general se utiliza como vector inicial al vector cero, es decir:

$$x^{(0)} = [0\ 0\ 0\ 0]^T$$

El resultado de $x^{(1)}$ lo obtenemos reemplazando $x^{0)}$ en cada una de las ecuaciones del sistema

$$x_1 = \frac{0}{4} + \frac{1}{4} = \frac{1}{4}$$

$$x_2 = \frac{0}{4} \quad \frac{0}{4} + \frac{1}{4} = \frac{1}{4}$$

$$x_3 = \frac{0}{4} \quad \frac{0}{4} + \frac{1}{4} = \frac{1}{4}$$

$$x_4 = \frac{0}{4} + \frac{1}{4} = \frac{1}{4}$$

de aquí $x^{(1)} = [\frac{1}{4}\ \frac{1}{4}\ \frac{1}{4}\ \frac{1}{4}]^T$.

Para calcular el valor de $x^{(2)}$ se sustituye el valor de $x^{(1)}$ en cada una de las ecuaciones, simplificando tenemos lo siguiente

$$x_1 = \frac{0}{16} + \frac{1}{4} = 0,3125$$

$$x_2 = \frac{0}{16} \quad \frac{0}{16} + \frac{1}{4} = 0,3750$$

$$x_3 = \frac{0}{16} \quad \frac{0}{16} + \frac{1}{4} = 0,3750$$

$$x_4 = \frac{0}{16} + \frac{1}{4} = 0,3125$$

Continuamos con los reemplazos en las siguientes iteraciones y tenemos los siguientes valores.

k	x_1^k	x_2^k	x_3^k	x_4^k
0	0,00	0,00	0,00	0,00
1	0,25	0,25	0,25	0,25
2	0,31	0,37	0,37	0,31
3	0,34	0,42	0,42	0,34
4	0,35	0,44	0,44	0,35
5	0,36	0,44	0,44	0,36
6	0,36	0,45	0,45	0,36
7	0,36	0,45	0,45	0,36

8	0,36	0,45	0,45	0,36
9	0,36	0,45	0,45	0,36
10	0,36	0,45	0,45	0,36

El algoritmo para el caso de la descomposición por el método de Jacobi es el siguiente:

```
%Método de Descomposición de Jacobi
clc
disp(" Método de Descomposición de Jacobi ")
A=[4 -1 0 0; -1 4 -1 0; 0 -1 4 -1;0 0 -1 4]
b=[1 1 1 1]
x0=zeros(1,4);
K=0;Condicion=1;
fprintf( " k    x(1)    x(2)    x(3)    x(4)    Condicion\n" )
while Condicion > 0.0001
    K=K+1;
    fprintf("%2d",K)
    for i=1:4
    suma=0;
    for j=1:4
    if i ~= j
    suma=suma + A(i,j)*x0(j);
    endif
    endfor
    x(i)=(b(i)-suma)/A(i,i);
    fprintf( "%10.4f",x(i))
    endfor
    Condicion=norm(x0-x);
    fprintf("%10.4f\n",Condicion)
    x0=x;
    if K > 25
        disp("No se alcanzó la convergencia")
        break
    endif
endwhile
```

El resultado es el siguiente:
Método de Descomposición de Jacobi
A =

```
 4 -1  0  0
-1  4 -1  0
 0 -1  4 -1
```

47

```
            0   0  -1   4

b =

            1   1   1   1
```

k	x(1)	x(2)	x(3)	x(4)	Condicion
1	0.2500	0.2500	0.2500	0.2500	0.5000
2	0.3125	0.3750	0.3750	0.3125	0.1976
3	0.3438	0.4219	0.4219	0.3438	0.0797
4	0.3555	0.4414	0.4414	0.3555	0.0322
5	0.3604	0.4492	0.4492	0.3604	0.0130
6	0.3623	0.4524	0.4524	0.3623	0.0053
7	0.3631	0.4537	0.4537	0.3631	0.0021
8	0.3634	0.4542	0.4542	0.3634	0.0009
9	0.3635	0.4544	0.4544	0.3635	0.0003
10	0.3636	0.4545	0.4545	0.3636	0.0001
11	0.3636	0.4545	0.4545	0.3636	0.0001

\>>

2.1.2.2 Método de Iteración de Gauss - Seidel (método de desplazamiento sucesivos).[4]

En este método, los valores que se van calculando en la (k+1)-esima iteración se emplean para estimar los valores faltantes de esa misma iteración; es decir, con $x^{(k)}$ se calcula $x^{(k+1)}$ de acuerdo con

$$x^{(k+1)} = \begin{pmatrix} x_1^{(k+1)} \\ x_2^{(k+1)} \\ x_3^{(k+1)} \end{pmatrix} = \begin{pmatrix} \frac{1}{a_{1,1}} (b_1 - a_{1,2}x_2^k - a_{1,3}x_3^k) \\ \frac{1}{a_{2,2}} (b_2 - a_{2,1}x_2^{k+1} - a_{2,3}x_3^k) \\ \frac{1}{a_{3,3}} (b_3 - a_{3,1}x_2^{k+1} - a_{3,2}x_3^k) \end{pmatrix} \tag{2.7}$$

O también para un sistema de n ecuaciones

$$x_i^{(k+1)} = -\frac{1}{a_{ii}} \left[-b_i + \sum_{j=1}^{i-1} a_{ij}x_j^{k+1} + \sum_{j=i+1}^{n} a_{ij}x_j^k \right], \text{ para } 1 \leq i \leq n$$

Ejemplo 2.5 Resuelva el siguiente sistema por el método de Gauss - Seidel

$$\begin{array}{rrrrr}
4x_1 & -x_2 & & & = 1 \\
-x_1 & +4x_2 & -x_3 & & = 1 \\
& -x_2 & 4x_3 & -x_4 & = 1 \\
& & -x_3 & +4x_4 & = 1
\end{array}$$

$$x_1 = \quad \frac{0}{4} \qquad\qquad +\frac{1}{4} = \frac{1}{4}$$

$$x_2 = \frac{0}{4} \quad \frac{0}{4} \qquad +\frac{1}{4} = \frac{1}{4}$$

$$x_3 = \quad \frac{0}{4} \quad \frac{0}{4} +\frac{1}{4} = \frac{1}{4}$$

$$x_4 = \qquad\qquad \frac{0}{4} \quad +\frac{1}{4} = \frac{1}{4}$$

Para calcular el primer elemento del vector $x^{(1)}$, sustituimos x^0 en la primera ecuación

Para el cálculo de x_2 de x^1 se emplea el valor de x_1 ya obtenido (1/4) y los valores x_2, x_3 y x_4 de $x^{(0)}$. Así:

$$x_2 = \frac{1}{4(4)} + \frac{0}{4} + \frac{1}{4} = 0{,}3125$$

Con los valores de x_1 y x_2 ya obtenidos, y con x_3 y x_4 de $x^{(0)}$, se evalua x_3 de $x^{(1)}$.

$$x_3 = \frac{0{,}3125}{4} + \frac{0}{4} + \frac{1}{4} = 0{,}3281$$

Por último con los valores de x_1, x_2 y x_3 ya obtenidos, y con x_4 de $x^{(0)}$, obtenemos el último componente $x^{(1)}$.

$$x_4 = \frac{0{,}3281}{4} + \frac{1}{4} = 0{,}3320$$

De aquí $x^{(1)} = [0{,}25 \ 0{,}3125 \ 0{,}3281 \ 0{,}3320]^T$.

De igual manera procederemos para la segunda iteración

$$x_1 = \frac{0{,}3125}{4} + \frac{1}{4} = 0{,}3281$$

$$x_2 = \frac{0{,}3281}{4} + \frac{0{,}3281}{4} + \frac{1}{4} = 0{,}4141$$

$$x_3 = \frac{0{,}4141}{4} + \frac{0{,}3320}{4} + \frac{1}{4} = 0{,}4365$$

$$x_4 = \frac{0{,}4365}{4} + \frac{1}{4} = 0{,}3591$$

Con esto $x^{(2)} = [0{,}3281 \ 0{,}4141 \ 0{,}4365 \ 0{,}3591]$

En la tabla 2 encontramos los otros resultados.

k	x_1^k	x_1^k	x_1^k	x_1^k
0	0,00	0,00	0,00	0,00
1	0,25	0,31	0,32	0,33
2	0,32	0,41	0,43	0,35
3	0,35	0,44	0,45	0,36
4	0.36	0,45	0,45	0,36
5	0,36	0,45	0,45	0,36

49

| 6 | 0,36 | 0,45 | 0,45 | 0,36 |

El algoritmo para este método es el siguiente:

```
% Método de Gauss-Seidel
disp (" Método de Descomposición de Gauss - Seidel")
clc
clear
%A=[4 -1 0 0; -1 4 -1 0; 0 -1 4 -1; 0 0 -1 4]
%b=[1 1 1 1]
disp ('Ingrese la matriz por favor: ');
   A=input("");
disp ('Ingrese los coeficientes libres por favor: ');
   b=input("");
x0=zeros(1,4);
K=0;
Norma=1;
X=x0;
A
b
fprintf(" K     X(1)    X(2)    X(3)    X(4)   Limitante max\n")
while Norma > 0.0001
   K=K+1; fprintf(" %2d ",K)
   for i=1:4
   suma=0;
     for j=1:4
      if i ~= j
      suma=suma+A(i,j)*X(j);
       endif
      endfor
    X(i)=(b(i)-suma)/A(i,i); fprintf("%10.4f",X(i))
    endfor
     Norma=norm(x0-X); fprintf("%10.4f\n",Norma)
     x0=X;
      if K > 17
      disp("No se alcanzó la convergencia")
       break
       endif
endwhile
```

El resultado de esta iteración sería el siguiente:
Ingrese la matriz por favor:
A=[4 -1 0 0; -1 4 -1 0;0 -1 4 -1; 0 0 -1 4]

Ingrese los coeficientes libres por favor:

b=[1 1 1 1]

A =

```
4 -1  0  0
-1  4 -1  0
0 -1  4 -1
0  0 -1  4
```

b =

```
1 1 1 1
```

K	X(1)	X(2)	X(3)	X(4)	Limitante max
1	0.2500	0.3125	0.3281	0.3320	0.6149
2	0.3281	0.4141	0.4365	0.3591	0.1700
3	0.3535	0.4475	0.4517	0.3629	0.0448
4	0.3619	0.4534	0.4541	0.3635	0.0105
5	0.3633	0.4544	0.4545	0.3636	0.0018
6	0.3636	0.4545	0.4545	0.3636	0.0003
7	0.3636	0.4545	0.4545	0.3636	0.0000

>>

Las ventajas y desventajas de los métodos estudiados los podemos observar en la tabla 3

Ventajas	Desventajas
1. Probablemente más eficientes que los directos para sistemas de orden muy alto.	1. Si se tienen varios sistemas que comparten la matriz coeficiente, esto no representara ahorro de cálculos ni de tiempo de máquina, ya que por cada vector a la derecha de A tendrá que aplicarse el método seleccionado.
2. Más simples de programar.	2. Aun cuando la convergencia esté asegurada, puede ser lenta y, por tanto, los cálculos requeridos para obtener una solución particular no son predecibles.
3. Puede aprovecharse una aproximación a la solución, si tal aproximación existe.	3. El tiempo de máquina y la exactitud del resultado dependen del criterio de convergencia.
4. Se obtienen aproximaciones burdas de la solución con facilidad.	4. Si la convergencia es lenta, los resultados deben interpretarse con cautela.
5. Son menos sensibles a los errores de redondeo (valioso	5. No se tiene ventaja particular alguna (tiempo de maquina por iteración) si la

en sistemas mal condicionados).	matriz coeficiente es simétrica.
6. Se requiere menos memoria de máquina. Generalmente, las necesidades de memoria son proporcionales al orden de la matriz.	6. No se obtiene A^{-1} ni det A.

Ejercicio 2.1 Use la eliminación de Gauss para resolver:

$8x_1 + 2x_2 - 2x_3 = -2$

$10x_1 + 2x_2 + 4x_3 = 4$

$12x_1 + 2x_2 + 2x_3 = 6$

Ejercicio 2.2 Dadas las ecuaciones, resuelva por eliminación de Gauss

$$2x_1 - 6x_2 - x_3 = -38$$
$$-3x_1 - x_2 + 7x_3 = -34$$
$$-8x_1 + x_2 - 2x_3 = -20$$

Ejercicio 2.3 Problema 3.1 Consideremos el sistema lineal Ax = b definido de la forma

$$\begin{pmatrix} 6 & -2 & 2 & 4 \\ 12 & -8 & 6 & 10 \\ 3 & -13 & 9 & 3 \\ -6 & 4 & 1 & -18 \end{pmatrix} \begin{pmatrix} x_1 \\ x_2 \\ x_3 \\ x_4 \end{pmatrix} = \begin{pmatrix} 12 \\ 34 \\ 27 \\ -38 \end{pmatrix}$$

. (1) Resolver el sistema lineal utilizando el algoritmo de eliminación Gaussiana.

(2) A partir de los cálculos efectuados en el apartado (1), hallar la descomposición LU de la matriz A y calcular el valor del determinante de A.

Ejercicio 2.4 Hallar la descomposición LU de la matriz A y calcular el valor del determinante.

$$A = \begin{pmatrix} 1 & 1 & 0 & 3 \\ 2 & 1 & -1 & 1 \\ 3 & -1 & -1 & 2 \\ -1 & 2 & 2 & -1 \end{pmatrix}$$

Ejercicio 2.5 Investigar si es posible resolver el sistema lineal abajo indicado por descomposición LU.

$$\begin{pmatrix} 1 & 2 & 6 \\ 4 & 8 & -1 \\ -2 & 3 & 5 \end{pmatrix} \begin{pmatrix} x \\ y \\ z \end{pmatrix} = \begin{pmatrix} 9 \\ 100 \\ 45 \end{pmatrix}$$

Ejercicio 2.6 Encontrar si la matriz A, del sistema lineal Ax = b, tiene una solución para la descomposición LU, en caso de ser positivo, resolver el sistema.

$$A = \begin{matrix} 3 & -1 & 2 \\ 1 & 2 & 3 \\ 2 & -2 & -1 \end{matrix}, \quad b = \begin{matrix} 0 \\ 1 \\ 2 \end{matrix}$$

Ejercicio 2.7 Mediante el método de Cholesky resuelva los siguientes sistemas.

a)
$$\begin{array}{rcrcrcl} 4x_1 & -2x_2 & & = & 0 \\ -2x_1 & +4x_2 & -x_3 & = & 0,5 \\ & -x_2 & 4x_3 & = & 1 \end{array}$$

$$
\begin{array}{l}
\text{b)} \quad
\begin{array}{rrrrl}
5x_1 & +x_2 & +2x_3 & -x_4 & = 1 \\
x_1 & +7x_2 & & +3x_4 & = 2 \\
2x_1 & & +5x_3 & +x_4 & = 3 \\
-x_1 & +3x_2 & +x_3 & +8x_4 & = 4
\end{array}
\end{array}
$$

$$
\text{c)} \quad
\begin{array}{rrrrl}
10x_1 & & & -x_4 & & = 0,2 \\
& +5x_2 & & +2x_4 & & = 0,4 \\
& & +2x_3 & & & = 1,0 \\
-x_1 & & & +8x_4 & +3x_5 & = 0,6 \\
& 2x_2 & & +3x_4 & +5x_5 & = 0,8
\end{array}
$$

Ejercicio 2. 8 Use el algoritmo de Cholesky para factorizar en la forma L L^T las siguientes matrices positivas definitivas.

a) $\begin{bmatrix} 4 & -2 & 0 \\ -2 & 4 & -1 \\ 0 & -1 & 4 \end{bmatrix}$
b) $\begin{bmatrix} 5 & 1 & 2 & -1 \\ 1 & 7 & 0 & 3 \\ 2 & 0 & 5 & 1 \\ -1 & 3 & 1 & 8 \end{bmatrix}$
c) $\begin{bmatrix} 10 & 0 & 0 & -1 & 0 \\ 0 & 5 & 0 & 0 & 2 \\ 0 & 0 & 2 & 0 & 0 \\ -1 & 0 & 0 & 8 & 3 \\ 0 & 2 & 0 & 3 & 5 \end{bmatrix}$

Ejercicio 2.9 En la solución de una estructura doblemente empotrada se obtuvo el siguiente sistema

$$
\frac{1}{EI}c + \frac{1}{EI} A p = 0
$$

donde EI es el módulo de elasticidad del elemento

$$
c = \begin{array}{c} -1,8 \\ 22,50 \\ -67,50 \\ 0,00 \\ 165,00 \\ 0,00 \end{array}
\qquad
P = \begin{array}{c} P_1 \\ P_2 \\ P_3 \\ P_4 \\ P_5 \\ P_6 \end{array}
$$

$$
A = \begin{bmatrix}
72,00 & 0,00 & 0,00 & 9.00 & 0,00 & 0,00 \\
0,00 & 2,88 & 0,00 & 0,00 & 0,00 & -4,50 \\
0,00 & 0,00 & 18,00 & 9,00 & 0,00 & 0,00 \\
9,00 & 0,00 & 9,00 & 12,00 & 0,00 & 0,00 \\
0,00 & 0,00 & 0,00 & 0,00 & 33,00 & 0,00 \\
0,00 & -4,50 & 0,00 & 0,00 & 0,00 & 33,00
\end{bmatrix}
$$

Encontrar P

Ejercicio 2.10 Resuelva los siguientes sistemas de ecuaciones por el método de Gauss – Jordan

a) $\begin{array}{rrrl} 4x & +y & -z & = 9 \\ 3x & +2y & -6z & = -2 \\ x & -5y & +3z & = 1 \end{array}$

b) $\begin{array}{rrrl} x & -y & & = 0 \\ -x & +2y & -z & = 1 \\ & -y & +1,1z & = 0 \end{array}$

2. 2 Solución de Ecuaciones no lineales.

En la actualidad es muy difícil no encontrar un área de ingeniería en donde las ecuaciones no lineales no se utilicen: ya sean estos circuitos eléctricos y electrónicos, tanques de almacenamiento, riego agrícola, estadística, columnas empotradas y articuladas, industria metal mecánica, industria química, etc.

Los métodos que revisaremos en esta sección, se clasifican en dos variantes: los métodos cerrados, que son aquellos que están limitados por un rango, y los métodos abiertos que se basan en un punto definido.

Las soluciones de una ecuación no lineal se llaman raíces o ceros. Los siguientes son algunos ejemplos de ecuaciones no lineales:

a. $3 + 2x - 18x^2 + 5x^3 + 2x^4 = 0$

b. $f(x) - \propto = 0, a < x < b$

c. $\dfrac{x(3.2 - 07x)^{1/2}}{(1-x)(2.5 - 0.8x)^{1/2}} - 4.37 = 0, 0 < x < 1$

d. $\tan(x) = \tanh(2x)$

La primera es una ecuación polinomial, que puede aparecer como una ecuación característica para una ecuación diferencial ordinaria lineal, entre otros problemas. La cuarta es una trascendental.

La razón principal para resolver ecuaciones no lineales por medio de computadores es que esas ecuaciones carecen de solución exacta, exceptuando muy pocos problemas. Los métodos numéricos diseñados para encontrar las raíces son poderosos, aunque cada uno tiene sus propias limitaciones y defectos.

Nombre	Necesidad de especificar un intervalo que contenga la raíz	Necesidad de la continuidad de f'	Tipos de ecuaciones	Otras características principales
Bisección	Si	No	Cualquiera	Robusto, aplicable a funciones no analíticas
Falsa Posición	Si	Si	Cualquiera	Convergencia lenta en un intervalo grande
Falsa Posición Modificada	Si	Si	Cualquiera	Más rápido que el método de la falsa posición
Método de Newton	No	Si	Cualquiera	Rápido; se necesita calcular f'; aplicable a raíces complejas
Método de la Secante	No	Si	Cualquiera	Rápido; no se requiere calcular f'
Sustitución sucesiva	No	Si	Cualquiera	Puede no converger
Método de Bairstow	No	Si	Polinomial	Factores cuadráticos

Tabla 4. Resumen de los esquemas para encontrar raíces.[2]

En la tabla 4 se resumen las características principales de los métodos numéricos para ecuaciones lineales descritos en este sección. Los primeros tres métodos de la tabla 4 (el de bisección, el de la falsa posición y el método de la falsa posición modificado) tienen una característica en común; a saber: estos esquemas. Pueden encontrar una raíz si se conoce un intervalo de x que contenga a la raíz. Por lo tanto, todos estos métodos necesitan un esfuerzo preliminar para estimar un intervalo adecuado que contenga a la raíz deseada. Los métodos de Newton y de La secante – necesitan una estimación inicial, pero no es necesaria la estimación de un intervalo. El método de la sustitución sucesiva es un algoritmo iterativo simple, aunque su desventaja es que la iteración no siempre converge. El método de Bairstow se limita a los polinomios. No obstante, al aplicar varias veces este método, se pueden hallar todas las raíces - incluyendo las complejas - sin conocimientos previos de cualquier tipo, aunque a veces la iteración no converja en lo absoluto.[2]

2.2.1 Métodos cerrados

Cuando una función cambia de signo en la vecindad de una raíz se la conoce con el nombre de método cerrado o de intervalos, ya que necesitan de dos valores iniciales para la raíz. Como su nombre lo indica, en los métodos cerrados, dichos valores iniciales deben "encerrar", o estar a ambos lados de la raíz. Los métodos descritos en esta sección, emplean diferentes estrategias para reducir sistemáticamente el tamaño del intervalo y así converger a la respuesta correcta.

Los métodos cerrados a estudiar serían métodos gráficos, método de la bisección, y el método de la falsa posición.

2.2.1.1 Métodos gráficos

Un método simple para poder obtener una aproximación a la raíz de la ecuación $f(x) = 0$ consiste en graficar la función y prestar atención dónde cruza el eje x. Este punto, que constituye el valor de x para el cual $f(x) = 0$, nos da una aproximación inicial de la raíz.

Ejemplo 2.1 Utilizando el método gráfico, determinar el coeficiente de resistencia c necesario para que un paracaidista de masa m = 68,1 kg tenga una velocidad de 40 m/s después de una caída libre de t = 10 s. La aceleración de la gravedad es de 9,81 m/s2.

Solución. Este ejemplo se puede resolver utilizando la siguiente ecuación

$$f(c) = \frac{gm}{c}\left(1 - e^{-\left(\frac{c}{m}\right)t}\right) - v$$

Como parámetros tenemos t=10, m=68,1, g=9,81, y v=40

$$f(c) = \frac{9,81 * 68,1}{c}\left(1 - e^{-\left(\frac{c}{68,1}\right)10}\right) - 40$$

$$f(c) = \frac{668,06}{c}(1 - e^{-0,146843c}) - 40$$

Graficamos utilizando los valores de c, que se encuentran en la siguiente tabla:

c	$f(c)$
4	34,190
8	17,712
12	6,114
16	-2,230

55

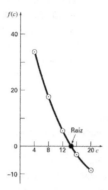

Figura 15. Grafica de la caída del paracaidista.

En la gráfica anterior podemos ver que cruza el eje c entre 12 y 16. Una mirada a la gráfica nos proporciona una aproximación a la raíz de 14,75. La validez de la aproximación visual se verifica sustituyendo su valor en la ecuación anterior para obtener:

$$f(c) = \frac{668,06}{14,75}(1 - e^{-0,146843*14,75}) - 40 = 0,100$$

el cual está cercano a cero. También lo podemos verificar colocando los valores en la ecuación de la Segunda Ley de Newton

$$v = \frac{gm}{c}(1 - e^{-\left(\frac{c}{m}\right)t}$$

$$v = \frac{9,81*68.1}{14,75}(1 - e^{-\left(\frac{14,75}{68,1}\right)10} = 40.100$$

valor que es muy cercano a la velocidad de caída propuesta de 40m/s.

Las técnicas gráficas tienen un valor práctico delimitado, ya que no son muy precisas. Sin embargo, se utilizan para obtener aproximaciones de la raíz. Dichas aproximaciones se pueden usar como valores iniciales en los métodos numéricos analizados en esta sección.

Las interpretaciones de las gráficas, además de proporcionar estimaciones de la raíz, son herramientas importantes en la comprensión de las propiedades de las funciones y en la prevención de las fallas de los métodos numéricos.

Aunque dichas generalizaciones son usualmente verdaderas, existen casos en que no se cumplen. Por ejemplo, las funciones tangenciales al eje x y las funciones discontinuas pueden violar estos principios. Un ejemplo de una función que es tangencial al eje x es la ecuación cúbica f(x) = (x − 2)(x − 2)(x − 4). Observe que cuando x = 2, dos términos en este polinomio son iguales a cero. Matemáticamente, x = 2 se llama una raíz múltiple.[1]

Las gráficas por computadora facilitan y mejoran la localización de las raíces de una ecuación. La función

$$f(x) = sen\,10x + cos\,3x$$

tiene varias raíces en el rango que va de x = 0 a x = 5. Utilice gráficas por computadora para comprender mejor el comportamiento de esta función.

Solución. Utilizar el programa Octave, Excel o cualquier otro programa para generar las gráficas

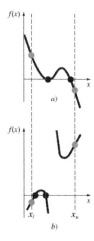

Figura16

En la gráfica podemos ver la existencia de varias raíces, incluyendo quizás una doble raíz alrededor de x = 4.2, donde f(x) parece ser tangente al eje x. Se obtiene una descripción más detallada del comportamiento de f(x) cambiando el rango de graficación, desde x = 3 hasta x = 5, como se muestra en la figura de más abajo. Finalmente, en la figura en la parte c, se reduce la escala vertical, de f(x) = −0.15 a f(x) = 0.15, y la escala horizontal se reduce, de x = 4.2 a x = 4.3. Esta gráfica muestra claramente que no existe una doble raíz en esta región y que, en efecto, hay dos raíces diferentes entre x = 4.23 y x = 4.26.

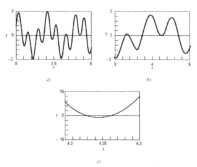

Figura 17

La utilización de gráficas por computadora es de gran utilidad en el estudio de los métodos numéricos. Esta posibilidad también puede tener muchas aplicaciones en

57

otras materias de la educación, así como en las actividades profesionales de todas las personas.

2.2.1.2 Método de Bisección.

Este método está basado en el teorema de valor medio propiedad de las funciones continuas, es decir, es aquella función que, al graficarla, la curva o línea que forma es continua, por lo tanto si una función es continua en un intervalo, toma los valores comprendidos entre los extremos. Se utiliza para determinar una raíz de $f(x) = 0$ en un intervalo $[a, b]$, suponiendo que f es continua en dicho intervalo y que $f(a)$ y $f(b)$ tienen signos diferentes. Aunque el método funciona en el caso en que exista más de una raíz en el intervalo $[a, b]$, supondremos por simplicidad que la raíz es única y la llamaremos∝. (En el caso de existir varias raíces, habría que localizar un intervalo que tenga sólo una de ellas.)

El método de bisección, también se lo conoce como de corte binario, de partición de intervalos o de Bolzano, es un tipo de búsqueda incremental en el que el intervalo se divide siempre a la mitad. Si la función cambia de signo sobre un intervalo, se evalúa el valor de la función en el punto medio. La posición de la raíz se determina situándola en el punto medio del subintervalo, dentro del cual ocurre un cambio de signo. El proceso se repite hasta obtener una mejor aproximación.[1]

Ejemplo 2.2

Emplee el método de bisección para resolver el mismo problema que se resolvió usando el método gráfico del ejemplo 2.1.

Solución. En el primer paso del método de bisección asignamos dos valores iniciales a la incógnita (en este ejercicio, c) que den valores de $f(c)$ con diferentes signos. En la figura 15 se observa que la función cambia de signo entre los valores 12 y 16. Por lo tanto, la estimación inicial de la raíz x_r se encontrará en el punto medio del intervalo

$$x_r = \frac{12 + 16}{2} = 14$$

Dicha aproximación representa un error relativo porcentual verdadero de $\varepsilon_t = 5.3\%$ (note que el valor verdadero de la raíz es 14,8011). A continuación calculamos el producto de los valores en la función en un límite inferior y en el punto medio:

$$f(12)f(14) = 6.114 * 1.611 = 9,850$$

que es mayor que cero y, por lo tanto, no ocurre cambio de signo entre el límite inferior y el punto medio. En consecuencia, la raíz debe estar localizada entre 14 y 16. Entonces, se crea un nuevo intervalo redefiniendo el límite inferior como 14 y determinando una nueva aproximación corregida de la raíz

$$x_r = \frac{14 + 16}{15} = 15$$

lo cual representa un error porcentual verdadero $\varepsilon_t = 1,5\%$. Este proceso se repite para obtener una mejor aproximación. Por ejemplo,

$$f(14)f(15) = 1,611 * (-0,384) = -0,619$$

Por lo tanto, la raíz está entre 14 y 15. El límite superior se redefine como 15 y la raíz estimada para la tercera iteración se calcula así:

$$x_r = \frac{14 + 15}{15} = 14,5$$

que significa un error relativo porcentual $\varepsilon_t = 2,09\%$. Este método se repite hasta que el resultado sea suficientemente exacto para satisfacer las necesidades.

En el ejemplo anterior, observamos que el error verdadero no disminuye con cada iteración. Sin embargo, el intervalo donde se localiza la raíz se divide a la mitad en cada paso del proceso. Como veremos más adelante, el ancho del intervalo proporciona una estimación exacta del límite superior del error en el método de bisección.

Como sugerencia inicial sería culminar el cálculo cuando el error verdadero se encuentre por debajo de algún nivel prefijado. En el ejemplo anterior observamos que el error relativo baja de 5.3 a 2.0% durante el procedimiento de cálculo. Podemos concluir que el método termina cuando se alcance un error más bajo, por ejemplo, al 0.1%. Dicha estrategia es no es muy conveniente, ya que la estimación del error en el ejemplo anterior se basó en el conocimiento del valor verdadero de la raíz de la función. Éste no es el caso de una situación real, ya que no habría motivo para utilizar el método si conocemos la raíz.

Por lo tanto, necesitamos estimar el error de forma tal que no se necesite el conocimiento previo de la raíz. Como se vio previamente, se puede calcular el error relativo porcentual ε_a de la siguiente manera:

$$\varepsilon_a = \left| \frac{x_r^{Nuevo} - x_r^{Anterior}}{x_r^{Nuevo}} \right| * 100\%$$

donde x_r^{Nuevo} es la raíz en la iteración actual y $x_r^{Anterior}$ es el valor de la raíz en la iteración anterior. Se utiliza el valor absoluto, ya que por lo general importa sólo la magnitud de ε_a sin considerar su signo.

Cuando ε_a es menor que un valor previamente fijado ε_s se termina el cálculo.

Continúe con el ejemplo hasta que el error aproximado sea menor que el criterio de terminación de $\varepsilon_s = 0,5\%$. Use la ecuación anterior para calcular los errores.

Solución. Los resultados de las primeras dos iteraciones en el ejemplo fueron 14 y 15. Al sustituir estos valores en la ecuación se obtiene

$$\varepsilon_a = \left| \frac{15 - 14}{15} \right| 100\% = 6,667\%$$

Recuerde que el error relativo porcentual para la raíz estimada de 15 fue 1.3%. Por lo tanto, ε_a es mayor a ε_t. Este comportamiento se manifiesta en las otras iteraciones:

Iteración	X_l	X_U	X_r	$\varepsilon_a\%$	$\varepsilon_t\%$
1	12	16	14		5,413
2	14	16	15	6,667	1,344
3	14	15	14,5	3,448	2,035
4	14,5	15	14,75	1,695	0,345
5	14,75	15	14,875	0,840	0,499
6	14,75	14,785	14,1825	0,422	0,077

Ejemplo 2.3 Utilice el método de Bisección para hallar la raíz del polinomio

$$f(x) = x_3 + 2x_2 + 10x - 20$$

Para obtener x_I y x_D se puede, por ejemplo, evaluar la función en algunos puntos donde este cálculo sea fácil, o bien se gráfica. Así:

$$f(0) = -20$$
$$f(1) = -7$$
$$f(-1) = -29$$
$$f(2) = 16$$

Con los valores iniciales obtenidos

$$x_I = 1 \; ; \; f(x_I) = -7$$
$$x_D = 2 \; ; \; f(x_D) = 16$$

Si $\varepsilon = 10^{-3}$, el número de iteraciones n será

$$n = \frac{\ln a - \ln \varepsilon}{\ln 2} = \frac{\ln(2-1) - \ln 10^{-3}}{\ln 2} = 9{,}96$$

o bien

$$n \approx 10$$

Primera iteración

$$x_M = \frac{1+2}{2} = 1{,}5$$
$$f(1{,}5) = 2{,}88$$

Como $f(x_M) > 0$ (distinto signo de $f(x_I)$), se remplaza el valor de x_I con el de x_M, con lo cual queda un nuevo intervalo $(1, 1{,}5)$. Entonces

$$x_D = 1; \; f(x_D) = -7$$
$$x_D = 1{,}5 \; ; \; f(x_D) = 2{,}88$$

Segunda iteración

$$x_M = \frac{1+1{,}5}{2} = 1{,}25$$

y

$$f(x_M) = -2{,}42$$

Como ahora $f(x_M) < 0$ (igual signo que $f(x_I)$), se remplaza el valor de x_D con el valor de la nueva x_M; de esta manera queda como intervalo $(1{,}25 , 1{,}5)$.

La tabla de más abajo nos muestra los cálculos llevados a cabo 13 veces, a fin de hacer ciertas observaciones.

El criterio $|x_{i+1} - x_i| \leq 10^{-3}$ se satisface en 10 iteraciones.

Nótese que si ε se hubiese aplicado sobre $|f(x_M)|$, se habrían requerido 13 iteraciones en lugar de 10. En general, se necesitaran más iteraciones para satisfacer un valor de ε sobre $|f(x_M)|$ que cuando se aplica a $|x_{i+1} - x_i|$.

Iteración	X_I	X_D	X_M	$|x_{M+1} - x_M|$	$f(x_M)$
0	1,00000	2,00000			
1	1,00000	2,00000	1,50000		2,87500
2	1,00000	1,50000	1,25000	0,25000	2,41288
3	1,25000	1,50000	1,37500	0,12500	0,13086
4	1,25000	1,37500	1,31250	0,06250	1,16870
5	1,31250	1,37500	1,34375	0,03125	0,52481
6	1,34375	1,37500	1,35938	0,01563	0,19846

7	1,35938	1,37500	1,36719	0,00781	0,03417
8	1,36719	1,37500	1,36709	0,00391	0,04825
9	1,36719	1,,37109	1,36914	0,00195	0,00702
10	1,36719	1,36914	1,36816	0,00098	0,01358
11	1,36816	1,36914	1,36865	0,00049	0,00329
12	1,36865	1,36914	1,36890	0,00025	0,00186
13	1,36865	1,36890	1,36877	0,00013	0,00071

Se propone al estudiante realizar en Octave un programa.

2.2.1.3 Método de Posición Falsa (Regula Falsi).

El método de posición falsa, también llamado de Regula-Falsi, aproxima la derivada $f'(x_i)$ de la ecuación

$$x_{i+1} = x_i - \frac{f(x_i)}{f'(x_i)} = g(x_i)$$

por el cociente

$$\frac{f(x_i) - f(x_{i-1})}{x_i - x_{i-1}}$$

pero en este caso los valores de x_i y x_{i-1} se encuentran en lados opuestos de la raíz buscada, de modo tal que sus valores funcionales $f(x_i)$ y $f(x_{i-1})$, correspondientes tienen signos opuestos, esto es

$$f(x_i) * f(x_{i-1}) < 0$$

Se denotan x_i y x_{i+1} como x_D y x_I, respectivamente.

Para enseñar el método se utilizará la figura 18 y se partirá del hecho de que se tienen dos valores iniciales x_D y x_I definidos arriba, y de que la función es continua en (x_I, x_D).

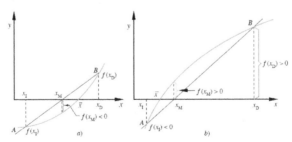

Se traza una línea recta que une los puntos A y B de coordenadas $(x_I, f(x_I))$ y $(x_D, f(x_D))$, respectivamente.

Se remplaza f(x) en el intervalo (x_I, x_D) con el segmento de recta $\overline{AB}$ y el punto de intersección de este segmento con el eje x, x_M, sera la siguiente aproximacion a $\bar{x}$.

Se evalúa $f(x_M)$ y se compara su signo con el de $f(x_D)$. Si son iguales, se actualiza x_D sustituyendo su valor con el de x_M; si los signos son diferentes, se actualiza x_I sustituyendo su valor con el de x_M. Hay que insistir que el objetivo es mantener los valores descritos (x_D y x_I) cada vez mas cercanos entre si y la raiz entre ellos.

Se traza una nueva línea secante entre los puntos actuales A y B, y se repite el proceso hasta que se satisfaga el criterio de exactitud $|f(x_M)| < \varepsilon_1$, tomandose como aproximación a $\bar{x}$ el valor ultimo de x_M. Para terminar el proceso tambien puede usarse el criterio $|x_D - x_I| < \varepsilon$. En este caso, se toma como aproximación a $\bar{x}$ la media entre x_D y x_I.

Para calcular el valor de x_M se sustituye x_D por x_i y x_I por x_{i-1} en la ecuación

$$x_{i+1} = x_i - \frac{(x_i - x_{i-1})f(x_i)}{f(x_i) - f(x_{i-1})} = g(x_i)$$

con lo que se llega a el logaritmo de posición falsa

$$x_{i+1} = x_i - \frac{(x_D - x_I)f(x_D)}{f(x_D) - f(x_I)} = \frac{x_I f(x_D) - x_D f(x_I)}{f(x_D) - f(x_I)}$$

Ejemplo 2.4 Utilice el método de la posición falsa para hallar la raíz del polinomio

$$f(x) = x_3 + 2x_2 + 10x - 20$$

Para obtener x_I y x_D se puede, por ejemplo, evaluar la función en algunos puntos donde este cálculo sea fácil, o bien se gráfica. Así:

$$f(0) = -20$$
$$f(1) = -7$$
$$f(-1) = -29$$
$$f(2) = 16$$

De acuerdo con el teorema de Bolzano, hay una raíz real, por lo menos, en el intervalo $(1,2)$; por tanto

$$x_I = 1 \, ; f(x_I) = -7$$
$$x_D = 2 \, ; f(x_D) = 16$$
$$x_M = x_D - \frac{(x_D - x_1)f(x_D)}{f(x_D) - f(x_1)} = \frac{x_1 f(x_D) - x_D f(x_1)}{f(x_D) - f(x_1)}$$

Utilizando la fórmula anterior encontramos el valor de x_m

$$x_m = 2 - \frac{(2-1)(16)}{16 - (-7)} = 1,30435$$

y $f(x_M) = (1,30435)^3 + 2(1,03465)^2 + 10(1,30435) - 20 = -1,33476$

Como $f(x_M) < 0$ [igual signo que $f(x_I)$], se remplaza el valor de x_I con el de x_M, con lo cual queda el nuevo intervalo como $(1.30435, 2)$. Por tanto

$$x_I = 1.30435 \, ; f(x_I) = -1.33476$$
$$x_D = 2; f(x_D) = 16$$

Se calcula una nueva x_M

$$x_M = 2 - \frac{(2-1,30435)*16}{16 - (-1,33476)} = 1,35791$$

$f(x_M) = (1,35791)^3 + 2(1,35791)^2 + 10(1,35791) - 20 = 0,022914$

Como $f(x_m) < 0$, el valor actual de x_I se remplaza con el ultimo valor de x_M; así el intervalo queda reducido a $(1,35791 , 2)$. La tabla siguiente muestra los cálculos llevados a cabo hasta satisfacer el criterio de exactitud

$$|f(x_M)| < 10^{-3}$$

Iteración	X_I	X_D	X_M	$f(x_M)$
0	1,0000	2,0000		
1	1,0000	2,0000	1,30435	1,33476
2	1,30435	2,0000	1,35791	0,22914
3	1,35791	2,0000	1,36698	0,03859
4	1,36698	2,0000	1,36850	0,00648
5	1,36850	2,0000	1,36876	0,00109
6	1,36876	2,0000	1,36880	0,00018

Para el ejemplo anterior elaboramos un programa en Octave

```
%Método de la Posición Falsa
clear; clc;
disp (" Método de la Posición Falsa o Regula Falsi")
format short
xi=1;
xd=2;
Eps=0.001;
fi=xi^3+2*xi^2+10*xi-20;
fd=xd^3+2*xd^2+10*xd-20;
fm=1;
disp(" xi      xd       xm       abs")
while abs(fm) > Eps
  xm=xd-fd* (xd-xi) / (fd-fi);
  fm=xm^3+2*xm^2+10*xm-20;
  fprintf(" %f    %f    %f    %f\n",xi,xd,xm,abs(fm))
  %disp( [xi,      xd,    xm,    abs(fm) ] )
  if fd*fm > 0 xd=xm; fd=fm;
    else xi=xm; fi=fm;
  endif
endwhile
```

Los resultados serían
Método de la Posición Falsa o Regula Falsi

xi	xd	xm	abs
1.000000	2.000000	1.304348	1.334758
1.304348	2.000000	1.357912	0.229136
1.357912	2.000000	1.366978	0.038592
1.366978	2.000000	1.368501	0.006479
1.368501	2.000000	1.368757	0.001087
1.368757	2.000000	1.368799	0.000182

>>

2.2.2 Métodos Abiertos

En los métodos cerrados vistos anteriormente la raíz se encuentra dentro de un intervalo predeterminado por un límite inferior y otro superior. La aplicación repetida de estos métodos siempre genera aproximaciones cada vez más cercanas al valor verdadero de la raíz. Se dice que tales métodos son convergentes porque se acercan progresivamente a la raíz a medida que se avanza en el cálculo. Figura 19a.

En contraste, los métodos abiertos descritos más arriba se basan en fórmulas que requieren únicamente de un solo valor de inicio x o que empiecen con un par de ellos, pero que no necesariamente encierran la raíz. Éstos, algunas veces, divergen o se alejan de la raíz verdadera a medida que se avanza en el cálculo (figura 19b). Sin embargo, cuando los métodos abiertos convergen (figura 19c), en general lo hacen mucho más rápido que los métodos cerrados.

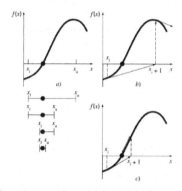

Figura 19 Diferencias entre los métodos cerrados (a) y abiertos (b y c)

2.2.2.1 Métodos del Punto Fijo.

Los métodos abiertos utilizan una fórmula para predecir la raíz. Esta fórmula puede desarrollarse como una iteración simple de punto fijo (también llamada iteración de un punto o sustitución sucesiva o método de punto fijo), al arreglar la ecuación

$$f(x) = 0 \qquad (1)$$

de tal modo que x esté del lado izquierdo de la ecuación:

El primer paso consiste en transformar algebraicamente la ecuación anterior a la forma equivalente

$$x = g(x) \qquad (2)$$

Por ejemplo, para la ecuación

$$f(x) = 2x^2 - x - 5 = 0 \qquad (3)$$

cuyas raíces son 1,850781059 y -1,350781059, algunas posibilidades de $x = g(x)$ son:

a) $x = 2x^2 - 5$ Despejando el segundo término.

b) $x = \sqrt{\dfrac{x+5}{2}}$ Despejando x del primer término   (4)

c) $x = \dfrac{5}{2x-1}$ Factorizando x y despejándola

d) $x = 2x^2 - 5$ Sumando x a cada lado

e) $x = x - \frac{2x^2 - x - 5}{4x - 1}$

4x - 1

Una vez que se ha definido una forma equivalente (ecuación 2), el siguiente paso es tantear una raíz; esto puede hacerse por observación directa de la ecuación (por ejemplo, en la ecuación 2 se ve directamente que $x = 2$ es un valor cercano a una raíz). Se expresa el valor de tanteo o valor de inicio como x_0.

Una vez que se tiene x_0, se evalua $g(x)$ en x_0, expresándose el resultado de esta valoración como x_1; esto es $g(x_0) = x_1$

El valor de x_1 comparado con x_0 provoca los siguientes dos casos:

Caso1. $x_1 = x_0$

Esto significa que se ha escogido como valor inicial una raíz y que el problema queda concluido. Para aclararlo, recuérdese que si $\bar{x}$ es raiz de la ecuacion 1, se cumple que

$$f(\bar{x}) = 0$$

y como la ecuación 2 es solo un rearreglo de la ecuación 1, también es cierto que

$$g(\bar{x}) = \bar{x}$$

Si se hubiese elegido $x_0 = 1{,}850781059$ para la ecuacion 3, el estudiante podría verificar que cualquiera que sea la $g(x)$ seleccionada, $g(1{,}850781059) = 1{,}850781059$; esto se debe a que $1{,}850781059$ es una raíz de la ecuación 3. Esta característica de $g(x)$ de fijar su valor en una raiz x⁻ ha dado a este método el nombre que lleva o sea de punto fijo.

Caso 2. $x_1 \neq x_0$

Es el caso más habitual, e indica que x_1 y x_0 son distintos de $\bar{x}$. Esto es facil de explicar, ya que si $\dot{x}$ no es una raíz de (1), se tiene que

$$f(x) \neq 0$$

y por otro lado, calculando $g(x)$ en $\dot{x}$, se tiene

$$g(\dot{x}) \neq \dot{x}$$

En estas circunstancias se procede a una segunda evaluacion de $g(x)$, ahora en x_1, anotándose el resultado como x_2

$$g(x_1) = x_2$$

Este proceso se repite y se obtiene el siguiente esquema iterativo:

Valor inicial:	x_0		$f(x_0)$
Primera iteración:	x_1	$g(x_0)$	$f(x_1)$
Segunda iteración:	x_2 $=$	$g(x_1)$	$f(x_2)$
Tercera iteración:	x_3 $=$	$g(x_2)$	$f(x_3)$
$\vdots$	$\vdots$ $\vdots$	$\vdots$	$\vdots$
i − ésima iteración:	x_i $\vdots$	$g(x_{i-1})$	$f(x_i)$
i + 1 − ésima iteración:	x_{i+1} $=$	$g(x_i)$	$f(x_{i+1})$
$\vdots$		$\vdots$	$\vdots$

Aunque existen excepciones, generalmente se halla que los valores $x_0, x_1, x_2, \ldots$ se van acercando a $\bar{x}$ de manera que x_i está más cerca de $\bar{x}$ que x_{i-1}; o bien, se van alejando de $\bar{x}$ de modo que cualquiera está más lejos que el valor anterior.

Si para la ecuación 3 se emplea $x_0 = 2,0$, como valor inicial, y las $g(x)$ de los incisos a) y b) de la ecuación 4, se obtiene, respectivamente:

$$x_0 = 2; \quad g(x) = 2x^2 - 5$$

$$x_0 = 2; \quad g(x) = \sqrt{\frac{x - 5}{2}}$$

i	x_i	$g(x_i)$	i	x_i	$g(x_i)$
0	2	3	0	2,00000	1,87083
1	3	13	1	1,87083	1,85349
2	13	333	2	1,85349	1,85115
3	333	221773	3	1,85115	1,85083

Puede apreciarse que la sucesión diverge con la $g(x)$ del inciso a), y converge a la raíz 1,850781059 con la $g(x)$ del inciso b).

Finalmente, para determinar si la sucesión $x_0, x_1, x_2, \ldots$ esta convergiendo o divergiendo de una raíz $\bar{x}$, cuyo valor no se conoce, puede calcularse en el proceso de iteración mostrado más arriba la sucesión $f(x_0), f(x_1), f(x_2), \ldots$ Si dicha sucesión tiende a cero, el proceso de iteración, converge a $\bar{x}$ y dicho proceso se prolongará hasta que $|f(x_i)| < \varepsilon_1$, donde ε_1 es un valor pequeño e indicativo de la exactitud o cercanía de x_i con $\bar{x}$. Se toma a x_i como la raíz y el problema de encontrar una raíz real queda concluido. Si por el contrario $f(x_0), f(x_1), f(x_2), \ldots$ no tiende a cero, la sucesión $x_0, x_1, x_2, \ldots$ diverge de x^-, y el proceso habrá que detenerse y probar uno nuevo con una $g(x)$ diferente.

Ejemplo 2.5 Halle una aproximación a una raíz real de la ecuación

$$cosx - 3x = 0$$

Existen dos posibilidades de $g(x) = x$ y son

a) $x = \cos x - 2x$ \qquad b) $x = \cos x/3$

Graficando por separado las funciones $\cos x$ y $3x$, se obtiene la figura 20.

Podemos crear un Script

```
%Grafica y=cos x y z = 3x
disp ("Gráfica de las ecuaciones y=cosx y z=3x")
x =-4: 0.1:4;
y = cos(x);
z = 3*x;
t = zeros (size(x));
plot (x,y)
axis([-4 4 -2 2])
hold on
plot(x,z)
plot(x,t)
```

De donde un valor cercano a $\bar{x}$ es $x_0 = (\pi/2)/4$. Iterando se obtiene para la forma del inciso a).

i	x_i	$g(x_i)$	$\|f(x_i)\|$
0	$\pi/8$	0,13848	0,25422
1	0,13848	0,71346	0,57498
2	0,71346	-067083	1,38429
3	-0,67083	2,12496	2,79579
4	2,12496	-4,77616	6,90113

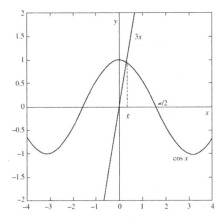

Figura 20. Gráfica de *sen x* y de *3x*

Se detiene el proceso en la cuarta iteración, porque $f(x0), f(x1), f(x2), \dots$ no tiende a cero. Se emplea el valor absoluto de $f(x)$ para manejar la idea de distancia.

Se inicia un nuevo proceso con $x_0 = (\pi/2)/4$ y la forma equivalente del inciso b).

i	x_i	$g(x_i)$	$\|f(x_i)\|$
0	$\pi/8$	0,30796	0,25422
1	0,30796	0,31765	0,02907
2	0,31765	0,31765	0,00298
3	0,31666	0,31676	0,00031
4	0,31676	0,31675	0,00003

y la aproximación de la raíz es:

$$\bar{x} \approx x_4 = 0,31675$$

Para encontrar los valores de la tabla de arriba utilizaremos el siguiente Script

```
%Tabla de valores para el inciso b del método Punto fijo
clc
clear
format short
x0=pi / 8;
disp("Tabla de los valores de las iteraciones del inciso b de la gráfica punto fijo")
disp (" i      x0      x      f")
```

67

```
for i = 1 : 5
x=cos(x0) / 3;
f=abs(cos(x0) - 3*x0);
%disp ( [i,    x0, x, f] )
fprintf ( " %i    %f    %f    %f\n", i,x0,x,f)
x0=x;
endfor
```

Los resultados serían los siguientes:
Tabla de los valores de las iteraciones del inciso b de la gráfica punto fijo

i	x0	x	f
1	0.392699	0.307960	0.254218
2	0.307960	0.317651	0.029074
3	0.317651	0.316657	0.002982
4	0.316657	0.316761	0.000310
5	0.316761	0.316750	0.000032

`>>`

2.2.2.2 Método de Newton Rawson.

De las fórmulas para delimitar raíces, la fórmula de Newton - Raphson (figura 21) sea la más ampliamente utilizada. Si el valor inicial para la raíz es x_i, entonces se puede trazar una tangente desde el punto $[x_i, f(x_i)]$. Por lo común, el punto donde esta tangente cruza al eje x representa una aproximación mejorada de la raíz.

El método de Newton – Raphson es un método de segundo orden de convergencia cuando se trata de raíces reales no repetidas. Consiste en un procedimiento que lleva la ecuación $f(x) = 0$ a la forma $x = g(x)$, de modo que $g'(x\_i) = 0$. Su deducción se presenta en seguida.

En la figura 21 se observa la gráfica de $f(x)$, cuyo cruce con el eje x es una raíz real $\bar{x}$.

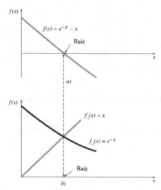

Figura 21. Dos métodos gráficos para determinar la raíz de $f(x) = e-x - x$.
a) La raíz como un punto donde la función cruza el eje x;
b) la raíz como la intersección de las dos funciones componentes.

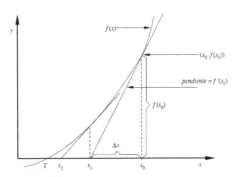

Figura 22 Derivación del método de Newton Raphson.

Vamos a suponer un valor inicial x_0, que se situa en el eje horizontal. Tracese una tangente a la curva en el punto $(x_0, f(x_0))$, y a partir de ese punto sigase por la tangente hasta su intersección con el eje x; el punto de corte x1 es una nueva aproximación a $\bar{x}$ (hay que observar que se ha remplazado la curva $f(x)$ por su tangente en $(x_0, f(x_0))$. El proceso se repite comenzando con x_1, se obtiene una nueva aproximación x_2 y así sucesivamente, hasta que un valor x1 satisfaga $|f(x_i)| \leq \varepsilon_1, |x_{i+1} - x_i| < \varepsilon$, o ambos. Si lo anterior no se cumpliera en un máximo de iteraciones (MAXIT), debe reiniciarse con un nuevo valor x_0.[4]

La ecuación central del algoritmo se obtiene así:
$$x_1 = x_0 - \Delta x$$
La pendiente de la tangente a la curva en el punto $(x_0, f(x_0))$ es
$$f'(x_0) = \frac{f(x_0)}{\Delta x}$$
De tal manera que
$$\Delta x = \frac{f(x_0)}{f'(x_0)}$$
sustituyendo
$$x_1 = x_0 - \frac{f(x_0)}{f'(x_0)}$$
en términos generales
$$x_{i+1} = x_i - \frac{f(x_i)}{f'(x_i)} = g(x_i) \qquad (1)$$

Este método es de orden 2, porque $g'(\bar{x}) = 0$ y $g''(\bar{x}) \neq 0$

Ejemplo 2.6 Encuentre una raíz real de la ecuación
$$f(x) = x^3 + 2x^2 + 10x - 20$$
mediante el método de Newton-Raphson, $x_0 = 1$, con $\varepsilon = 10^{-3}$ aplicado a $|x_{i+1} - x_i|$.

Solución. Se sustituyen $f(x)$ y $f'(x)$ en la ecuación anterior

$$x_{i+1} = x_i - \frac{x_i{}^3 + 2x_i^2 + 10x_i - 20}{3x_i^2 + 4x_i + 10}$$

Primera iteración

$$x_1 = 1 - \frac{(1)^3 + 2(1)^2 + 10(1) - 20}{3(1)^2 + 4(1) + 10} = 1{,}41176$$

Como $x_1 \neq x_0$ se calcula x_2

Segunda iteración

$$x_2 = 1{,}41176 - \frac{(1{,}41176)^3 + 2(1{,}41176)^2 + 10(1{,}41176) - 20}{3(1{,}41176)^2 + 4(1{,}41176) + 10} = 1{,}36934$$

Continuando el proceso obtendremos los siguientes valores

i	x_i	$|x_{i+1} - x_i|$	$g'(x_i)$
0	1,00000		0,242212
1	1,41176	0,41176	0,02446
2	1,36934	0,04243	0,00031
3	1,36881	0,00053	$4{,}6774 * 10^{-8}$
4	1,36881	0,00000	$9{,}992 * 10^{-16}$

Elaboramos en Octave el siguiente programa:

```
%Método de Newton - Raphson
clc
clear
disp("Método de Newton - Raphson")
disp ("Tabla de valores de iteración por Newton Raphson")
format short
x0=1 ;
disp(" i    x        abs x       abs g")
for I=1 : 4
f=x0^3+2*x0^2+10*x0 - 20;
df=3*x0^2+4*x0+10;
x=x0 - f/df;
dist = abs(x - x0);
dg=abs(1 - ((3*x^2+4*x+10)^2 - ...
(x^3+2*x^2+10*x-20)*(6*x+4))/ ...
(3*x^2+4*x+10)^2);
fprintf(" %i   %f     %f      %f\n",I,x,dist,dg)
%disp([x, dist, dg])
x0=x;
endfor
```

Los resultados serían
Método de Newton - Raphson
Tabla de valores de iteración por Newton Raphson
i   x   abs x   abs g
1   1.411765   0.411765   0.024466

2	1.369336	0.042428	0.000306
3	1.368808	0.000528	0.000000
4	1.368808	0.000000	0.000000

\>>

2.2.2.3 Método de la Secante.

Un problema potencial en la implementación del método de Newton-Raphson es la evaluación de la derivada. Aunque esto no es un inconveniente para los polinomios ni para muchas otras funciones, existen algunas funciones cuyas derivadas en ocasiones resultan muy difíciles de calcular. En dichos casos, la derivada se puede aproximar mediante una diferencia finita dividida hacia atrás, como en la figura 22.

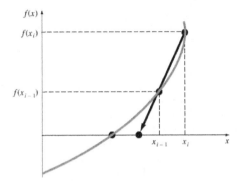

Figura 22. Método de la Secante

$$f'(x_i) \cong \frac{f(x_{i-1}) - f(x_i)}{x_{i-1} - x_i}$$

Esta aproximación se sustituye en la ecuación de más abajo para obtener la siguiente ecuación iterativa:

$$x_{i+1} = x_i - \frac{f(x_i)}{f'(x_i)}$$

$$x_{i+1} = x_i - \frac{f(x_i)(x_{i-1} - x_i)}{f(x_{i-1}) - f(x_i)} = g(x_i) \qquad (2)$$

La ecuación (2) es la fórmula para el método de la secante. Observe que el método requiere de dos valores iniciales de x. Sin embargo, debido a que no se necesita que $f(x)$ cambie de signo entre los valores dados, este método no se clasifica como un método cerrado.

Para la primera aplicación de la ecuación (1) e iniciar el proceso iterativo, como ya habíamos indicado se requerirán de dos valores iniciales: x0 y x1*. La siguiente aproximación x_2, está dada por

$$x_2 = x_1 - \frac{(x_1 - x_0)f(x_1)}{f(x_1) - f(x_0)}$$

y x_3

71

$$x_3 = x_2 - \frac{(x_2 - x_1)f(x_2)}{f(x_2) - f(x_1)}$$

y así sucesivamente hasta que $g(xi) \approx x_{i+1}$, o una vez que

$$|x_{i+1} - x_i| < \varepsilon$$

o

$$|f(x_{i+1} + 1)| < \varepsilon_1$$

Ejemplo 2.7 Utilice el método de la secante para encontrar una raíz real de la siguiente ecuación polinomial

$$f(x) = x^3 + 2x^2 + 10x - 20$$

Utilizando la ecuación (1) obtenemos

$$x_{i+1} = x_1 - \frac{(x_1 - x_{i-1})(x_1^3 + 2x_1^2 + 10x_1 - 20}{(x_1^3 + 2x_1^2 + 10x_1 - 20) - (x_{i-1}^3 + 2x_{i-1}^2 + 10x_{i-1} - 20)}$$

Mediante $x_0 = 0$ y $x_1 = 1$ calculamos x_2

$$x_2 = 1 - \frac{(1 - 0)(1^3 + 2(1)^2 + 10(1) - 20}{(1^3 + 2(1)^2 + 10(1) - 20) - (0^3 + 2(0)^2 + 10(0) - 20)} = 1,53846$$

Los valores de las iteraciones siguientes se encuentran en la tabla de más abajo. Si bien no se convergió a la raíz tan rápido como en el caso del método de Newton-Raphson, la velocidad de convergencia no es tan lenta como en el método de punto fijo; entonces, se tiene para este ejemplo una velocidad de convergencia intermedia.

i	x_i	$|x_{i+1} - x_i|$
0	0,00000	
1	1,00000	1,00000
2	1,53846	0,538463
3	1,35031	0,18815
4	1,36792	0,01761
5	1,36881	0,00090

$$|x_{i+1} - x_i| \le \varepsilon = 10^{-3}$$

En Octave generamos el siguiente Script

```
%Método de la Secante
clc
clear
disp ("Método de la Secante")
format short
x0=0 ; x1=1;
disp(" i     x2        dist")
for i=1 : 4
f0 = x0^3+2*x0^2+10*x0-20;
f1 = x1^3+2*x1^2+10*x1 - 20;
x2 = x1 - (x1 - x0) *f1 / (f1 - f0);
dist=abs(x2-x1);
fprintf(" %i     %f     %f\n",i,x2,dist)
```

72

```
%disp([x2, dist])
x0=x1 ; x1=x2 ;
endfor
```

Y los resultados estarían de la siguiente manera:

Método de la Secante

i	x2	dist
1	1.538462	0.538462
2	1.350311	0.188151
3	1.367917	0.017606
4	1.368813	0.000896

>>

2.3 Solución de Sistemas de Ecuaciones no lineales.

El análisis y diseño de redes cerradas de tuberías de distribución de agua, tanto en redes domésticas, como en la industria, se basa en dos tipos de ecuaciones: de nodo y de pérdida de energía. Éstas constituyen sistemas de ecuaciones no lineales.

El resolver un sistema de ecuaciones no lineales es un problema que se evita siempre que sea posible, generalmente, al aproximar el sistema no lineal mediante un sistema de ecuaciones lineales. Cuando esto no es satisfactorio, el problema debe abordarse de manera directa.

En este capítulo estudiaremos los métodos que nos permitirán resolver sistemas de ecuaciones no lineales, $f(x) = 0$, vistas como la situación más general de los casos que analizamos en los capítulos anteriores. Para ello, utilizaremos sistemas de dos ecuaciones no lineales en dos incógnitas, lo cual no implica pérdida de generalidad y, a cambio, sí nos permitirá realizar los cálculos de manera más ágil y, sobre todo, presentar una interpretación geométrica del método. De esta manera, el lector tendrá frente a sí un reto de visualización y entenderá por qué estos métodos requieren de numerosos cálculos.

En los capítulos anteriores vimos como encontrar las raíces de una ecuación de la forma

$$f(x) = 0$$

Así como también se estudiaron las técnicas iterativas de solución de un sistema de ecuaciones lineales $Ax = b$.

Estos son casos particulares de la situación más general, donde se tiene un sistema de varias ecuaciones con varias incógnitas, cuya representación es

$$f_1 = (x_1, x_2, x_3, \cdots, x_n) = 0$$
$$f_2 = (x_1, x_2, x_3, \cdots, x_n) = 0$$
$$\vdots$$
$$f_n = (x_1, x_2, x_3, \cdots, x_n) = 0$$

(1)

donde $f_i = (x_1, x_2, x_3, \cdots, x_n)$ para $1 \leq i \leq n$ es una función (lineal o no) de las variables independientes $x_1, x_2, x_3, \cdots, x_n$.

Si por ejemplo la ecuación1 consiste solo en una ecuación de una incógnita (n = 1), se tiene la ecuación $f(x) = 0$. En cambio, la ecuación 1 se reducirá a un sistema de ecuaciones lineales si $n > 1$ y $f_1, f_2, \cdots f_n$ son todas funciones lineales de $x_1, x_2, x_3, \cdots, x_n$.

Por todo esto, es fácil entender que los métodos iterativos de solución de la ecuación 1 son extensiones de los métodos para ecuaciones no lineales con una incógnita y emplean las ideas que se aplicaron al desarrollar los algoritmos iterativos para resolver $Ax = b$.

A continuación se muestran algunos ejemplos:

$$1) \quad \begin{aligned} f_1 &= (x_1, x_2) = 10(x_2 - x_i^2) = 0 \\ f_2 &= (x_1, x_2) = 1x_1 = 0 \end{aligned}$$

$$2) \quad \begin{aligned} f_1 &= (x_1, x_2) = x_1^2 + x_2^2 - 4 = 0 \\ f_2 &= (x_1, x_2) = x_2 - x_1^2 = 0 \end{aligned}$$

$$3) \quad \begin{aligned} f_1 &= (x_1, x_2, x_3) = x_1 x_2 x_3 - 8x_1^3 + x_2 = 0 \\ f_2 &= (x_1, x_2, x_3) = 2x_1 + 4x_2 x_3 + \cos x_2 = 0 \\ f_1 &= (x_1, x_2, x_3) = x_2{}^2 - 10x_1 x_3 - 5x_3^3 + 3 = 0 \end{aligned}$$

Antes de desarrollar los métodos iterativos para resolver sistemas de ecuaciones no lineales con varias incógnitas, destacaremos algunas de las dificultades que se presentan al aplicar estos métodos.

Es imposible graficar las superficies multidimensionales definidas por las ecuaciones de los sistemas para n > 2.

- No es fácil encontrar "buenos" valores iniciales.

- Para atenuar estas dificultades, proporcionamos algunas sugerencias antes de analizar un intento formal de solución de la ecuación 1.

Reducción de ecuaciones

Resulta muy útil tratar de reducir analíticamente el número de ecuaciones y de incógnitas antes de intentar una solución numérica. En particular, hay que intentar resolver alguna de las ecuaciones para alguna de las incógnitas. Después, se debe sustituir la ecuación resultante para esa incógnita en todas las demás ecuaciones; con esto el sistema se reduce en una ecuación y una incógnita. Continúe de esta manera hasta donde sea posible.

Por ejemplo, en el sistema

$$f_1(x_1, x_2) = 10 \, (x_2 - x_1^2) = 0$$
$$f_2(x_1, x_2) = 1 - x_1 = 0$$

se despeja x_1 en la segunda ecuación

$$x_1 = 1$$

y se sustituye en la primera

$$10(x_2 - 1^2) = 0$$

cuya solucion, $x_2 = 1$, conjuntamente con x1 = 1 proporciona una solución del sistema dado, sin necesidad de resolver dos ecuaciones con dos incógnitas.

Partición de ecuaciones

A veces resulta más fácil dividir las ecuaciones en subsistemas menores y resolverlos por separado. Considérese, por ejemplo, el siguiente sistema de cinco ecuaciones con cinco incógnitas.

$$f_1 = (x_1, x_2, x_3, x_4, x_5) = 0$$
$$f_2 = (x_1, x_2, x_4) = 0$$
$$f_3 = (x_1, x_3, x_4, x_5) = 0$$
$$f_4 = (x_2, x_4) = 0$$
$$f_1 = (x_1, x_4) = 0$$

En vez de atacar las cinco ecuaciones al mismo tiempo, se resuelve el subsistema formado por f_2, f_4 y f_5. Las soluciones de este subsistema se utilizan despues para resolver el subsistema compuesto por las ecuaciones f_1 y f_3.

En general, una partición de ecuaciones es la división de un sistema de ecuaciones en subsistemas llamados bloques. Cada bloque de la partición es el sistema de ecuaciones más pequeño que incluye todas las variables que es preciso resolver.

Tanteo de ecuaciones[4]

Supóngase que se quiere resolver el siguiente sistema de cuatro ecuaciones con cuatro incógnitas.

$$f_1 = (x_2, x_3) = 0$$
$$f_2 = (x_2, x_3, x_4) = 0$$
$$f_3 = (x_1, x_2, x_3, 4) = 0$$
$$f_4 = (x_1, x_2, x_3) = 0$$

Estas ecuaciones no se pueden dividir en subsistemas, sino que es preciso resolverlas simultáneamente; sin embargo, es posible abordar el problema por otro camino. Supóngase que se estima un valor de x_3.

Se podría obtener así x_2 a partir de f_1, x_4 de f_2 y x_1 de f_3. Finalmente, se comprobaría con f_4 la estimación hecha de x3. Si f4 fuese cero o menor en magnitud que un valor predeterminado o criterio de exactitud ε, la estimación x_3 y los valores de x_2, x_4 y x_1, obtenidos con ella, serian una aproximación a la solución del sistema dado. En caso contrario, habría que proponer un nuevo valor de x3 y repetir el proceso.

Nótese la íntima relación que guarda este método con el de punto fijo (véase capítulo 2), ya que un problema multidimensional se reduce a uno unidimensional en x_3.

$$h(x_3) = 0$$

2.3.1 Método de Punto Fijo Multivariable

Los algoritmos que se estudiaran en esta sección son, aplicables a sistemas de cualquier número de ecuaciones; sin embargo, para ser más concisos y evitar notación complicada, se considerará solo el caso de dos ecuaciones con dos incógnitas. Estas generalmente se escribirán como

$$f_1(x, y) = 0$$
$$f_2(x, y) = 0$$

y se trataremos de encontrar pares de valores (x, y) que satisfagan ambas ecuaciones.

Como en el método de punto fijo y en los métodos de Jacobi y Gauss-Seidel, en este también se resolverá la primera ecuación para alguna de las variables, x por ejemplo, y la segunda para y.

$$x = g_1(x, y)$$
$$y = g_2(x, y) \qquad (1)$$

Al igual que en los métodos mencionados anteriormente, trataremos de obtener la estimación $(k + 1)$-ésima a partir de la estimación k-ésima, con la expresión

$$x^{k+1} = g_1(x^k, y^k)$$
$$y^{k+1} = g_2(x^k, y^k) \qquad (2)$$

Arrancamos con valores iniciales x^0, y^0, se calculan nuevos valores x_1, y_1, y se repite el proceso, esperando que después de cada iteración los valores de x^k, y^k se aproximen a la raíz buscada $\bar{x}$, $\bar{y}$, la cual cumple con

$$\bar{x} = g_1(\bar{x}, \bar{y})$$
$$\bar{y} = g_2(\bar{x}, \bar{y})$$

Como ya es conocido, en el caso de una variable, la manera particular de pasar de $f(x) = 0$ a $x = g(x)$, afecta la convergencia del proceso iterativo. Entonces, debe esperarse que la forma en que se resuelve para $x = g_1(x, y)$ y $y = g_2(x, y)$, afecte la convergencia de las iteraciones.

Por otro lado, conocemos que en el caso lineal el reordenamiento de las ecuaciones afecta la convergencia, por lo que puede esperarse que la convergencia del método en estudio dependa de si se despeja x de f_2 o de f_1.

Por último, como en el método iterativo univariable y en el de Jacobi y de Gauss-Seidel, la convergencia ─en caso de existir─ es de primer orden, cabe esperar que el método iterativo multivariable tenga esta propiedad.

Ejemplo 2.9 Encuentre la solución del sistema de ecuaciones no lineales

$$f_1(x, y) = x^2 - 10x + y^2 + 8 = 0$$
$$f_2(x, y) = xy^2 + x - 10y + 8 = 0$$

Solución. Despejamos x del termino $(-10x)$ en la primera ecuacion, y de y del termino $(-10y)$ en la segunda ecuación, resulta

$$x = \frac{x^2 + y^2 + 8}{10}$$
$$y = \frac{xy^2 + x + 8}{10}$$

y tomando en cuenta la notación (1)

$$x^{k+1} = \frac{(x^k)^2 + (y^k)^2 + 8}{10}$$
$$y^{k+1} = \frac{x^k(y^k)^2 + x^k + 8}{10}$$

Teniendo los valores iniciales $x^0 = 0$, $y^0 = 0$, iniciamos el proceso iterativo.
1ª iteración.

$$x = \frac{0^2 + 0^2 + 8}{10}$$
$$y = \frac{0(0)^2 + 0 + 8}{10}$$

2ª iteración

$$= \frac{(0,8)0^2 + (0,8)^2 + 8}{10} = 0,98$$
$$y = \frac{0,8(0,8)^2 + 0,8 + 8}{10} = 0,9312$$

Continuando el proceso iterativo, encontramos la siguiente sucesión de vectores:

k	x^k	y^k
0	0,00000	0,00000
1	0,80000	0,80000
2	0,92800	0,93120
3	0,97283	0,97327
4	0,98937	0,98944
5	0,99578	0,99579
6	099832	0,99832
7	0,99933	0,99933
8	0,99973	0,99973
9	0,99989	0,99989
10	0,99996	0,99996
11	0,99998	0,99998
12	0,99999	0,99999
13	1,00000	1,00000

En Octave escribimos el siguiente Script

```
%Método del Punto Fijo Multivariable
clc
clear
disp("Método del Punto Fijo Multivariable")
x0=0;
y0=0;
k=0;
fprintf(" k    x(k)    y(k)\n")
fprintf(" %2d %10.5f %10.5f\n", k, x0, y0)
 for k=1:13
    x1=(x0^2+y0^2+8)/10;
    y1=(x0*y0^2+x0+8)/10;
    fprintf(" %2d %10.5f %10.5f\n",k,x1,y1)
    x0=x1; y0=y1;
 endfor
```

La tabla de resultados sería
Método del Punto Fijo Multivariable

k	x(k)	y(k)
0	0.00000	0.00000
1	0.80000	0.80000
2	0.92800	0.93120
3	0.97283	0.97327
4	0.98937	0.98944
5	0.99578	0.99579
6	0.99832	0.99832
7	0.99933	0.99933
8	0.99973	0.99973

9	0.99989	0.99989
10	0.99996	0.99996
11	0.99998	0.99998
12	0.99999	0.99999
13	1.00000	1.00000

`>>`

Para observar la convergencia del proceso iterativo existe un criterio de convergencia equivalente al de las ecuaciones, que puede aplicarse antes de iniciar el proceso iterativo mencionado, y que dice:

Una condición suficiente, aunque no necesaria, para asegurar la convergencia es que

$$\left|\frac{\partial g_1}{\partial x}\right| + \left|\frac{\partial g_2}{\partial x}\right| \leq M < 1; \quad \left|\frac{\partial g_1}{\partial y}\right| + \left|\frac{\partial g_2}{\partial y}\right| \leq M < 1$$

para todos los puntos (x, y) de la región del plano que contiene todos los valores (x^k, y^k) y la raíz buscada $(\bar{x}, \bar{y})$.

Por otro lado, si M es muy pequeña en una sección de interés, la iteración converge muy rápido; si M es cercana a 1 en magnitud, entonces la iteración puede converger lentamente.

De todas maneras, cualquiera que sea el sistema a que se haya llegado y que se vaya a resolver con este método, puede aumentarse la velocidad de convergencia usando los desplazamientos sucesivos en lugar de los desplazamientos simultáneos del esquema indicado. Es decir, se iteraría mediante

$$x^{k+1} = g^1(x^k, y^k)$$
$$y^{k+1} = g^2(x^{k+1}, y^k)$$

Ejemplo 2.10 Resuelva el sistema del ejemplo 2.9, utilizando el método de punto fijo multivariable con desplazamientos sucesivos

$$f_1(x,y) = x^2 - 10x + y^2 + 8 = 0$$
$$f_2(x,y) = xy^2 + x - 10y + 8 = 0$$

Solución. Al despejar x del termino $(-10x)$ y y del termino $(-10y)$, de la primera y segunda ecuaciones, respectivamente, resulta

$$x^{k+1} = g_1(x^k, y^k) = \frac{(x^k)^2 + (y^k)^2 + 8}{10}$$
$$y^k = g_2(x^{k+1}, y^k) = \frac{(x^{k+1})^2(y^k)^2 + x^{k+1} + 8}{10}$$

Al derivar parcialmente se obtiene lo siguiente:

$$\frac{\partial g_1}{\partial x} = \frac{2x^k}{10} \qquad\qquad \frac{\partial g_1}{\partial y} = \frac{2y^k}{10}$$

$$\frac{\partial g_2}{\partial x} = \frac{(y^k)^2 + 1}{10} \qquad\qquad \frac{\partial g_2}{\partial y} = \frac{2x^{k+1}y^k}{10}$$

y evaluadas en $x^0 = 0$ y en $y^0 = 0$

$$\frac{\partial g_1}{\partial x_{x^0}}_{y^0} = 0 \qquad\qquad \frac{\partial g_1}{\partial y_{x^0}}_{y^0} = 0$$

$$\frac{\partial g_2}{\partial x_{x^0 \atop y^0}} = 1/10 \qquad \frac{\partial g_2}{\partial y_{x^0 \atop y^0}} = 0$$

con lo que se puede aplicar la condición

$$\frac{\partial g_1}{\partial x} + \frac{\partial g_2}{\partial x} = 0 + \frac{1}{10} = \frac{1}{10} < 1$$

$$\frac{\partial g_1}{\partial y} + \frac{\partial g_2}{\partial y} = 0 + 0 = 0 < 1$$

la cual se satisface, si los valores sucesivos de la iteración: x^1, y^1; x^2, y^2; x^3, y^3; $\cdots$ la satisfacen también; se llega entonces a $\bar{x}$, $\bar{y}$.

1ª iteración

$$x^1 = \frac{0^2 + 0^2 + 8}{10} = 0{,}8$$

$$y^1 = \frac{0{,}8(0)^2 + 0^2 + 8}{10} = 0{,}88$$

El cálculo de la distancia entre el vector inicial y el vector $[x1, y1]^T$

$$|x^{(1)} - x^{(0)}| = \sqrt{(0{,}8 - 0{,}0)^2 + (0{,}88 - 0{,}00)^2} = 1{,}18929$$

2ª iteración

$$x^2 = \frac{(0{,}8)^2 + (0{,}88)^2 + 8}{10} = 0{,}94144$$

$$y^2 = \frac{0{,}94144(0.88)^2 + 0{,}94144 + 8}{10} = 0{,}96704$$

El cálculo de la distancia entre $[x2, y\,2]^T$ y $[x1, y1]^T$

$$|x^{(2)} - x^{(1)}| = \sqrt{(0{,}94144 - 0{,}8)^2 + (0{,}96704 - 0{,}88)^2} = 0{,}16608$$

Más abajo podemos encontrar la tabla con los valores de las iteraciones

k	x^k	y^k	$|x^{k+1} - x^k|$
0	0,00000	0,00000	
1	0,80000	0,80000	1,18929
2	0,94144	0,96705	0,16608
3	0,98215	0,99006	0,04677
4	0,99448	0,99693	0,01411
5	0,99829	0,99905	0,00436
6	099947	0,99970	0,00135
7	0,99983	0,99991	0,00042
8	0,99995	0,99997	0,00013
9	0,99998	0,99999	0,00004
10	0,99996	1,00000	0,00001
11	0,99998	1,00000	0,00001

Hay que observar se requirieron 11 iteraciones para llegar al vector solución $(1,1)$ contra 13 del ejemplo 2.9, donde se usaron desplazamientos simultáneos.

En Octave escribimos el Script
%2da variación del Metodo del Punto Fijo Multivariable
clc
clear

```
disp ("2da variación del Metodo del Punto Fijo Multivariable")
k=0;
x0=0; y0=0;
fprintf(" k    x(k)    y(k)    Dist \n")
fprintf("%2d %10.5f %10.5f\n", k, x0, y0)
for k=1:11
x1=(x0^2+y0^2+8)/10;
y1=(x1*y0^2+x1+8)/10;
Dist=((x1-x0)^2+(y1-y0)^2)^0.5;
fprintf("%2d %10.5f %10.5f %10.5f\n", k, x1, y1, Dist)
x0=x1; y0=y1;
endfor
```

Los resultados son
2da variación del Metodo del Punto Fijo Multivariable

k	x(k)	y(k)	Dist
0	0.00000	0.00000	
1	0.80000	0.88000	1.18929
2	0.94144	0.96705	0.16608
3	0.98215	0.99006	0.04676
4	0.99448	0.99693	0.01412
5	0.99829	0.99905	0.00435
6	0.99947	0.99970	0.00135
7	0.99983	0.99991	0.00042
8	0.99995	0.99997	0.00013
9	0.99998	0.99999	0.00004
10	0.99999	1.00000	0.00001
11	1.00000	1.00000	0.00000

>>

2. 3.2 Método de Newton - Raphson Multivariable

El método iterativo para sistemas de ecuaciones converge linealmente. De la misma manera que en el método de una incógnita, puede crearse un método de convergencia cuadrática, es decir, el método de Newton-Raphson multivariable. A continuación se obtendrá este procedimiento para dos variables; la extensión a tres o más variables es viable generalizando los resultados.

Supóngase que se está resolviendo el sistema

$$f_1(x, y) = 0$$
$$f_2(x, y) = 0$$

Donde ambas funciones son continuas y diferenciables, de modo que puedan expandirse en serie de Taylor. Esto es

$$f(x, y) = f(a, b) + \frac{\partial f}{\partial x}(x - a) + \frac{\partial f}{\partial x}(y - b)$$
$$+ \frac{1}{2!}\left[\frac{\partial^2 f}{\partial x \partial x}(x - a)^2 + 2\frac{\partial^2 f}{\partial x \partial y}(x - a)(y - b) + \frac{\partial^2 f}{\partial x \partial y}(y - b)^2\right] + \cdots$$

donde f(x, y) se ha expandido alrededor del punto (a, b) y todas las derivadas parciales están evaluadas en (a, b).

Expandiendo f_1 alrededor de (x^k, y^k)

$f_1(x^{k+1}, y^{k+1})$

$$= f_1(x^k, y^k) + \frac{\partial f_1}{\partial x}(x^{k+1} - x^k) + \frac{\partial f_1}{\partial x}(y^{k+1} - y^k)$$

$$+ \frac{1}{2!}\left[\frac{\partial^2 f_1}{\partial x \partial x}(x^{k+1} - x^k)^2 + 2\frac{\partial^2 f_1}{\partial x \partial y}(x^{k+1} - x^k)(y^{k+1} - y^k)\right.$$

$$\left. + \frac{\partial^2 f_1}{\partial x \partial y}(y^{k+1} - y^k)^2\right] + \cdots$$

donde todas las derivadas parciales están evaluadas en (x^k, y^k). De la misma forma puede expandirse f_2 como sigue

$f_2(x^{k+1}, y^{k+1})$

$$= f_2(x^k, y^k) + \frac{\partial f_2}{\partial x}(x^{k+1} - x^k) + \frac{\partial f_2}{\partial x}(y^{k+1} - y^k)$$

$$+ \frac{1}{2!}\left[\frac{\partial^2 f_2}{\partial x \partial x}(x^{k+1} - x^k)^2 + 2\frac{\partial^2 f_2}{\partial x \partial y}(x^{k+1} - x^k)(y^{k+1} - y^k)\right.$$

$$\left. + \frac{\partial^2 f_2}{\partial x \partial y}(y^{k+1} - y^k)^2\right] + \cdots$$

Ahora, suponemos que x^{k+1} y y^{k+1} están cerca de la raíz buscada $(\bar{x}, \bar{y})$ y que los lados izquierdos de las dos últimas ecuaciones son casi cero; además, asúmase que x^k y y^k están tan próximos de x^{k+1} que pueden omitirse los términos a partir de los que se encuentran agrupados en paréntesis rectangulares.

Con esto las ecuaciones se simplifican a

$$0 \approx f_1(x^k, y^k) + \frac{\partial f_1}{\partial x}(x^{k+1} - x^k) + \frac{\partial f_1}{\partial x}(y^{k+1} - y^k)$$

$$0 \approx f_2(x^k, y^k) + \frac{\partial f_2}{\partial x}(x^{k+1} - x^k) + \frac{\partial f_2}{\partial x}(y^{k+1} - y^k)$$

Para simplificar aún más, se cambia la notación con

$$x^{k+1} - x^k = h$$
$$y^{k+1} - y^k = h$$

y así queda la (k + 1)-ésima iteración en términos de la k-ésima

$$x^{k+1} = x^k + h$$
$$y^{k+1} = y^k + h$$

Las sustituciones dan como resultado

$$\frac{\partial f_1}{\partial x}h + \frac{\partial f_1}{\partial y}j = -f_1(x^k, y^k)$$

$$\frac{\partial f_2}{\partial x}h + \frac{\partial f_2}{\partial y}j = -f_2(x^k, y^k)$$

el cual es un sistema de ecuaciones lineales en las incógnitas h y j (recuérdese que las derivadas parciales de la ecuación, así como f_1 y f_2, están evaluadas en (x^k, y^k) y, por lo tanto, son números reales).

Dicho sistema de ecuaciones lineales resultante tiene solución única, siempre que el determinante de la matriz de coeficientes o matriz jacobiana J no sea cero; es decir, si

$$|J| = \begin{vmatrix} \dfrac{\partial f_1}{\partial x} & \dfrac{\partial f_1}{\partial y} \\ \dfrac{\partial f_2}{\partial x} & \dfrac{\partial f_2}{\partial y} \end{vmatrix} \neq 0$$

Precisando: el método de Newton-Raphson consiste fundamentalmente en formar y resolver el sistema encontrado, esto último mediante alguno de los métodos vistos en el anterior. Asi, con la solución y la ecuación se obtiene la siguiente aproximación.

Este procedimiento se repite hasta satisfacer algún criterio de convergencia establecido. Cuando converge este método, lo hace con orden 2 y requiere que el vector $(x0, y0)$ este muy cerca de la raíz buscada $(\bar{x}, \bar{y})$.

Interpretación geométrica del método de Newton-Raphson.
Se pide al estudiante realizar una investigación sobre el tema arriba propuesto.

Ejemplo 2.11 Utilice el método de Newton-Raphson para encontrar una solución aproximada del sistema

$$f_1(x,y) = x^2 - 10x + y^2 + 8 = 0$$
$$f_2(x,y) = xy^2 + x - 10y + 8 = 0$$

con el vector inicial: $[x^0, y^0]^T = [0, 0]^T$.

Solución. Primero se forma la matriz coeficiente del sistema, también conocida como matriz de derivadas parciales

$$\begin{bmatrix} \dfrac{\partial f_1}{\partial x} = 2x - 10 & \dfrac{\partial f_1}{\partial y} = 2y \\ \dfrac{\partial f_2}{\partial x} = y^2 + 1 & \dfrac{\partial f_2}{\partial y} = 2xy - 10 \end{bmatrix}$$

que aumentada en el vector de funciones resulta en

$$\begin{pmatrix} 2x - 10 & 2y & | -x^2 + 10x - y^2 - 8 \\ y^2 + 1 & 2xy - 10 & | -xy^2 - x + 10y - 8 \end{pmatrix}$$

1ª iteración
Al evaluar la matriz en $[x^0, y^0]^T$ se obtiene

$$\begin{Bmatrix} -10 & 0 & | -8 \\ 1 & -10 & | -8 \end{Bmatrix}$$

que al resolverse por eliminación de Gauss da

$$h = 0.8 \qquad j = 0.88$$

al sustituir se obtiene

$$x^1 = x^0 + h = 0 + 0{,}8 = 0{,}8$$
$$y^1 = y^0 + j = 0 + 0{,}88 = 0{,}88$$

Calculo de la distancia entre $x^{(0)}$ y $x^{(1)}$

$$|x^{(1)} - x^0| = (0,8 - 0)2 + (0,88 - 0)2 = 1,18929$$

2ª iteración

Evaluando la matriz en $[x^1, y^1]^T$ resulta

$$\begin{Bmatrix} -8,4 & 1,76 & \left| -1,41440 \right\} \\ 1,7744 & -8,592 & \left| -0,61952 \right\} \end{Bmatrix}$$

que por eliminación gaussiana da como nuevos resultados de h y j

$$h= 0,19179 \qquad j=0,11171$$

de donde

$$x^2 = x^1 + h = 0,8 + 0,19179 = 0,99179$$
$$y^2 = y^1 + j = 0,88 + 0,11171 = 0,99171$$

Calculamos la distancia entre $x^{(1)}$ y $x^{(2)}$

$$|x^{(2)} - x^{(1)}| = \sqrt{(0,99179 - 0,8)^2 + (0,99171 - 0,88)^2} = 0,22190$$

Continuando este proceso iterativo obtenemos los resultados siguientes:

k	x^k	y^k	$|x^{k+1} - x^k|$
0	0,00000	0,00000	
1	0,80000	0,88000	1,18929
2	0,99179	0,99171	0,22195
3	0,9998	0,99997	0,01163
4	1,00000	1,00000	0,00004

Como podrá observarse, se requirieron cuatro iteraciones para llegar al vector solución (1, 1) contra 11 del ejemplo 4.2, donde se utilizó el método de punto fijo con desplazamientos sucesivos.

Sin embargo, esta convergencia cuadrática implica mayor número de cálculos ya que, como se puede observar, en cada iteración se requiere:

a) La evaluación de 2 x 2 derivadas parciales.

b) La evaluación de 2 funciones.

c) La solución de un sistema de ecuaciones lineales de orden 2.

En Octave generamos el Script

```
%Método de Newton - Raphson Multivariable
clc
clear
disp ("Método de Newton - Raphson Multivariable")
x0=0;
y0=0;
k=0;
fprintf(" k    x(k)    y(k)   |x(k+1)–x(k)| \n")
fprintf(" %2d %10.5f %10.5f\n", 0, x0, y0)
  for k=1 : 4
    df1x=2*x0-10; df1y=2*y0;
    df2x=y0^2+1; df2y=2*x0*y0-10;
    f1=x0^2-10*x0+y0^2+8;
    f2=x0*y0^2+x0-10*y0+8;
    A=[df1x df1y; df2x df2y];
```

```
b=[-f1; -f2];
hj=inv(A)*b;
x1=x0+hj(1); y1=y0+hj(2);
Dist=((x1-x0)^2+(y1-y0)^2)^0.5;
fprintf(" %2d %10.5f %10.5f %10.5f\n", k, x1, y1, Dist)
x0=x1; y0=y1;
endfor
```

Los resultados serían
Método de Newton - Raphson Multivariable

k	x(k)	y(k)	$|x(k+1)-x(k)|$
0	0.00000	0.00000	
1	0.80000	0.88000	1.18929
2	0.99179	0.99171	0.22195
3	0.99998	0.99997	0.01163
4	1.00000	1.00000	0.00004

\>>

2.3.3 Método de Broyden

El método de Broyden es mejor conocido como el método de la secante multivariable. De acuerdo con lo visto anteriormente, el método de la secante consiste en remplazar $f'(x_k)$ del método de Newton-Raphson

$$x_{k+1} = x_k - [f'(x_k)]^{-1}f(x_k) \qquad (1)$$

por el cociente

$$\frac{f(x_k) - f(x_{k-1})}{x_k - x_{k-1}} \approx f'(x_k)$$

obtenido con los resultados de dos iteraciones previas: x^k y x^{k+1}.

Para ver la modificación o la aproximación correspondiente del método de Newton-Raphson multivariable, conviene expresarlo primero en forma congruente con la ecuación (1), lo que se logra sustituyendo en la ecuación vectorial

$$x^{k+1} = x^k - h^k \qquad (2)$$

el vector $h^{(k)}$ que, como se sabe, es la solución del sistema

$$J^{(k)}h^{(k)} = -f^{(k)}$$

Al multiplicar esta última ecuación por $(J^{(k)})^{-1}$ se obtiene

$$h^{(k)} = -(J^{(k)})^{-1}f^{(k)} \qquad (3)$$

y al remplazar la ecuación (3) en la ecuación (2) se llega a

$$x^{(k+1)} = x^{(k)} - (J^{(k)})^{-1}f^{(k)} \qquad (4)$$

El método de la secante para sistemas de ecuaciones no lineales consiste en sustituir $J^{(k)}$ en la ecuación (4) con una matriz $A^{(k)}$, cuyos componentes se obtienen con los resultados de dos iteraciones previas $x^{(k)}$ y $x^{(k-1)}$, de la siguiente manera

$$A^{(k)} = A^{(k-1)} + \frac{[f(x^{(k)}-f(x^{k-1})-A^{(k-1)}(x^{(k)}-x^{(k-1)}](x^{(k)}-x^{(k-1)})^T}{|x^{(k)}-x^{(k-1)}|^2} \qquad (5)$$

o bien

$$A^{(k)} = A^{(k-1)} + \frac{[\Delta f^{(k)} - A^{(k-1)}\Delta x^{(k)}](\Delta x^{(k)})^T}{|\Delta x^{(k)}|^2} \quad (6)$$

con la notación

$$\Delta f^{(k)} = fx^{(k)} - f\left(x^{(k-1)}\right)$$

$$\Delta x^{(k)} = x^{(k)} - x^{(k-1)}$$

Para la primera aplicación de la ecuación (6) se requieren dos vectores iniciales: $x^{(0)}$ y $x^{(1)}$, este último puede obtenerse de una aplicación del método de Newton-Raphson multivariable

$$x^{(1)} = x^{(0)} - (J^0)^{-1} f^{(o)},$$

cuya $J^{(0)}$, a su vez, puede emplearse en 6, con lo cual esta queda

$$A^1 = J^{(0)} + \frac{(\Delta f^{(1)} - J^{(0)}\Delta x^{(1)})(\Delta x^1)^T}{|\Delta x^{(1)}|^2} \quad (7)$$

La inversión de A(k) en cada iteración significa un esfuerzo computacional grande (del orden de n3) que, sin embargo, puede reducirse empleando la fórmula de inversión matricial de Sherman y Morrison. Esta fórmula establece que si A es una matriz no singular y x y y son vectores, entonces A + xy^T es no singular, siempre que y^T A^{-1} x ≠ 1. Además, en este caso

$$(A + xy^T)^{-1} = A^{-1} - \frac{A^{-1}xy^T A^{-1}}{1 + y^T A^{-1}x} \quad (8)$$

Esta fórmula también nos permite calcular (A(k))$^{-1}$ a partir de (A$^{(k-1)}$)$^{-1}$, eliminando la necesidad de invertir una matriz en cada iteración. Para esto, primero se obtiene la inversa de la ecuación (6)

$$(A^{(k)})^{-1} = A^{(k-1)} + \frac{\left[\Delta f^{(k)} - A^{(k-1)}\Delta x^{(k)}\right]}{|\Delta x^{(k)}|^2}\left(\left(\Delta x^{(k)}\right)^T\right)^{-1}$$

Después se forma

$$A = A^{(k-1)}$$

$$x = \frac{(\Delta f^{(k)} - A^{(k-1)}\Delta x^{(k)})}{|\Delta x^{(k)}|^2}$$

y

$$y = \Delta x^{(k)}$$

con esto la última ecuación sería

$$(A^{(k)})^{-1} = (A + xy^T)^{-1}$$

sustituyendo en la ecuación (8)

$$(A^{(k)})^{-1} = \left(A^{(k-1)}\right)^{-1} - \frac{\left(A^{(k-1)}\right)^{-1}\left[\dfrac{\Delta f^{(k)} - A^{(k-1)}\Delta x^{(k)}}{|\Delta x^{(k)}|^2}\right](A^{k-1})^{-1}}{1 + (\Delta x^{(k)})^T (A^{(k-1)})^{-1}\dfrac{\Delta f^{(k)} - (A^{(k-1)})\Delta x^{(k)}}{|\Delta x^{(k)}|^2}}$$

$$= \left(A^{(k-1)}\right)^{-1} - \frac{\left[\left(A^{(k-1)}\right)^{-1}\Delta f^{(k)} - \Delta x^{(k)}\right]\left(\Delta x^{(k)}\right)^T\left(A^{(k-1)}\right)^{-1}}{|\Delta x^{(k)}|^2 + (\Delta x^{(k)})^T (A^{(k-1)})^{-1}\Delta f^{(k)} - |\Delta x^{(k)}|^2}$$

$$(A^{(k)})^{-1} = A^{(k-1)} + \frac{\left[\Delta x^{(k)} - A^{(k-1)}\Delta f^{(k)}\right]\left(\Delta x^{(k)}\right)^{T}(A^{(k-1)})^{-1}}{(\Delta x^{(k)})^{T}(A^{(k-1)})^{-1}\Delta f^{(k)}}$$

Esta fórmula también nos permite calcular la inversa de una matriz con sumas y multiplicaciones de matrices solamente, con lo que se reduce el esfuerzo computacional al orden n2.

Ejemplo 2.12 Utilizando el metodo de Broyden encontrar una solución aproximada del sistema

$$f_1(x,y) = x^2 - 10x + y^2 + 8 = 0$$
$$f_2(x,y) = xy^2 + x - 10y + 8 = 0$$

Tomar como vector inicial: $[x^0, y^0]^T = [0, 0]^T$.

Solución. En el ejemplo 2.11 se encontró una solución aproximada de este sistema, empleando el metodo de Newton-Raphson y el vector cero como vector inicial.

Con los resultados de la primera iteracion del ejemplo 2.11

$$J^{(o)} = \begin{bmatrix} -10 & 0 \\ 1 & -10 \end{bmatrix} \qquad (J^{(0)})^{-1} = \begin{bmatrix} -0,1 & 0 \\ -0,01 & -0,1 \end{bmatrix} \qquad x^{(1)} = \begin{bmatrix} 0,8 \\ 0,88 \end{bmatrix}$$

se calcula $(A^{(1)})^{-1}$ con la ecuación (5)

$$\left(A^{(1)}\right)^{-1} = \left(J^{(0)}\right)^{-1} + \frac{\left(\Delta x^{(1)} - \left(J^{(0)}\right)^{-1}\Delta f^{(1)}\right)\left(\Delta x^1\right)^{T}\left(J^{(0)}\right)^{-1}}{(\Delta x^1)^{T}\left(J^{(0)}\right)^{-1}\Delta f^{(1)}}$$

$$\left(A^{(1)}\right)^{-1} = \begin{bmatrix} -0,1 & 0 \\ -0,01 & -0,1 \end{bmatrix}$$

$$+ \frac{\begin{bmatrix} 0,8 \\ 0,88 \end{bmatrix} - \begin{bmatrix} -1 & 0 \\ -0,01 & -0,1 \end{bmatrix}\begin{bmatrix} -6,58560 \\ -7,38048 \end{bmatrix}\begin{bmatrix} 0,8 \\ 0,88 \end{bmatrix}^{T}\begin{bmatrix} -1 & 0 \\ -0,01 & 0,1 \end{bmatrix}}{\begin{bmatrix} 0,8 \\ 0,88 \end{bmatrix}^{T}\begin{bmatrix} -1 & 0 \\ -0,01 & -0,1 \end{bmatrix}\begin{bmatrix} -6,58560 \\ -7,38048 \end{bmatrix}}$$

$$= \begin{bmatrix} -0,11015 & -0,010079 \\ 0,01546 & 0,105404 \end{bmatrix}$$

A continuación se calcula $x^{(2)}$ empleando la ecuación

$$x^{(2)} = x^{(1)} - (A^{(1)})^{-1}f^{(1)}$$

$$= \begin{bmatrix} 0,8 \\ 0,88 \end{bmatrix} - \begin{bmatrix} -0,11015 & -0,010079 \\ -0,01546 & -0,105404 \end{bmatrix}\begin{bmatrix} 1,4144 \\ 0,61952 \end{bmatrix}$$

$$= \begin{bmatrix} 0,96208 \\ 096720 \end{bmatrix}$$

En la segunda iteración se utilizarán las ecuaciones

$$(A^{(2)})^{-1} = A^{(1)} + \frac{\left[\Delta x^{(2)} - A^{(1)}\Delta f^{(2)}\right]\left(\Delta x^{(2)}\right)^{T}(A^{(1)})^{-1}}{(\Delta x^{(2)})^{T}(A^{(1)})^{-1}\Delta f^{(2)}}$$

y

$$x^{(3)} = x^{(2)} - (A^{(2)})^{-1}f^{(2)}$$

sustituyendo estos valores tendremos

$$x^{(3)} = \begin{bmatrix} 0,997433 \\ 0,996786 \end{bmatrix}$$

Continuando con las iteraciones tenemos

$$x^{(4)} = \begin{bmatrix} 0{,}9999037 \\ 0{,}9998448 \end{bmatrix}, \quad x^{(5)} = \begin{bmatrix} 0{,}999998157 \\ 0{,}999996667 \end{bmatrix}$$

$$x^{(6)} = \begin{bmatrix} 0{,}9999999849 \\ 0{,}9999999722 \end{bmatrix}, \quad x^{(7)} = \begin{bmatrix} 1 \\ 1 \end{bmatrix}$$

Procedemos a realizar un Script en Octave

```
%Método de Broyden
clc
clear
disp (" Método de Broyden o Secante Multivariable")
x=[0 0];
k=0;
Eps=1*e-8;
    fprintf(" k      x(k)      y(k)      Dist\n")
    fprintf(" %2d %10.6f %10.6f\n",k,x(1),x(2))
f1=x(1)^2-10*x(1)+x(2)^2+8;
f2=x(1)*x(2)^2+x(1)-10*x(2)+8;
df1x=2*x(1)-10 ;
df1y=2*x(2);
df2x=x(2)^2+1 ;
df2y=2*x(1)*x(2)-10;
J=[df1x df1y; df2x df2y];
Jl=inv(J);
F0=[f1; f2]
dx=[-Jl*F0];
xl=x+dx
    for k=1:1
    f1=x1(1)^2-(10*x1(1))+x1(2)^2+8
    f2=x1(1)*x1(2)^2+x1(1)-10*x1(2)+8;
    f=[f1; f2]
    df=f-F0 ;
    A1=[J1+(dx-J1*df)*dx*J1/(dx*J1*df)
    dx =-A1*f;
    x2=x1+dx;
    Dist=norm(x2-x1);
    fprintf(" %2d %10.6f %10.6f %10.5e\n",k,x1(1),x2(1),Dist)
    x1=x2;
    J1=A1;
    f0=f;
        if Dist < Eps;
        break;
        endif
    endfor
```

2. 3.4 Método de Bairstow

Este método permite obtener factores cuadráticos del polinomio

$$p(x) = a_0 x n^n + a_1 x\, n - 1^{n-1} + a_2 x^{n-2} + \dots + a_n \qquad (1)$$

aplicando el método de Newton-Raphson a un sistema relacionado con dicho polinomio. Más específicamente, la división de p(x) por el polinomio cuadrático x^2- ux $-$ v (factor buscado) puede expresarse como

$$p(x) = (x^2 - ux - v)q(x) + r(x) \qquad (2)$$

donde q(x) es un polinomio de grado $n-2$ y r(x) el residuo lineal, dados respectivamente por

$$q(x) = b_0 x^{n-2} + b_1 x^{n-3} + \dots + b_{n-2} \qquad (3)$$

$$r(x) = b_{n-1}(u,v)(x-u) + b_n(u,v) \qquad (4)$$

donde las notaciones $b_{n-1}(u,v)$ y $b_n(u,v)$ se usan para enfatizar que b_{n-1} y bn dependen de las u y v seleccionadas

para formar el factor cuadrático.

El factor cuadrático será un factor de p(x) si podemos escoger u y v de modo que

$$b_{n-1}(u,v) = 0 \qquad b_n(u,v) = 0 \qquad (5)$$

Al desarrollar las operaciones indicadas en el lado derecho de la ecuación (2), se obtiene un polinomio cuyos coeficientes quedan expresados en términos de las $b's$, u y v. Al igualar estos con los coeficientes correspondientes de (1), se tiene a las $b's$ en la siguiente forma

$$
\begin{aligned}
b_0 && && &= a_0 \\
b_1 && -ub_0 && &= a_1 \\
b_2 & -ub_1 & -vb_0 && &= a_2 \\
&&&& \vdots \\
b_k & -ub_1 & -vb_{k-2} && &= a_k \\
&&&& \vdots \\
b_{n-1} & -ub_{n-2} & -vb_{n-3} && &= a_{n-1} \\
b_n & -ub_{n-1} & -vb_{n-2} && &= a_n
\end{aligned}
$$

$$
\begin{aligned}
b_0 &= a_0 \\
b_1 &= a_1 & +ub_0 = \\
b_2 &= a_2 & +ub_1 & +vb_0 \\
& \vdots \\
b_k &= a_k & +ub_1 & +vb_{k-2} \\
& \vdots \\
b_{n-1} &= a_{n-1} & +ub_{n-2} & +vb_{n-3} \\
b_n &= a_n & +ub_{n-1} & +vb_{n-2}
\end{aligned}
$$

Si se hace artificialmente $b_{-1} = 0$ y $b_{-2} = 0$, la expresión para b_k vale para $0 \leq$ k $\leq$ n, de modo que nuestra expresión general quedaría

$$b_k = ak_k + ub_{k-1} + vb_{k-2} \qquad 0 \leq k \leq n$$

y en particular

$$b_0 = a_0 + ub_{-1} + vb_{-2}$$

$$b_1 = a_1 + ub_0 + vb_{-1}$$

Es interesante observar el carácter recursivo de las b's, ya que, por ejemplo, b_k esta expresada en términos de bk_{-1} y bk_{-2}, y ambas a su vez se pueden expresar en b's, cuyos subíndices son $k - 2, k - 3$ y $k - 3, k - 4$, respectivamente. Continuando de esta manera, b_k queda finalmente expresada en términos de los coeficientes de (1), que son conocidos, y obviamente de u y v, que son propuestos. En adelante, todo se hará en forma recursiva, de modo que cualquier cálculo relacionado con el sistema (5) quedara sujeto a un proceso de este tipo.

La forma del factor cuadrático $x^2 - ux - v$, tan artificial a primera vista, tiene su razón en la facilitación del cálculo de p(x) para un argumento complejo x = a + bi. Sean las a_k reales. Haciendo u = 2a y $v = -a^2 - b^2$, tenemos

$$x^2 - ux - v = (a + bi)^2 - 2a(a + bi) - (-a^2 - b^2)$$
$$= a^2 + 2abi - b^2 - 2a^2 - 2abi + a^2 + b^2 = 0$$

De esto, por la ecuación (1)

$$p(x) = (x^2 - ux - v)q(x) + r(x)$$
$$= 0 + r(x) = b_{n-1}(a + b_i - 2a) + b_n \qquad (6)$$
$$= b_{n-1}(-a + bi) + bn_n$$

Para obtener b_{n-1} y bn deberán evaluarse primero $b_0, b_1, \cdots, b_{n-2}$, y esto puede hacerse por aritmética real, ya que, como vimos antes, se calculan en términos de los coeficientes del polinomio (1), que son reales, y de u y v que también son reales, y solo hasta el cálculo final se empleara aritmética compleja en la multiplicación de b_{n-1} por $(-a + bi)$. Si se diera el caso de que b_{n-1} y b_n fueran ceros, entonces p(x) = 0, y los complejos conjugados a $\pm$ bi serian entonces ceros de p(x).

El método de Bairstow consiste en usar el método de Newton-Raphson para resolver el sistema (5). Las derivadas parciales de b_{n-1} y b_n, con respecto a u y v, implican obtener primero las derivadas parciales de $b_{n-2}, b_{n-3}, \cdots, b_1$ y b_0, dada la recursividad de b_n y b_{n-1}. Por esto, sea

$$c_{-2} = \frac{\partial b_{-1}}{\partial u} = 0$$

$$c_{-1} = \frac{\partial b_{-0}}{\partial u} = 0$$

$$c_0 = \frac{\partial b_1}{\partial u} = b_0$$

$$c_1 = \frac{\partial b_2}{\partial u} = \frac{\partial(a_2 + u(a_1 + ub_0) + vb_0)}{\partial u} = a_1 + 2ub_0 = b_1 + uc_0$$

$$c_k = \frac{\partial b_{k+1}}{\partial u} = b_k + uc_{k-1} + vc_{k-2}$$

$$\vdots$$

$$c_{n-1} = \frac{\partial b_n}{\partial u} = b_{n-1} + uc_{n-2} + vc_{n-3}$$

De este modo, las c_k se calculan a partir de las b_k, de la misma manera que las b_k se obtuvieron a partir de las a_k. Los dos resultados que necesitamos son

$$c_{n-2} = \frac{\partial b_{n-1}}{\partial u} \qquad c_{n-1} = \frac{\partial b_n}{\partial u}$$

De igual forma, tomando derivadas respecto a v y haciendo $dk = \frac{\partial b_{k+2}}{\partial v}$, encontramos

$$d_{-2} = \frac{\partial b_0}{\partial v} = 0$$

$$d_{-1} = \frac{\partial b_1}{\partial v} = 0$$

$$d_0 = \frac{\partial b_2}{\partial v} = 0$$

$$d_1 = \frac{\partial b_3}{\partial v} = \frac{\partial(a_3 + ub_2 + vb_1)}{\partial v} = \frac{\partial(a_3 + u(a_2 + ub_1 + vb_0) + vb_1)}{\partial v}$$

$$d_1 = b_1 + ub_0 = b_1 + ud_0$$

$$\vdots$$

$$d_k = \frac{\partial b_{k+2}}{\partial v} = b_k + ud_{k-1} + vd_{k-2}$$

$$\vdots$$

$$d_{n-2} = \frac{\partial b_n}{\partial v} = b_{n-2} + ud_{n-3} + vd_{n-4}$$

Como las c_k y las d_k satisfacen la misma recurrencia

$$c_{-2} = d_{-2} = 0$$

$$c_{-1} = d_{-1} = 0$$

$$c_0 = d_0 = b_0$$

$$c_1 = b_1 + uc_0 = b_1 + ud_0 = d_1$$

$$\vdots$$

$$c_k = b_k + uc_{k-1} + vc_{k-2} = d_k$$

$$\vdots$$

$$c_{n-2} = b_{n-2} + uc_{n-3} + vc_{n-4} = d_{n-2}$$

En particular

$$\frac{\partial b_{n-1}}{\partial u} = d_{n-3} = c_{n-3} \qquad \frac{\partial b_n}{\partial u} = d_{n-2} = c_{n-2}$$

y ahora se tiene todo para aplicar el método de Newton-Raphson. Supóngase que se tienen raíces aproximadas $a \pm bi$ de p(x) = 0 y con esto el factor cuadrático asociado $x^2 - ux - v$, de p(x). Esto significa que tenemos raíces aproximadas de la ecuación (5). Aplicando el método de Newton-Raphson a (5) queda

$$c_{n-2}h + c_{n-3}k = -b_{n-1}$$
$$c_{n-1}h + c_{n-2}k = -b_n$$

Dado que se trata de un sistema de dos ecuaciones lineales, se puede programar con facilidad la solución, recurriendo a la regla de Cramer.

$$h = \frac{b_n c_{n-3} - b_{n-1}c_{n-2}}{c_{n-2}^2 - c_{n-1}c_{n-3}} \qquad k = \frac{b_{n-1}c_{n-1} - b_n c_{n-2}}{c_{n-2}^2 - c_{n-1}c_{n-3}}$$

Ejemplo 2.13 Encuentre los factores cuadráticos de la ecuación polinomial de cuarto grado

$$p(x) = x^4 - 8x^3 + 39x^2 - 62x + 50 = 0$$

Utilice como valor inicial x = 0 + 0i; esto es, a = 0 y b = 0.

Solución. Dado lo complejo del algoritmo, empezaremos identificando los elementos relevantes.

Grado del polinomio: n = 4.

Coeficientes del polinomio: $a_0 = 1$; $a_1 = -8$; $a_2 = 39$; $a_3 = -62$; $a_4 = 50$.

Factor cuadrático: $u_0 = 2a = 2(0) = 0$; $v_0 = -a^2 - b^2 = 0^2 - 0^2 = 0$.

Cálculo de los coeficientes b de q(x):

$$b_0 = a_0 = 1$$
$$b_1 = a_1 + u_0 b_0 = -8 + 0(1) = -8$$
$$b_2 = a_2 + u_0 b_1 + v_0 b_0 = 39 + 0(-8) + 0(1) = 39$$
$$b_3 = a_3 + u_0 b_2 + v_0 b_1 = -62 + 0(39) + 0(-8) = -62$$
$$b_4 = a_4 + u_0 b_3 + v_0 b_2 = 50 + 0(-62) + 0(39) = 50$$

Recuérdese que b3 y b4 deberán tender a cero, en caso de convergencia.

Calculo de las derivadas parciales c:

$$c_0 = b_0 = 1$$
$$c_1 = b_1 + u_0 c_0 = -8 + 0(1) = -8$$
$$c_2 = b_2 + u_0 c_1 + v_0 c_0 = 39 + 0(-8) + 0(1) = 39$$
$$c_3 = b_3 + u_0 c_2 + v_0 c_1 = -62 + 0(39) + 0(-8) = -62$$

Formando el sistema linearizado se obtiene

$$c_{n-2}h + c_{n-3}k = -b_{1n}, o\ bien\ c_2 h + c_1 k = -b_3, o\ bien\ 39h + 8k = -(-62)$$
$$c_{n-1}h + c_{n-2}k = -b_n, o\ bien\ c_3 h + c_2 k = -b_4, o\ bien\ -62h + 39k = -50$$

Al resolver este sistema por la regla de Cramer, se obtiene

$$h = \frac{b_4 c_1 - b_3 c_2}{c_2^2 - c_3 c_1} = \frac{50(8) - (-62)(39)}{39^2 - (-62)(-8)} = 1{,}96878$$

$$k = \frac{b_3 c_3 - b_4 c_2}{c_2^2 - c_3 c_1} = \frac{-62(-62) - 50(39)}{39^2 - (-62)(-8)} = 1{,}84780$$

Calculo del nuevo factor cuadrático

$$u_1 = u_o + h = 0 + 1{,}96878 = 1{,}96878$$
$$v_1 = v + k = 0 + 1{,}84780 = 1{,}84780$$

Las nuevas aproximaciones a las raíces son

$$x = a + bi;\ donde$$

$$a = \frac{u_1}{2} = \frac{1{,}96878}{2} = 0{,}98439$$

y

$$b = \pm\sqrt{-v_1 - a^2} = \pm 1{,}67834i$$
$$x = 0{,}98439 \pm 1{,}67834i$$

Para comprobar si el proceso converge, puede evaluarse el polinomio en las diferentes aproximaciones a las raíces y ver si |p(x)| ≤ ε, en donde ε, en este caso, podría tomarse como 10^{-5}. La ecuación $x^{(k+1)} = x^k + td$ queda entonces

$$p(x) = x^4 - 8x^3 + 39x^2 - 62x + 50 = -31.6831 \pm 11.3870i$$
$$|p(x)| = (-31.6831)2 + (11.3870)2 = 33.6671$$

Al continuar el proceso iterativo, se obtienen los siguientes resultados:
2da iteración

k	0	1	2	3	4
b_x	1	−6,03122	28,97366	−16,10175	71,83686
c_k	1	−4,06244	22,82341	21,32595	
$\lvert p(x)\rvert$	13,4132				

Con estos valores x = 1.04666 ± 0.56619i.

3ª. Iteración

k	0	1	2	3	4
b_x	1	−5,90668	25,21935	−0,84351	12,52183
c_k	1	−3,81336	15,82070	37,67428	
$\lvert p(x)\rvert$	0,170093				

Con estos valores x = 1.00299 ± 0.99679i.

4ta. Iteración

k	0	1	2	3	4
b_x	1	−5,994012	24,97649	0,08813	0,23405
c_k	1	−3,98802	14,97697	38,10619	
$\lvert p(x)\rvert$	13,4132				

Ejercicios

Ejercicio 2.1 Aplique el método de la bisección para encontrar soluciones exactas dentro de 10^{-5} para los siguientes problemas

1) $x - ex = 0$ para $0 \leq x \leq 1$
2) $e - x^2 + 3x - 2 = 0$ para $0 \leq x \leq 1$

Ejercicio 2.2 En cada una de las siguientes ecuaciones determine un intervalo [a,b] en que converge la interación de un punto fijo. Estime la cantidad de iteraciones necesarias para obtener la aproximación con una exactitud de 10^{-5} y realice los cálculos.

1) $x = \dfrac{2 - e^x + x^2}{3}$

2) $x = (e^x)^{\frac{1}{2}}$

3) $x = 6^{-x}$

4) $x = \left(\dfrac{5}{x^2}\right) + 2$

5) $x = 5^{-x}$

6) $x = 0{,}5(sen\,x + cos\,x)$

Ejercicio 2.3 Utilizando el método de Newton obtenga las soluciones con una exactictud de 10^{-5} para los siguientes problemas.

1) $e^x + e^{-x} + 2\cos x - 6 = 0$ para $1 \leq x \leq 2$
2) $Ln\,(x - 1) + cos(x - 1) = 0$ para $1,3 \leq x \leq 2$
3) $2x\,cos2x - (x - 2)^2$ para $2 \leq x \leq 3$ y $3 \leq x \leq 4$
4) $e^x - 3x^2 = 0$ para $1 \leq x \leq 2$ y $e \leq x \leq 4$

Ejercicio 2.4 Encuentre una aproximación de λ con una exactitud de 10-4 para la ecuación de la población

$$1'564.000 = 1'000.000x^\lambda + \frac{435.000}{\lambda}\left(e^\lambda - 1\right)$$

Utilice este valor para predecir la población que habrá al final del segundo año, suponiendo que la tasa de inmigración durante este año se mantiene en 435.000 por año. Nota: el crecimiento de una población numerosa puede modelarse durante periodos breves

$$\frac{dN_t}{dt} = \lambda N(t) \tag{1}$$

λ – indice de natalidad

$N(t)$ – cantidad de habitantes en el tiempo t

La solución de (1) es $N(t) = N_0 e^{\lambda t}$, no es la población inicial.

La ecuación (1) es valido si no hay inmigración del exterior, si se permite inmigración con una tasa constante V la ecuación diferencial será

$$\frac{dN_t}{dt} = \lambda N(t) + V \tag{2}$$

La soluci´pon de (2) $N(t) = N_0 e^{\lambda t} + \frac{V}{\lambda}\left(e^\lambda - 1\right)$

Suponga que cierta población tienen inicialmente 1'000.000 de habitantes, que 453.5000 de ellos inmigran hasta la comunidad el primer año y que 1'564.000 se encuentran en ella al final del año 1. Si queremos determinar la natalidad de est población debemos determinar λ

$$1'564.000 = 1'000.000\, e^\lambda + \frac{435.000}{\lambda}\left(e^\lambda - 1\right)$$

Ejercicio 2.5 Utilice el método de punto fijo multivariable para encontrar una solución de cada uno de los siguientes sistemas.

a)
$$\begin{aligned}
x_1^2 + 2x_2^2 - x_2 - 2x_3 &= 0 \\
x_1^2 - 8x_2^2 + 10x_3 &= 0,0001 \\
x_1^2/(7x_2 x_3) - 1 &= 0
\end{aligned}$$

b)
$$\begin{aligned}
x_1(4 - 0,0003x_1 - 0,0004x_2) &= 0 \\
x_2(2 - 0,0002x_1 - 0,0001x_2) &= 0
\end{aligned}$$

c)
$$\begin{aligned}
3x_1\, \mathrm{sen}\, x_2 - cos(x_2 x_3)\mathrm{sen}\, x_2 - \mathrm{sen}^{-1}(-0,52356)\, sen\, x_2 &= 0 \\
x_1^2 - 625x_2^2 &= 0 \\
exp(-x_1 x_2) + 20x_3 &= 0
\end{aligned}$$

d)
$$\begin{aligned}
2x_1 + x_2 + x_3 - 4\log(10x_1) &= 0 \\
x_1 + 2x_2 + x_3 - 4\log(10x_2) &= 0 \\
x_1 x_2 x_3 - 4\log(10x_3) &= 0
\end{aligned}$$

Ejercicio 2.6 Utilice el método de Newton – Raphson modificado para resolver las ecuaciones del ejercicio 2.1

Ejercicio 2.7 Use el método de Bairstow para determinar las raíces de

a) $f(x) = -2 + 6.2x - 4x^2 + 0.7x^3$

b) $f(x) = 9.34 - 21.97x + 16.3x^2 - 3.704x^3$

c) $f(x) = x^4 - 2x^3 + 6x^2 - 2x + 5$

Ejercicio 2.8 Comparación de los métodos de Newton y Broyden para la resolución de sistemas de ecuaciones no lineales.

Se considera el sistema no lineal de ecuaciones S

$$x^2 + y^2 + z^2 = 3$$
$$x^2 + y^2 - z = 1$$
$$x + y + z = 3$$

que representa la intersección de una esfera, un paraboloide y un plano y que posee la solución única

x* = (1, 1, 1).

El sistema (S) se puede expresar en la forma g(x) = 0 con

$$g(x) = x^2 + y^2 + z^2 - 3, \quad x^2 + y^2 - z - 1, \quad x + y + z - 3$$

1. Calcular los tres primeros términos de la sucesión producida por el método de Newton con estimador inicial $x^{(0)} = (1, 0, 1)$ y analizar lo que sucede cuando $x^{(0)} = (0, 0, 0)$.

2. Tomando de nuevo como estimador inicial $x^{(0)} = (1, 0, 1)$ se considera el método de Broyden con matriz inicial $D_0 = \text{grad } g(1, 0, 1)$ que se irá actualizando en cada paso.

Calcular dos términos más de la sucesión aproximante definida por este método y compararlos con los obtenidos en el apartado anterior.

Ejercicio 2.9 Formulación de punto fijo para una ecuación de segundo grado.
Dada la función $f(x) = x^2 - x - 2$.
1. .Converge la fórmula $x_{n(+1)} = (x^n)^2 - 2$
a una raíz de $f(x) = 0$?
2. Escribir una fórmula de Newton-Raphson que resuelva el problema del cálculo de los ceros de f.

Ejercicio 2.10 Se considera la ecuación no lineal de una variable
$$ln(x + 1) - x + 1 = 0$$
1. Representar gráficamente la función $f(x) = ln(x + 1) - x + 1$.
2. Localizar y separar los ceros de f, definiendo intervalos en los que sea recomendable la aplicación del método de Newton-Raphson.
Aproximar dichas raíces por el método de Newton con un error menor que 10^{-5}.

Ejercicio 2.11 (Punto fijo) El objetivo del ejercicio es hallar la solución del sistema no lineal

$$x + \frac{y^2}{4} = \frac{1}{16}$$
$$\frac{1}{3} sen\, x + y = \frac{1}{2}$$

utilizando el método de aproximaciones sucesivas.

1. Escribir el sistema dado en la forma $z = T_{(z)}$ estudiando las propiedades de la aplicación T. En particular se determinaría un conjunto abierto en el que el sistema tenga solución 'única $z*$ y que la sucesión iterativa $(z^{(k)})$ del método de aproximaciones sucesivas definida por cualquier estimador inicial $z_{(0)}$ de ese abierto converge a $z*$.

2. Elegir un estimador inicial $z_{(0)}$ y determinar $z*$ con un error menor que 10^{-4}. Cuántas iteraciones se deben hacer para conseguir que el error sea menor que 10^{-4}?

UNIDAD 3 OPTIMIZACIÓN, INTERPOLACIÓN Y APROXIMACIÓN DE FOURIER.

3.1 Optimización

La OPTIMIZACIÓN es un lenguaje y forma de expresar en términos matemáticos un gran número de problemas complejos de la vida cotidiana y cómo se pueden resolver de forma práctica mediante los algoritmos numéricos adecuados

La localización de raíces y la optimización están relacionadas, en el sentido de que ambas involucran valores iniciales y la búsqueda de un punto en una función. La diferencia fundamental entre ambos tipos de problemas se ilustra en la figura 24. La localización de raíces es la búsqueda de los ceros de una función o funciones. En cambio, la *optimización* es la búsqueda ya sea del mínimo o del máximo.

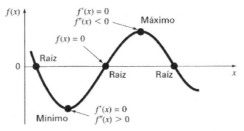

Figura 24. Diferencia entre localización de raíces y la optimización.

El óptimo es el punto donde la curva es plana. En términos matemáticos, esto corresponde al valor de x donde la derivada $f'(x)$ es igual a cero. Además, la segunda derivada, $f''(x)$, indica si el óptimo es un mínimo o un máximo: si $f''(x) < 0$, el punto es un máximo; si $f''(x) > 0$, el punto es un mínimo.[1]

Si comprendemos ahora la relación entre las raíces y el óptimo, es posible sugerir una estrategia para determinar este último; es decir, se puede derivar a la función y localizar la raíz (el cero) de la nueva función. De hecho, algunos métodos de optimización tratan de encontrar un óptimo resolviendo el problema de encontrar la raíz: $f'(x) = 0$. Deberá observarse que tales búsquedas con frecuencia se complican porque $f'(x)$ no se puede obtener analíticamente. Por lo tanto, es necesario usar aproximaciones por diferencias finitas para estimar la derivada.[1]

Más allá de ver la optimización como un problema de raíces, deberá observarse que la tarea de localizar el óptimo está reforzada por una estructura matemática extra que no es parte del encontrar una simple raíz. Esto tiende a hacer de la optimización una tarea más manejable, en particular con casos multidimensionales.[1]

La optimización tiene que ver con la determinación del "mejor resultado", o solución óptima, de un problema. Así, en el contexto del modelado, se les llama con frecuencia modelos prescriptivos, puesto que sirven para señalar un curso de acción o el mejor diseño.

Los ingenieros constantemente tienen que diseñar dispositivos y productos que realicen tareas de manera eficiente. Al hacerlo de esta manera, están restringidos por las limitaciones del mundo real. Además, deben mantener los costos bajos. De esta manera, los ingenieros siempre se enfrentan a problemas de optimización que equilibren el funcionamiento y las limitaciones. Algunos ejemplos comunes se mencionan en la tabla de más abajo.

Tabla. Ejemplos de problemas comunes de optimización en la ingeniería.[1]
• Diseño de un avión con peso mínimo y resistencia máxima.
• Trayectorias óptimas de vehículos espaciales.
• Diseño de estructuras en la ingeniería civil con un mínimo costo.
• Planeación de obras para el abastecimiento de agua, como presas, que permitan disminuir daños por inundación, mientras se obtiene máxima potencia hidráulica.
• Predicción del comportamiento estructural minimizando la energía potencial.
• Determinación del corte de materiales con un mínimo costo.
• Diseño de bombas y equipos de transferencia de calor con una máxima eficiencia.
• Maximización de la potencia de salida de circuitos eléctricos y de maquinaria, mientras se minimiza la generación de calor.
• Ruta más corta de un vendedor que recorre varias ciudades durante un viaje de negocios.
• Planeación y programación óptimas.
• Análisis estadístico y modelado con un mínimo error.
• Redes de tubería óptimas.
• Control de inventario.
• Planeación del mantenimiento para minimizar costos.
• Minimización de tiempos de espera.
• Diseño de sistemas de tratamiento de residuos para cumplir con estándares de calidad del agua a bajo costo.

La optimización se divide en dos grandes partes

1) Optimización sin restricciones

$$minimizar\ f: \mathbb{R}^n \to \mathbb{R}$$

2) Optimización con condiciones

$$\text{minimizar } f(x)$$
$$\text{sujeta a } c_i(x) = 0, \quad i \in \varepsilon,$$
$$c_j(x) \geq 0, \quad j \in I.$$

El esquema general de cómo se lleva a cabo un proyecto de optimización, y de simulación numérica en general, se aproxima mucho al de la figura 25.

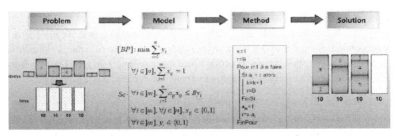

Figura 25. Proyecto de Optimización.[5]

3.1.1 Optimización sin restricciones

Una imagen muy útil es la consideración unidimensional a la "montaña rusa", como la función representada en la figura 26.

De manera similar, los valores óptimos tanto locales como globales pueden presentarse en problemas de optimización. A tales casos se les llama multimodales. En casi todos los ejemplos, estaremos interesados en encontrar el valor máximo o mínimo absoluto de una función. Así, debemos cuidar de no confundir un óptimo local con un óptimo global.

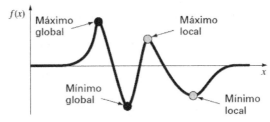

Figura 26. Máximos y mínimos globales y locales.

El distinguir un extremo global de un extremo local puede ser generalmente un problema difícil. Existen tres formas comunes de resolver este problema. Primero, para tener una idea del comportamiento de las funciones unidimensionales algunas veces llega a obtenerse en forma gráfica. Segundo, establecer el valor óptimo con base en valores iniciales, los cuales varían ampliamente y son generados quizá en forma aleatoria, para después seleccionar el mayor de éstos como el global. Por último, cambiar el punto de inicio asociado con un óptimo local y observar si la rutina empleada da un mejor punto, o siempre regresa al mismo punto.

Al igual que en la localización de raíces existen métodos cerrados y métodos abiertos de optimización unidimensionales. Como método cerrado tenemos el método de la sección dorada y dentro de los abiertos tenemos el método de Newton y el método de Brent, Éste último combina la confiabilidad de la búsqueda de la sección dorada con la rapidez de la interpolación parabólica.

3.1.1.1 Método de la sección dorada (aurea).

La optimización en una sola variable tiene como objetivo hallar el valor de x que da un extremo, sea este un máximo o un mínimo de $f(x)$. Este método es igual en esencia al método de la bisección para localizar raíces.

La bisección depende de la definición de un intervalo, especificado por los valores iniciales inferior (x_l) y superior (x_u), que encierran una sola raíz. La presencia de una raíz entre estos límites se verificó determinando que $f(xl)$ y $f(xu)$ tuvieran signos diferentes. La raíz se estima entonces como el punto medio de este intervalo,

$$x_r = \frac{x_l + x_u}{2}$$

El último paso en una iteración por bisección permite determinar un intervalo más pequeño. Esto se logra al reemplazar cualquiera de los límites, x_l o x_u, que tuvieran un valor de la función con el mismo signo que $f(x_r)$. Un efecto útil de este método es que el nuevo valor x_r reemplazará a uno de los límites anteriores.

Se puede comenzar por definir un intervalo que contenga una sola respuesta. Es decir, el intervalo deberá contener un solo máximo, y por esto se llama unimodal. Adoptaremos la misma nomenclatura que para la bisección, donde x_l y x_u definen los límites inferior y superior, respectivamente, del intervalo. Sin embargo, a diferencia de la bisección se necesita una nueva estrategia para encontrar un máximo dentro del intervalo. En vez de usar solamente dos valores de la función (los cuales son suficientes para detectar un cambio de signo y, por consiguiente, un cero), se necesitarán tres valores de la función para detectar si hay un máximo. Así, hay que escoger un punto más dentro del intervalo. Después, hay que tomar un cuarto punto. La prueba para el máximo podrá aplicarse para determinar si el máximo se encuentra dentro de los primeros tres o de los últimos tres puntos.

La clave es la adecuada elección de los puntos intermedios. Como en la bisección, la meta es minimizar las evaluaciones de la función reemplazando los valores anteriores con los nuevos. Esta meta se puede alcanzar especificando que las siguientes dos condiciones se satisfagan

$$l_0 = l_1 + l_2 \tag{1}$$

$$\frac{l_1}{l_0} = \frac{l_2}{l_1} \tag{2}$$

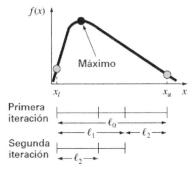

Figura 27. Paso inicial en el logaritmo de búsqueda

La primera condición especifica que la suma de las dos sub longitudes l_1 y l_2 debe ser igual a la longitud original del intervalo. La segunda indica que el cociente o razón entre las longitudes debe ser igual. La ecuación (1) se sustituye en la (2),

$$\frac{l_1}{l_1+l_2} = \frac{l_2}{l_1} \qquad (3)$$

Si se toma el recíproco y $R = l_2/l_1$, se llega a

$$1 + R = \frac{1}{R} \qquad (4)$$

o $\quad R^2 + R - 1 = 0 \qquad (5)$

De la cual se obtiene la raíz positiva

$$R = \frac{-1+\sqrt{1-4(-1)}}{2} = \frac{\sqrt{5}-1}{2} = 0,61803 \qquad (6)$$

Este valor, que se conoce desde la antigüedad, se llama razón dorada o razón áurea (el cuadro de la razón dorada y los números de Fibonaci, Página 282 de la bibliografía 1). Como permite encontrar el valor óptimo en forma eficiente, es el elemento clave del método de la sección dorada que hemos estado desarrollando. Ahora construyamos un algoritmo para implementar este procedimiento en la computadora.

Como se mencionó antes y se ilustra en la figura 28, el método comienza con dos valores iniciales, x_l y x_u, que contienen un extremo local de $f(x)$. Después, se eligen dos puntos interiores x_1 y x_2 de acuerdo con la razón dorada,

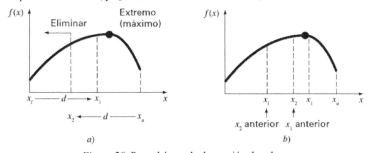

Figura 28. Pasos búsqueda de sección dorada

$$d = \frac{\sqrt{5} - 1}{2}(x_u - x_l)$$

$$x_1 = x_l + d$$

$$x_2 = x_u - d$$

La función se evalúa en estos dos puntos interiores. Dos casos pueden presentarse:

1. Si, como es el caso en la figura 28, $f(x_1) > f(x_2)$, entonces el dominio de x a la izquierda de x_2, de x_l a x_2, se puede eliminar, ya que no contiene el máximo. En este caso, x_2 será el nuevo x_l en la siguiente vuelta.

2. Si $f(x_2) > f(x_1)$, entonces el dominio de x a la derecha de x_1, de $x1_1$ a x_u podrá eliminarse. En este caso, x_1 será el nuevo x_u en la siguiente iteración.

Ésta es la ventaja real del uso de la razón dorada. Debido a que los x_1 y x_2 originales se han escogido mediante la razón dorada, no se tienen que recalcular todos los valores de la función en la siguiente iteración. Por ejemplo, en el caso ilustrado en la figura 28, el anterior x_1 será el nuevo x_2. Esto significa que ya se tiene el valor para el nuevo $f(x_2)$, puesto que es el mismo valor de la función en el anterior x_1.

Para completar el algoritmo, ahora sólo se necesita determinar el nuevo x_1. Esto se realiza usando la misma proporcionalidad que antes,

$$x_1 = x_l + \frac{\sqrt{5} - 1}{2}(x_u - x_l)$$

Un procedimiento similar podría usarse en el caso en que el óptimo caiga del lado izquierdo del subintervalo.

Conforme las iteraciones se repiten, el intervalo que contiene el extremo se reduce rápidamente. De hecho, en cada iteración el intervalo se reduce en un factor de la razón dorada (aproximadamente 61.8%). Esto significa que después de 10 iteraciones, el intervalo se acorta aproximadamente en 0.618^{10} o 0.008 o 0.8% de su longitud inicial. Después de 20 iteraciones, se encuentra en 0.0066%. Esta reducción no es tan buena como la que se alcanza con la bisección; aunque éste es un problema más difícil.

Ejemplo 3.1 Usando la búsqueda de la sección dorada encontrar el máximo de

$$f(x) = 2\,sen\,x - \frac{x^2}{10}$$

dentro del intervalo $x_l = 0$ y $x_u = 4$.

Solución Primero, se utiliza la razón dorada para crear los dos puntos interiores

$$d = \frac{\sqrt{5} - 1}{2}(4 - 0) = 2{,}472$$

$$x_1 = 0 + 2{,}472 = 2{,}472$$

$$x_2 = 4 - 2{,}472 = 1{,}528$$

Se evalúa la función en los puntos interiores

$$f(x_s) = f(1{,}528) = 2\,sen(1{,}528) - \frac{1{,}528^2}{10} = 1{,}765$$

$$f(x_1) = f(2{,}472) = 0{,}63$$

Debido a que $f(x_2) > f(x_1)$, el máximo está en el intervalo definido por x_l, x_2 y x_1. Así, para el nuevo intervalo, el límite inferior sigue siendo $x_l = 0$, y x_1 será el límite superior; esto es, $x_u = 2{,}472$. Además, el primer valor x_2 pasa a ser el nuevo x_1; es decir, $x_1 = 1{,}528$. Asimismo, no se tiene que recalcular $f(x_1)$ ya que se determinó en la iteración previa como $f(1{,}528) = 1{,}765$. Todo lo que falta es calcular el nuevo valor de d y x_2,

$$d = \frac{\sqrt{5}-1}{2}\,(2{,}472 - 0) = 1{,}528$$
$$x_2 = 2{,}471 - 1{,}528 = 0{,}944$$

La evaluación de la función en x_2 es $f(0{,}994) = 1{,}531$. Como este valor es menor que el valor de la función en x_1, el máximo está en el intervalo dado por x_2, x_1 y x_u.

Si el proceso se repite, se obtienen los resultados tabulados a continuación:

i	x_l	$f(x_l)$	x_2	$f(x_2)$	x_1	$f(x_1)$	x_u	$f(x_u)$	d
1	0	0	1,5279	1,7647	2,4721	0,6300	4,0000	-31136	2,4721
2	0	0	0,9443	1,5310	1,5279	1,7647	2,4721	0,6300	1,5279
3	0,9443	1,5310	1,5279	1,7647	1.8885	1,5432	2,4721	0,6300	0,9443
4	0,9443	1,5310	1,3050	1,7595	1,5279	1,7647	1,8855	1,5432	0,5836
5	1,3050	1,7595	1,5279	1,7647	1,6656	1,7136	1,8855	1,5432	0,3607
6	1,3050	1,7595	1,4427	1,7745	1,5279	1,7647	1,6656	1,7136	0,2229
7	1,3050	1,7595	1,3901	1,7742	1,4427	1,7755	1,5279	1,7647	0,1378
8	1,3901	1,7742	1,4427	1,7745	1,4752	1,7732	1,5279	1,7647	0,0851

Observe que el máximo está resaltado en cada iteración. Después de ocho iteraciones, el máximo se encuentra en $x = 1{,}4427$ con un valor de la función $1{,}7755$. Así, el resultado converge al valor verdadero, $1{,}7757$, en $x = 1{,}4276$.

Recordemos que en la bisección, se puede calcular un límite superior exacto para el error en cada iteración. Usando un razonamiento similar, un límite superior para la búsqueda de la sección dorada se obtiene como sigue. Una vez que se termina una iteración, el valor óptimo estará en uno de los dos intervalos. Si x_2 es el valor óptimo de la función, estará en el intervalo inferior (x_l, x_2, x_1). Si x_1 es el valor óptimo de la función, estará en el intervalo superior (x_2, x_1, x_u). Debido a que los puntos interiores son simétricos, se utiliza cualquiera de los casos para definir el error.

Observando el intervalo superior, si el valor verdadero estuviera en el extremo izquierdo, la máxima distancia al valor estimado sería

$$\Delta x_a = x_1 - x_2$$
$$= x_1 + R(x_u - x_l - x_u + R(x_u - x_l)$$
$$= (x_l - x_u) + 2R(x_u - x_l)$$
$$= (2R - 1)(x_u - x_l)$$

o $0{,}236(x_u - x_l)$.

Si el valor verdadero estuviera en el extremo derecho, la máxima distancia al valor estimado sería

$$\Delta x_b = x_u - x_1$$
$$= x_u - x_l - R(x_u - x_l)$$
$$= (1 - R)(x_u - x_l)$$

o $0,382(x_u - x_l)$. Por lo tanto, este caso podría representar el error máximo. Este resultado después se normaliza al valor óptimo de esa iteración, $x_{ópt}$, para dar

$$\varepsilon_a = (1 - R)\left|\frac{x_u - x_l}{x_{ópt}}\right| 100\%$$

Esta estimación proporciona una base para terminar las iteraciones.

Se preguntará por qué hacemos énfasis en reducir las evaluaciones de la función para la búsqueda de la sección dorada. Por supuesto, para resolver una sola optimización, la velocidad ahorrada podría ser insignificante. Sin embargo, existen dos importantes casos donde minimizar el número de evaluaciones de la función llega a ser importante. Éstos son:

1. Muchas evaluaciones. Hay casos donde el algoritmo de búsqueda de la sección dorada puede ser parte de muchos otros cálculos. Entonces, éste podría ser llamado muchas veces. Por lo tanto, mantener el número de evaluaciones de la función en un mínimo ofrecería dar grandes ventajas en tales casos.

2. Evaluaciones que toman mucho tiempo. Por razones didácticas, se usan funciones simples en la mayoría de nuestros ejemplos. Usted deberá tener en cuenta que una función puede ser muy compleja y consumir mucho tiempo en su evaluación. Por ejemplo, en una parte posterior de este módulo, se describirá cómo se utiliza la optimización para estimar los parámetros de un modelo que consiste de un sistema de ecuaciones diferenciales. En tales casos, la "función" comprende la integración del modelo que tomaría mucho tiempo. Cualquier método que minimice tales evaluaciones resultará provechoso.

A continuación encontramos el algoritmo desarrollado en Octave

```
% Método de la Sección dorada para optimizar funciones de una sola Variable:
clc
clear
error=0.01;
d=0;
x=0;
k=15;
f=2*sin(x)-(x^2/10);
L=input('valor inicial L : ');
U=input('valor inicial U : ');
clc
R=(sqrt(5)-1)/2;
x1=L+R*(U-L);
x2=U-(R*(U-L));
f(1)=2*sin(x1)-(x1^2/10);
f(2)=2*sin(x2)-(x2^2/10);
d=R*(U-L);
exito=0;
iter=0;
fprintf("            Método de la Sección Dorada \n")
```

```
        fprintf('------------------------------------------------------------------------------------
-\n');
        fprintf('Iteración    xL       x2      f(x2)      x1      f(x1)      xU       d  \n');
        fprintf('------------------------------------------------------------------------------------
-\n');
        while abs(U-L)>=error && (iter<k)
            iter=iter+1;
            fprintf("%6.0f    %15.6f    %10.6f    %10.6f    %10.6f    %10.6f    %10.6f
%10.4f\n",iter,L,x2,f(2),x1,f(1),U,d);
            if (f(1) < f(2))
                U=x1;
                x1=L+R*(U-L);
                x2=U-(R*(U-L));
                f(1)=2*sin(x1)-(x1^2/10);
                f(2)=2*sin(x2)-(x2^2/10);
                d=R*(U-L);
            else
                L=x2;
                x1=L+R*(U-L);
                x2=U-(R*(U-L));
                f(1)=2*sin(x1)-(x1^2/10);
                f(2)=2*sin(x2)-(x2^2/10);
                d=R*(U-L);
            endif
            if abs(U-L)<=error
                fprintf('------------------------------------------------------------------------\n');
                fprintf('el x óptimo es : %10.4f\n',x1);
                fprintf('El y óptimo es : %10.4f\n',f(1));
                exito=1;
            endif
        endwhile
```

y la tabla de resultados sería la siguiente:

Método de la Sección Dorada

Iteración	xL	x2	f(x2)	x1	f(x1)	xU	d
1	0.000000	1.527864	1.764720	2.472136	0.629974	4.000000	2.4721
2	0.000000	0.944272	1.530976	1.527864	1.764720	2.472136	1.5279
3	0.944272	1.527864	1.764720	1.888544	1.543223	2.472136	0.9443
4	0.944272	1.304952	1.759452	1.527864	1.764720	1.888544	0.5836
5	1.304952	1.527864	1.764720	1.665631	1.713580	1.888544	0.3607
6	1.304952	1.442719	1.775475	1.527864	1.764720	1.665631	0.2229

103

7	1.304952	1.390097	1.774200	1.442719	1.775475	1.527864	0.1378
8	1.390097	1.442719	1.775475	1.475242	1.773242	1.527864	0.0851
9	1.390097	1.422619	1.775699	1.442719	1.775475	1.475242	0.0526
10	1.390097	1.410197	1.775398	1.422619	1.775699	1.442719	0.0325
11	1.410197	1.422619	1.775699	1.430297	1.775717	1.442719	0.0201
12	1.422619	1.430297	1.775717	1.435042	1.775665	1.442719	0.0124
13	1.422619	1.427364	1.775726	1.430297	1.775717	1.435042	0.0077

----

el x óptimo es :   1.4274
El y óptimo es :   1.7757
>>

3.1.1.2 Interpolación parabólica.[1]

La interpolación parabólica aprovecha la ventaja de que un polinomio de segundo grado con frecuencia proporciona una buena aproximación a la forma de f(x) en las cercanías de un valor óptimo (figura 29).

Exactamente del mismo modo en el que sólo hay una línea recta que conecte dos puntos, sólo hay una ecuación cuadrática polinómica o parábola que conecte tres puntos. De esta forma, si se tiene tres puntos que contienen un punto óptimo, se ajusta una parábola a los puntos. Después se puede derivar e igualar el resultado a cero, y así obtener una estimación de la x óptima. Es posible demostrar mediante algunas operaciones algebraicas que el resultado es

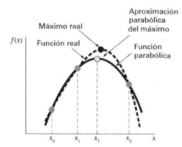

Figura 29. Gráfica de la Interpolación Parabólica.

$$x_3 = \frac{f(x_0)\left(x_1^2 - x_2^2\right) + f(x_1)\left(x_2^2 - x_0^2\right) + f(x_2)\left(x_0^2 - x_1^2\right)}{2f(x_0)(x_1 - x_2) + 2f(x_1)(x_2 - x_0) + 2f(x_2)(x_0 - x_1)} \tag{7}$$

donde $x0_0$, x_1 y x_2 son los valores iniciales, y x3 es el valor de x que corresponde al valor máximo del ajuste parabólico de los valores iniciales. Después de generar el nuevo punto, hay dos estrategias para seleccionar los puntos para la siguiente iteración. El enfoque más sencillo, que es similar al método de la secante, es simplemente asignar los nuevos puntos en forma secuencial. Es decir, para la nueva iteración, $z_0 = z_1$, $z_1 = z_2$ y $z_2 = z_3$. Alternativamente, como se ilustra en el siguiente ejemplo, se puede emplear un enfoque de regionalización, similar a la bisección o la búsqueda de la sección dorada.

Ejemplo 3.2 Utilice la interpolación parabólica para aproximar el máximo de

$$f(x) = 2sen\ x - \frac{x^2}{2}$$

con los siguientes valores iniciales $x_0 = 0, x_1 = 1, y\ x_2 = 4$.

Solución. Evaluamos la función en los tres valores iniciales,

$x_0 = 0$ $f(x_0) = 0$

$x_1 = 1$ $f(x_1) = 1,5829$

$x_0 = 4$ $f(x_2) = -3,1136$

Sustituimos en la ecuación (7) para obtener

$$x_3 = \frac{0(1^2 - 4^2) + 1,5829(4^2 - 0^2) + (-3,1136)(0^2 - 1^2)}{2(0)(1 - 4) + 2(1,5829)(4 - 0) + 2(-3,1136)(0 - 1)} = 1,5055$$

para el cual el valor de la función es $f(1,5055) = 1,7691$.

Después, empleamos una estrategia similar a la de la búsqueda de la sección dorada para determinar qué punto se descartará. Ya que el valor de la función en el nuevo punto es mayor que en el punto intermedio (x_1) y el nuevo valor de x está a la derecha del punto intermedio, se descarta el valor inicial inferior (x_0). Por lo tanto, para la próxima iteración,

$x_0 = 1$ $f(x_0) = 1,5829$

$x_1 = 1,5055$ $f(x_1) = 1,7691$

$x_0 = 4$ $f(x_2) = -3,1136$

sustituimos los valores en la ecuación y obtendremos

$$x_3 = \frac{1,5829(1,5055^2 - 4^2) + 1,7691(4^2 - 1^2) + (-3,1136)(1^2 - 1,5055^2)}{2(1,5829)(1 - 4) + 2(1,7691)(4 - 1) + 2(-3,1136)(1 - 1,5055)}$$

$$= 1,4903$$

Para este valor la función es $f(1,4903) = 1,7714$.

Luego de ciertas repeticiones obtendremos la siguiente tabla

i	x_0	$f(x_0)$	x_1	$f(x_1)$	x_2	$f(x_2)$	x_3	$f(x_3)$
1	0,0000	0,0000	1,0000	1,5829	4,0000	-3,1136	1,5055	1,7691
2	1,0000	1,5829	1,5055	1,7691	4,0000	-3,1136	1,4903	1,7714
3	1,0000	1,5829	1,4903	1,7714	1,5055	1,7691	1,4256	1,7757
4	1,0000	1,5829	1,4256	1,7757	1,4903	1,7714	1,4256	1,7757
5	1,4256	1,7757	1,4266	1,7757	1,4903	1,7714	1,4275	1,7757

Como podemos observar luego de cinco iteraciones, el resultado converge rápidamente al valor verdadero 1,775 en $x = 1,4256$.

Debemos indicar que al igual que en el método de la falsa posición, en la interpolación parabólica puede ocurrir que sólo se retenga un extremo del intervalo. Así, la convergencia puede ser lenta. Como prueba de lo anterior, observe que en nuestro ejemplo, 1,0000 fue un punto extremo en la mayoría de las iteraciones.

Este método, así como otros que usan polinomios de tercer grado, se pueden formular como parte de los algoritmos que contienen tanto pruebas de convergencia, como cuidadosas estrategias de selección para los puntos que habrán de retenerse en cada iteración y formas para minimizar la acumulación del error de redondeo.

3.1.1.3 Método de Newton.

Como ya conocemos el método de Newton Raphson es un método abierto que nos permite encontrar la raíz de una función de tal manera que $f(x) = 0$. El método se lo resume

$$x_{i+1} = x_i - \frac{f(x_i)}{f'(x_i)}$$

Utilizamos un método abierto similar para hallar el valor óptimo de $f(x)$ al definir la nueva función, $g(x) = f'(x)$. Como el valor óptimo x^* satisface ambas funciones

$$f'(x^*) = g(x^*) = 0$$

empleamos lo siguiente

$$x_{i+1} = x_i - \frac{f'(x_i)}{f''(x_i)} \qquad (8)$$

como una técnica para encontrar el mínimo o máximo de $f(x)$. Se deberá observar que esta ecuación también se obtiene escribiendo una serie de Taylor de segundo grado para $f(x)$ e igualando la derivada de la serie a cero. El método de Newton es abierto y similar al de Newton-Raphson, pues no requiere de valores iniciales que contengan al óptimo. Además, también tiene la desventaja de que llega a ser divergente. Por último, usualmente es una buena idea verificar que la segunda derivada tenga el signo correcto para confirmar que la técnica converge al resultado deseado.

Ejemplo3.3 Utilizando el método de Newton encontrar el máximo de

$$f(x) = 2sen\ x - \frac{x^2}{2}$$

Con un valor inicial de $x_0 = 2,5$.

Solución. Calculamos la primera y segunda derivadas de la función

$$f'(x) = 2cos\ x - \frac{x}{5}$$

$$f(x) = -2sen\ x - \frac{1}{5}$$

Estos valores los sustituimos en la ecuación (8) u tendremos

$$x_{i+1} = x_i - \frac{2\cos x_i - \frac{x_i}{5}}{-2sen\ x_i - \frac{1}{5}}$$

Sustituyendo el valor inicial obtenemos

$$x_1 = 2,5 - \frac{2\cos 2,5 - \frac{2,5}{5}}{-2sen\ 2,5 - \frac{1}{5}} = 0,99508$$

Para este el valor de la función es 1,57859. La segunda iteración nos da

$$x_1 = 0,995 - \frac{2\cos 0,995 - \frac{0,995}{5}}{-2sen\ 0,995 - \frac{1}{5}} = 1,6901$$

y el valor de la función es 1,77385.

Repitiendo el proceso obtenemos los siguientes resultados

i	x	$f(x)$	$f'(x)$	$f''(x)$
0	2.5	0,57194	-2,10229	-1,39694
1	0,99508	1,57859	0,88985	-1,87761
2	1,46901	1,77385	-0,09058	-2,18965
3	1,42764	1,77573	-0,00020	-2,17954
4	1,42755	1,77573	0,00000	-2,17952

Aunque el método de Newton funciona bien en algunos casos, no es práctico en otros donde las derivadas no se pueden calcular fácilmente. En tales casos, hay otros procedimientos que no implican la evaluación de la derivada. Por ejemplo, se puede desarrollar una versión del método de Newton parecida al de secante usando aproximaciones de diferencias finitas para las evaluaciones de derivada.

Una desventaja importante de este método es que llega a divergir según sea la naturaleza de la función y la calidad del valor inicial. Así, usualmente se emplea sólo cuando se está cerca del valor óptimo. Las técnicas híbridas que usan métodos cerrados lejos del óptimo y los métodos abiertos cercanos al óptimo intentan aprovechar las fortalezas de ambos procedimientos.

3.1.1.3 Método de Brent.

Brent desarrolló un enfoque similar para la minimización unidimensional. Éste combina la lenta y confiable búsqueda de la sección dorada con la interpolación parabólica, más rápida, pero posiblemente no confiable. Este procedimiento intenta primero la interpolación parabólica y sigue aplicándola mientras se obtengan resultados aceptables. De no ser así, entonces usa la búsqueda de la sección dorada para poner el asunto en orden.

Más adelante se presenta el pseudocódigo para el algoritmo basado en un archivo .m de Matlab desarrollado por Clever Moler. Esta Éste representa una versión reducida a su mínima expresión de la función *fminbnd*, que es la función profesional de minimización que se utiliza en MATLAB. Por esta razón, se llama la versión simplificada *fminsimp*. Observe que necesita otra función f que mantiene la ecuación para la cual se está evaluando el mínimo.[1]

Pseudocódigo de Brent

Function fminsimp(x1, xu)
tol 0.000001; phi (1 + 5)/2; rho 2 phi
u x1 rho(xu x1); v u; w u; x u*
fu f(u); fv fu; fw fu; fx fu
xm 0.5(x1 xu); d 0; e 0*
DO
IF |x xm| tol EXIT
para |e| > tol
IF para THEN (Prueba del ajuste parabólico)
r (x w)(fx fv); q (x v)*(fx fw)*
*p (x v)*q (x w)*r; s 2*(q r)*
IF s > 0 THEN p p

s |s|

' Is the parabola acceptable?

para |p| I0.5*s*el And p s*(x1 x) And p s*(xu x)

IF para THEN

e d; d p/s (Paso de interpolación parabólica)

ENDIF

ENDIF

IF Not para THEN

IF x xm THEN (Paso de búsqueda de sección dorada)

e x1 x

ELSE

e xu x

ENDIF

d rho*e

ENDIF

u x d; fu f(u)

IF fu fx THEN (Actualización x1, xu, x, v, w, xm)

IF u x THEN

x1 x

ELSE

xu x

ENDIF

v = w; fv = fw; w = x; fw = fx; x = u; fx = fu

ELSE

IF u x THEN

x1 u

ELSE

xu u

ENDIF

IF fu fw Or w x THEN

v w; fv fw; w u; fw fu

ELSEIF fu fv Or v x Or v w THEN

v u; fv fu

ENDIF

ENDIF

xm 0.5*(x1 xu)

ENDDO

fminsimp fu

END fminsimp

Se pide al estudiante elaborar un algoritmo en Octave.

Ejercicios.[1]

Ejercicio3.1 Dada la fórmula

$$f(x) = -x^2 + 8x - 12$$

a) Determine en forma analítica (esto es, por medio de derivación) el valor máximo y el correspondiente de x para esta función.

b) Verifique que la ecuación (13.7) produce los mismos resultados con base en los valores iniciales de $x_0 = 0$, $x_1 = 2$ y $x_2 = 6$.

3.2 Dada la función

$$f(x) = -1.5x^6 - 2x^4 + 12x$$

a) Grafique la función.

b) Utilice métodos analíticos para probar que la función es cóncava para todos los valores de x.

c) Derive la función y después use algún método de localización de raíces para resolver cuál es el máximo $f(x)$ y el valor correspondiente de x.

3.3 Encuentre el valor de x que maximiza $f(x)$ en el problema 3.2 con el uso de la búsqueda de la sección dorada. Emplee valores iniciales de $x_l = 0$ y $x_u = 2$ y realice tres iteraciones.

3.4 Repita el problema 13.3, pero use la interpolación parabólica del mismo modo que en el ejemplo 3.2. Use valores iniciales $x_0 = 0$, x1 = 1 y x2 = 2, y realice tres iteraciones.

3.5 Repita el problema 13.3 pero use el método de Newton. Utilice un valor inicial de $x_0 = 2$ y lleve a cabo tres iteraciones.

13.6 Emplee los métodos siguientes para encontrar el máximo de

$$f(x) = 4x - 1.8x^2 + 1.2x^3 - 0.3x^4$$

a) Búsqueda de la sección dorada ($x_l = -2, x_u = 4, es = 1\%$).

b) Interpolación parabólica ($x_0 = 1.75$, $x1_1 = 2$, $x_2 = 2.5$, iteraciones = 4). Seleccione nuevos puntos secuencialmente como en el método de la secante.

c) Método de Newton ($x_0 = 3, es = 1\%$).

3.7 Considere la función siguiente:

$$f(x) = -x^4 - 2x^3 - 8x^2 - 5x$$

Use los métodos analítico y gráfico para demostrar que la función tiene un máximo para algún valor de x en el rango $-2 \leq x \leq 1$.

3.8 Emplee los métodos siguientes para encontrar el máximo de la función del problema 3.7:

a) Búsqueda de la sección dorada ($x_l = -2$, $xu = 1, es = 1\%$).

b) Interpolación parabólica ($x_0 = -2$, $x_1 = -1$, $x_2 = 1$, iteraciones = 4). Seleccione nuevos puntos secuencialmente como en el método de la secante.

c) Método de Newton ($x_0 = -1$, $es = 1\%$).

3.9 Considere la función siguiente:

$$f(x) = 2x + \frac{3}{x}$$

Realice 10 iteraciones de interpolación parabólica para ubicar el mínimo. Seleccione nuevos puntos del mismo modo que en el ejemplo 3.2. Comente sobre la convergencia de sus resultados ($x_0 = 0.1$, $x_1 = 0.5$, $x_2 = 5$).

13.10 Considere la función que sigue:

$$f(x) = 3 + 6x + 5x^2 + 3x^3 + 4x^4$$

Localice el mínimo por medio de encontrar la raíz de la derivada de dicha función. Utilice el método de bisección con valores iniciales de $x_l = -2$ y $x_u = 1$.

3.11 En ciertos puntos detrás de un aeroplano se hacen mediciones de la presión. Los datos tienen el mejor ajuste con la curva $y = 6\cos x - 1.5\,\mathrm{sen}\,x$, desde $x = 0$ hasta $6\,s$. Utilice cuatro iteraciones del método de la búsqueda de la sección dorada para encontrar la presión mínima. Elija $x_l = 2$ y $x_u = 4$.

3.12 La trayectoria de una pelota se calcula por medio de la ecuación

$$Y = (tan\theta_0)x - \frac{g}{2v_0^2 cos^2\theta_0}x^2 + y_0$$

donde y = altura (m), θ_0 = ángulo inicial (radianes), v_0 = velocidad inicial (m/s), g = constante gravitacional = 9.81 m/s² y y_0 = altura inicial (m). Use el método de la búsqueda de la sección dorada para determinar la altura máxima dado que $y_0 = 1m$, $v_0 = 25\,m/s$ y $\theta_0 = 50°$. Haga iteraciones hasta que el error aproximado esté por debajo de es = 1%, con el uso de valores iniciales de $x_l = 0$ y $x_u = 60$ m.

3.1.2 Optimización Multidimensional sin restricciones.

Aquí describiremos las técnicas para encontrar el mínimo o el máximo de una función en varias variables. En el capítulo anterior consideramos visualmente a nuestro problema como si fuera una montaña rusa, en el caso de dos dimensiones, la imagen será como de montañas y valles.

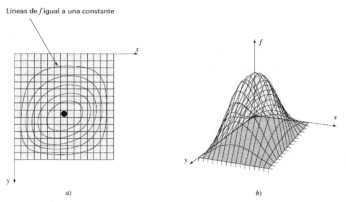

Figura 30. Visualización de las búsquedas en dos dimensiones.[1]

Las técnicas para la optimización multidimensional sin restricciones. Para propósitos del presente análisis, se dividirán dependiendo de si se requiere la evaluación de la derivada. Los procedimientos que no requieren dicha evaluación se llaman métodos sin gradiente o directos. Aquellos que requieren derivadas se conocen como métodos de gradientes o métodos de descenso (o ascenso).

3.1.2.1 Métodos directos.
3.1.2.1.1 Búsqueda aleatoria.

Con este método se evalúa en forma repetida la función con los valores seleccionados aleatoriamente de la variable independiente. Si el método se lleva a cabo con un número suficiente de muestras, el óptimo eventualmente se localizará.

Problema. Use un generador de números aleatorios para hallar el máximo de

$$f(x,y) = y - x - 2x^2 - 2xy - y^2$$

en el dominio acotado por x=-2 a 2 y y=1 a 3. El dominio lo podemos observar en la figura 31. Se puede observar que un solo máximo de 1,5 se encuentra en $x = -1$ y $y = 1,5$.

Solución Por lo general los generadores de números aleatorios proporcionan valores entre 0 y 1. Si se designa a tal número como r, la siguiente fórmula se usa para generar valores de x aleatorios en un rango entre x_l y x_u:

$$x = x_l + (x_u - x_l)r$$

En el presente ejemplo, $x_l = -2$ y $x_u = 2$, y la formula es

$$x = -2 + \left(2 - (-2)\right)r = -2 + 4r$$

Esto se prueba al sustituir 0 y 1 para obtener -2 y 2, respectivamente.

De manera similar para y, una fórmula para el mismo ejemplo se desarrolla como

$$y = y_1 + (y_u - y_1)r = 1 + (3 - 1)r = 1 + 2r$$

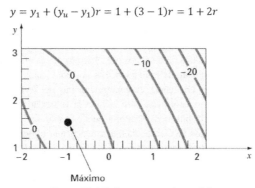

Figura 31. Máximo entre x=1 y y=1,5

El siguiente macro código VBA de Excel utiliza la función número aleatorio Rnd de VBA, para generar un par de valores (x, y) que se sustituyen en la ecuación (E.14.1.1). El valor máximo obtenido en estos ensayos aleatorios se guarda en la variable maxf, y los valores correspondientes de x y y en *maxx* y *maxy*, respectivamente.

```
maxf = -1E9
For j = 1 To n
    x = -2 + 4 * Rnd
    y = 1 + 2 * Rnd
    fn = y - x - 2 * x ^ 2 - 2 * x * y - y ^ 2
If fn > maxf Then
    maxf = fn
    maxx = x
```

```
maxy = y
End If
Next j
```
Después de varias iteraciones se obtiene

Iteraciones	x	y	$f(x,y)$
1	-0,9886	1,4282	1,2462
2	-1,0040	1,4724	1,2490
3	-1,0040	1,4724	1,2490
4	-1,0040	1,4724	1,2490
5	-1,0040	1,4724	1,2490
6	-0,9837	1,4936	1,2496
7	-0,9960	1,5079	1,2498
8	-0,9960	1,5079	1,2498
9	-0,9960	1,5079	1,2498
10	-0,9978	1,5039	1,2500

Los resultados nos muestran que la técnica si permite encontrar rápidamente el máximo verdadero.

Nota: Se pide al estudiante generar un programa en Octave.

Este procedimiento funciona aun en discontinuidades y funciones no diferenciables. Además, siempre encuentra el óptimo global más que el local. Su principal deficiencia es que conforme crece el número de variables independientes, la implementación requerida llega a ser costosa. Además, no es eficiente, ya que no toma en cuenta el comportamiento de la función. Los procedimientos siguientes descritos en este capítulo sí toman en cuenta el comportamiento de la función, así como los resultados de las iteraciones previas para mejorar la velocidad de la convergencia. En consecuencia, aunque la búsqueda aleatoria puede probar ser útil en un contexto de problemas específico, los siguientes métodos tienen una utilidad más general y casi siempre tienen la ventaja de lograr una convergencia más eficiente.

Debemos hacer notar que se existen técnicas de búsqueda más sofisticadas. Éstas constituyen procedimientos heurísticos que fueron desarrollados para resolver problemas no lineales y/o discontinuos, que la optimización clásica usualmente no maneja bien. La simulación del templado de materiales, la búsqueda tabú, las redes neuronales artificiales y los algoritmos genéticos son unos pocos ejemplos. El más ampliamente utilizado es el algoritmo genético, en un número considerable de paquetes comerciales. En Holland (1975), iniciador del procedimiento del algoritmo genético, y Davis (1991) y Goldberg (1989) se encuentra un buen repaso de la teoría y la aplicación del método. De esto hablaremos en una unidad más adelante.

3.1.2.1.2 Búsquedas univariables.

El método de búsqueda univariable, es más eficiente que el método anterior y además no requiere la evaluación de la derivada. La estrategia básica del método de búsqueda univariable consiste en trabajar sólo con una variable a la vez, para mejorar la aproximación, mientras las otras se mantienen constantes. Puesto que únicamente cambia una variable, el problema se reduce a una secuencia de búsquedas en una dimensión, que se resuelven con una diversidad de métodos (dentro de ellos, los descritos en el capítulo 3.1.1).

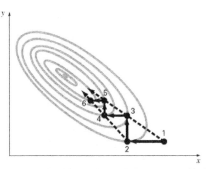

Figura 32. Descripción gráfica de la búsqueda univariable.

La estrategia básica del método de búsqueda univariable consiste en trabajar sólo con una variable a la vez, para mejorar la aproximación, mientras las otras se mantienen constantes. Puesto que únicamente cambia una variable, el problema se reduce a una secuencia de búsquedas en una dimensión, que se resuelven con una diversidad de métodos (dentro de ellos, los descritos en el capítulo anterior).

Realicemos una búsqueda univariable por medio de una gráfica, como se muestra en la figura 32. Se comienza en el punto 1, y se mueve a lo largo del eje x con y constante hacia el máximo en el punto 2. Se puede ver que el punto 2 es un máximo, al observar que la trayectoria a lo largo del eje x toca justo una línea de contorno en ese punto. Luego, muévase a lo largo del eje y con x constante hacia el punto 3. Continúa este proceso generándose los puntos 4, 5, 6, etcétera.

Aunque se está moviendo en forma gradual hacia el máximo, la búsqueda comienza a ser menos eficiente al moverse a lo largo de una cresta angosta hacia el máximo. Sin embargo, también observe que las líneas unen puntos alternados como 1-3, 3-5 o 2-4, 4-6 que van en la dirección general del máximo. Esas trayectorias presentan una oportunidad para llegar directamente a lo largo de la cresta hacia el máximo. Dichas trayectorias se denominan <u>direcciones patrón</u>.

Hay algoritmos formales que capitalizan la idea de las direcciones patrón para encontrar los valores óptimos de manera eficiente. El más conocido de tales algoritmos es el método de Powell, el cual se basa en la observación (véase la figura 33) de que si los puntos 1 y 2 se obtienen por búsquedas en una dimensión en la misma dirección, pero con diferentes puntos de partida, entonces la línea formada por 1 y 2 estará dirigida hacia el máximo. Tales líneas se llaman direcciones conjugadas.

En efecto, se puede demostrar que si f (x, y) es una función cuadrática, las búsquedas secuenciales a lo largo de las direcciones conjugadas convergerán exactamente en un número finito de pasos, sin importar el punto de partida. Puesto que una función no lineal a menudo llega a ser razonablemente aproximada por una función cuadrática, los métodos basados en direcciones conjugadas son, por lo común, bastante eficientes y de hecho son convergentes en forma cuadrática conforme se aproximan al óptimo.

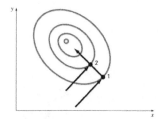

Figura 33. Direcciones conjugadas.

Se implementará en forma gráfica una versión simplificada del método de Powell para encontrar el máximo de

$$f(x,y) = c - (x-a)^2 - (y-b)^2$$

donde a, b y c son constantes positivas. Esta ecuación representa contornos circulares en el plano x, y, como vemos en la figura 34.

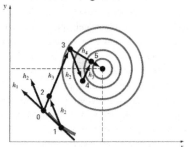

Figura 34. Método de Powel

Se inicia la búsqueda en el punto cero con las direcciones iniciales h_1 y h_2. Observe que h_1 y h_2 no son necesariamente direcciones conjugadas. Desde cero, se mueve a lo largo de la dirección h_1 hasta un máximo que se localiza en el punto 1. Después se busca el punto 1 a lo largo de la dirección h_2 para encontrar el punto 2. Luego, se forma una nueva dirección de búsqueda h_3 a través de los puntos 0 y 2. Se busca a lo largo de esta dirección hasta que se localice el máximo en el punto 3. Después la búsqueda va del punto tres en la dirección $h_2$2 hasta que se localice el máximo en el punto 4. Del punto 4 se llega al punto 5, buscando de nuevo h_3. Ahora, observe que ambos puntos, 5 y 3, se han localizado por búsqueda en la dirección h_3, desde dos puntos diferentes. Powell ha demostrado que h_4 (formado por los puntos 3 y 5) y h_3 son direcciones conjugadas. Así, buscando desde el punto 5 a lo largo de h_4, nos llevará directamente al máximo.[1]

El método de Powell se puede refinar para volverse más eficiente; pero los algoritmos formales van más allá del alcance de este módulo. Sin embargo, es un método eficiente que converge en forma cuadrática sin requerir evaluación de la derivada.

3.1.2.2 Métodos con gradiente.

3.1.2.2.1 Método de máxima inclinación.

Una estrategia obvia para subir una colina sería determinar la pendiente máxima en la posición inicial y después comenzar a caminar en esa dirección. Pero claramente surge otro problema casi de inmediato. A menos que usted realmente tenga suerte y empiece sobre una cuesta que apunte directamente a la cima, tan pronto como se mueva su camino diverge en la dirección de ascenso con máxima inclinación.

Al darse cuenta de este hecho, usted podría adoptar la siguiente estrategia. Avance una distancia corta a lo largo de la dirección del gradiente. Luego deténgase, reevalúe el gradiente y camine otra distancia corta. Mediante la repetición de este proceso podrá llegar a la punta de la colina.

Aunque tal estrategia parece ser superficialmente buena, no es muy práctica. En particular, la evaluación continua del gradiente demanda mucho tiempo en términos de cálculo. Se prefiere un método que consista en moverse por un camino fijo, a lo largo del gradiente inicial hasta que $f(x, y)$ deje de aumentar; es decir, tienda a nivelarse en su dirección de viaje. Este punto se convierte en el punto inicial donde se reevalúa ∇f y se sigue una nueva dirección. El proceso se repite hasta que se alcance la cima. Este procedimiento se conoce como método de máxima inclinación. Es la más directa de las técnicas de búsqueda con gradiente. La idea básica detrás del procedimiento se describe en la figura 35.

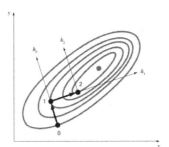

Figura 35. Descripción del método de máxima inclinación

Comenzaremos en un punto inicial (x_0, y_0) etiquetado como "0" en la figura. En este punto, se determina la dirección de ascenso con máxima inclinación; es decir, el gradiente. Entonces se busca a lo largo de la dirección del gradiente, h0, hasta que se encuentra un máximo, que se marca como "1" en la figura. Después el proceso se repite.

Así, el problema se divide en dos partes: 1) se determina la "mejor" dirección para la búsqueda y 2) se determina "el mejor valor" a lo largo de esa dirección de búsqueda. Como se verá, la efectividad de los diversos algoritmos descritos en las siguientes páginas depende de qué tan hábiles seamos en ambas partes.

Por ahora, el método del ascenso con máxima inclinación usa el gradiente como su elección para la "mejor" dirección.

Comenzando en x_0 y y_0 las coordenadas de cualquier punto en la dirección del gradiente se expresan como

$$x = x_0 + \frac{\partial f}{\partial x} h \tag{10}$$

$$y = y_0 + \frac{\partial f}{\partial y} h \tag{11}$$

donde h es la distancia a lo largo del eje h. Por ejemplo, suponga que $x_0 = 1$, $y_0 = 2$ y $\nabla f = 3i + 4j$, como se muestra en la figura 35. Las coordenadas de cualquier punto a lo largo del eje h están dadas por

$$x = 1 + 3h \tag{12}$$

$$y = 2 + 4h \tag{13}$$

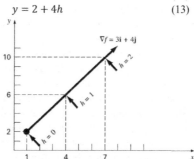

Figura 35. Relación entre una dirección arbitraria h y las coordenadas x y y

El siguiente ejemplo ilustra la forma en que se emplean tales transformaciones para convertir una función bidimensional de x y y en una función unidimensional de h.

Ejemplo 3.4 Desarrollo de una función 1-D a lo largo de la dirección del gradiente.

Suponga que se tiene la siguiente función en dos dimensiones:

$$f(x, y) = 2xy + 2x - x^2 - 2y^2$$

Desarrolle una versión unidimensional de esta ecuación a lo largo de la dirección del gradiente en el punto $x = -1$ y $y = 1$.

Solución. Las derivadas parciales se evalúan en $(-1; 1)$,

$$\frac{\partial f}{\partial x} = 2y + 2 - 2x = 2(1) + 2 - 2(-1) = 6$$

$$\frac{\partial f}{\partial y} = 2x - 4y = 2(-1) - 4(1) = -6$$

Por lo tanto el vector gradiente es

$$\nabla f = 6i - 6j$$

Para encontrar el máximo, se busca en la dirección del gradiente; es decir, a lo largo de un eje h que corre en la dirección de este vector. La función se expresa a lo largo de este eje como

$$f\left(x_0 + \frac{\partial f}{\partial x} h, y_0 + \frac{\partial f}{\partial y} h\right) = f(-1 + 6h, 1 - 6h)$$

$$= 2(-1 + 6h)(1 - 6h) + 2(-1 + 6h) - (-1 + 6h)^2 - 2(1 - 6h)^2$$

donde las derivadas parciales se evalúan en x = − 1 y y = 1.

Al combinar términos, se obtiene una función unidimensional $g(h)$ que transforma $f(x, y)$ a lo largo del eje h,

$$g(h) = -180h^2 + 72h - 7$$

Ahora que se ha obtenido una función a lo largo de la trayectoria de ascenso de máxima inclinación, es posible explorar cómo contestar la segunda pregunta. Esto es, ¿qué tan lejos se llega a lo largo de este camino? Un procedimiento sería moverse a lo largo de este camino hasta encontrar el máximo de la función. Identificaremos la localización de este máximo como h*. Éste es el valor del paso que maximiza g (y, por lo tanto, f) en la dirección del gradiente. Este problema es equivalente a encontrar el máximo de una función de una sola variable h. Lo cual se realiza mediante diferentes técnicas de búsqueda unidimensional como las analizadas en el capítulo anterior. Así, se pasa de encontrar el óptimo de una función de dos dimensiones a realizar una búsqueda unidimensional a lo largo de la dirección del gradiente.

Este método se llama ascenso de máxima inclinación cuando se utiliza un tamaño de paso arbitrario h. Si se encuentra que un valor de un solo paso h* nos lleva directamente al máximo a lo largo de la dirección del gradiente, el método se llama ascenso óptimo de máxima inclinación.

Ejemplo 3.5 Ascenso óptimo de máxima inclinación.

Maximice la siguiente función:

$$f(x, y) = 2xy + 2x - x^2 - 2y^2$$

Usando los valores iniciales, $x = -1$ y $y = 1$

Solución. Debido a que esta función es muy simple, se obtiene primero una solución analítica. Para esto se evalúan las derivadas parciales

$$\frac{\partial f}{\partial x} = 2y + 2 - 2x = 0$$

$$\frac{\partial f}{\partial y} = 2x - 4y = 0$$

De este par de ecuaciones se puede encontrar el valor óptimo, en $x = 2$ y $y = 1$. Las segundas derivadas parciales también se determinan y evalúan en el óptimo,

$$\frac{\partial^2 f}{\partial x^2} = -2$$

$$\frac{\partial^2 f}{\partial y^2} = -4$$

$$\frac{\partial^2 f}{\partial x \partial y} = \frac{\partial^2 f}{\partial y \partial x} = 2$$

Y el determinante de la matriz hessiana (véase en la literatura 1, página 314) se calcula (ecuación (3))

$$|H| = -2(-4) - 2^2 = 4$$

Por lo tanto, debido a que $|H| > 0$ y $\partial^2 f / \partial x^2 < 0$, el valor de la función $f(2, 1)$ es un máximo.

117

Ahora se usará el método del ascenso de máxima inclinación. Recuerde que al final del ejemplo anterior ya se habían realizado los pasos iniciales del problema al generar

$$g(h) = -180h^2 + 72h - 7$$

Ahora, ya que ésta es una simple parábola, se puede localizar, de manera directa, el máximo (es decir, $h = h *$) resolviendo el problema,

$$g'(h^*) = 0$$
$$-360h^* + 72 = 0$$
$$h^* = 0,2$$

Esto significa que si se viaja a lo largo del eje h, $g(h)$ alcanza un valor mínimo cuando $h = h^* = 0,2$. Este resultado se sustituye en las ecuaciones (10) y (11) para obtener las coordenadas (x, y) correspondientes a este punto,

$$x = -1 + 6(0,2) = 0,2$$
$$y = 1 - 6(0,2) = -0,2$$

Este paso se puede observar en la figura 36 conforme el movimiento va del punto 0 al 1.

El segundo paso se implementa tan sólo al repetir el procedimiento. Primero, las derivadas parciales se evalúan en el nuevo punto inicial (0,2 , - 0,2) para obtener

$$\frac{\partial f}{\partial x} = 2(-0,2) + 2 = 1,2$$
$$\frac{\partial f}{\partial y} = 2(-0,2) - 4(-0,2) = 1,2$$

Por consiguiente el vector gradiente es
$$\nabla f = 1,2i + 1,2j$$

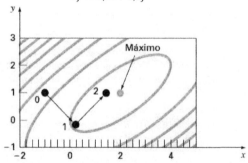

Figura 36. Método del ascenso óptimo de máxima inclinación.

Esto significa que la dirección de máxima inclinación está ahora dirigida hacia arriba y hacia la derecha en un ángulo de 45° con el eje x (véase la figura 36). Las coordenadas a lo largo de este nuevo eje h se expresan ahora como

$$x = 0,2 + 1,2h$$
$$y = -0,2 + 1,2h$$

Al sustituir estos valores en la función obtenemos
$$f(0,2 + 1,2h , -0,2 + 1,2h) = g(h) = -1,44h^2 + 2,88h + 0,2$$

El paso h* que nos lleva al máximo a lo largo de la dirección marcada ahora se calcula directamente como

$$g'(h^*) = -2{,}88h^* + 2{,}88 = 0$$
$$h^* = 1$$

Este resultado se sustituye en las ecuaciones (10) y (11) para obtener las coordenadas (x, y) correspondientes a este nuevo punto,

$$x = 0{,}2 + 1{,}2(1) = 1{,}4$$
$$y = -0{,}2 + 1{,}2(1) = 1$$

Como vemos en la figura 36, nos movemos a las nuevas coordenadas, marcadas como punto 2 en la gráfica, y al hacer esto nos acercamos al máximo. El procedimiento se puede repetir y se obtiene un resultado final que converge a la solución analítica, $x = 2$ y $y = 1$.

Es posible demostrar que el método del descenso de máxima inclinación es linealmente convergente. Además, tiende a moverse de manera muy lenta, a lo largo de crestas largas y angostas. Esto es porque el nuevo gradiente en cada punto máximo será perpendicular a la dirección original. Así, la técnica da muchos pasos pequeños cruzando la ruta directa hacia la cima. Por lo tanto, aunque es confiable, existen otros métodos que convergen mucho más rápido, particularmente en la vecindad de un valor óptimo.

3.1.2.2.2 Método de avanzados del gradiente.

Método de gradientes conjugados (Fletcher – Reeves)

Cuando vimos el método de Powell observamos que las direcciones conjugadas mejoran mucho la eficiencia de la búsqueda univariable. De manera similar, se puede también mejorar el ascenso de máxima inclinación linealmente convergente usando gradientes conjugados. En efecto, se puede demostrar que un método de optimización, que usa gradientes conjugados para definir la dirección de búsqueda, es cuadráticamente convergente. Esto también asegura que el método optimizará una función cuadrática exactamente en un número finito de pasos sin importar el punto de inicio. Puesto que la mayoría de las funciones que tienen buen comportamiento llegan a aproximarse en forma razonable bien mediante una función cuadrática en la vecindad de un óptimo, los métodos de convergencia cuadrática a menudo resultan muy eficientes cerca de un valor óptimo.

Se ha visto cómo, empezando con dos direcciones de búsqueda arbitrarias, el método de Powell produce nuevas direcciones de búsqueda conjugadas. Este método es cuadráticamente convergente y no requiere la información del gradiente. Por otro lado, si la evaluación de las derivadas es práctica, se pueden buscar algoritmos que combinen las ideas del descenso de máxima inclinación con las direcciones conjugadas, para lograr un comportamiento inicial más sólido y de convergencia rápida conforme la técnica conduzca hacia el óptimo. El algoritmo del gradiente conjugado de Fletcher - Reeves modifica el método de ascenso de máxima inclinación al imponer la condición de que sucesivas direcciones de búsqueda del gradiente sean mutuamente conjugadas. La prueba y el algoritmo están más allá del alcance del texto, pero se describen en Rao,

S. S., Engineering Optimization: Theory and Practice, 3a. ed., Wiley-Interscience, Nueva York, 1996.

Método de Newton.

El método de Newton para una sola variable se puede extender a los casos multivariables. Escriba una serie de Taylor de segundo orden para $f(x)$ cerca de $x = x_i$,

$$f(x) = f(x_i) + \nabla f^T(x_i)(x - x_i) + \frac{1}{2}(x - x_i)^T H_i(x - x_i)$$

Donde H_i es la matriz hessiana. En el mínimo

$$\frac{\partial f(x)}{\partial x_j} = 0 \text{ para } j = 1,2 \ldots, n$$

Así

$$\nabla f = \nabla f(x_i) + H_i(x - x_i) = 0$$

Si H es no singular

$$x_{i+1} = x_i - H_i^{-1}\nabla f$$

la cual, se puede demostrar, converge en forma cuadrática cerca del óptimo. Este método, de nuevo, se comporta mejor que el método del ascenso de máxima inclinación (véase la figura 37). Sin embargo, observe que este método requiere tanto del cálculo de las segundas derivadas como de la inversión matricial, en cada iteración. Por lo que el método no es muy útil en la práctica para funciones con gran número de variables. Además, el método de Newton quizá no converja si el punto inicial no está cerca del óptimo.

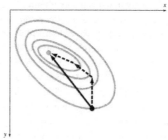

Figura 37. Método de Newton, búsqueda del gradiente.

Método de Marquardt

Se sabe que el método del ascenso de máxima inclinación aumenta el valor de la función, aun si el punto inicial está lejos del óptimo. Por otro lado, ya se describió el método de Newton, que converge con rapidez cerca del máximo. El método de Marquardt usa el método del descenso de máxima inclinación cuando x está lejos de x*, y el método de Newton cuando x está cerca de un óptimo. Esto se puede lograr al modificar la diagonal del hessiano en la ecuación,

$$\tilde{H}_i = H_i + \alpha_i I$$

donde α_i es una constante positiva e I es la matriz identidad. Al inicio del procedimiento, se supone que α_i es grande y

$$\tilde{H}_i^{-1} \approx \frac{1}{\alpha_i} I$$

la cual reduce la ecuación al método del ascenso de máxima inclinación. Conforme continúan las iteraciones, α_i se aproxima a cero y el método se convierte en el de Newton.

Así, el método de Marquardt ofrece lo mejor de los procedimientos: comienza en forma confiable a partir de valores iniciales pobres y luego acelera en forma rápida cuando se aproxima al óptimo. Por desgracia, el método también requiere la evaluación del hessiano y la inversión matricial en cada paso. Debe observarse que el método de Marquardt es, ante todo, útil para problemas no lineales de mínimos cuadrados.

Métodos de cuasi-Newton

Los métodos cuasi-Newton, o métodos de métrica variable, buscan estimar el camino directo hacia el óptimo en forma similar al método de Newton. Sin embargo, observe que la matriz hessiana en la ecuación se compone de las segundas derivadas de f que varían en cada paso. Los métodos cuasi-Newton intentan evitar estas dificultades al aproximar H con otra matriz A, sólo las primeras derivadas parciales de f. El procedimiento consiste en comenzar con una aproximación inicial de H–1 y actualizarla y mejorarla en cada iteración. Estos métodos se llaman de cuasi-Newton porque no usan el hessiano verdadero, sino más bien una aproximación.

Así, se tienen dos aproximaciones simultáneas: 1) la aproximación original de la serie de Taylor y 2) la aproximación del hessiano.

Hay dos métodos principales de este tipo: los algoritmos de Davidon-Fletcher-Powell (DFP) y de Broyden-Fletcher-Goldfarb-Shanno (BFGS). Éstos son similares excepto en detalles concernientes a cómo manejan los errores de redondeo y su convergencia. BFGS es, por lo general, reconocido como superior en la mayoría de los casos. En el libro de Rao, S. S., Engineering Optimization: Theory and Practice, 3a. ed., Wiley-Interscience, Nueva York, 1996 se proporciona detalles y declaraciones formales sobre ambos algoritmos, el DFP y el BFGS.

Ejercicios

Ejercicio 3.13 Encuentre la derivada direccional de
$$f(x, y) = x^2 + 2y^2$$
Si $x = 2$ y $y = 2$, en la dirección de $h = 2i + 3j$.

Ejercicio 3.14 Repita el ejercicio 3.13 para la función siguiente, en el punto (0,8 , 1,2)
$$f(x, y) = 2xy + 1,5y - 1,254x^2 - 2y^2 + 5$$

Ejercicio 3.15 Encuentre el valor mínimo de
$$f(x, y) = (x - 3)^2 + (y - 2)^2$$
Comience con $x = 1$ y $y = 1$, utilice el método de descenso de máxima inclinación con un criterio de detención de $\varepsilon = 1\%$. Explique sus resultados.

Ejercicio 3.16 Efectúe una iteración del método de ascenso de máxima inclinación para localizar el máximo de
$$f(x, y) = 6,4x + 2y + x^2 - 2x^4 + 2xy - 3y^2$$
Con los valores iniciales de x=0 y y=0. Encuentre bisección para encontrar el tamaño óptimo de paso en la dirección de búsqueda del gradiente.

121

3.1.3 Optimización con restricciones.
3.1.3.1 Método de Programación Lineal.

La programación lineal (o PL) es un método de optimización que se ocupa del cumplimiento de un determinado objetivo, como maximizar las utilidades o minimizar el costo, en presencia de restricciones como recursos limitados. El término lineal denota que las funciones matemáticas que representan el objetivo y las restricciones son lineales.

Forma estándar

El problema básico de la programación lineal consiste en dos partes principales: la función objetivo y un conjunto de restricciones. En un problema de maximización, la función objetivo, por lo general, se expresa como

$$\text{Maximizar } Z = c_1 x_1 + c_2 x_2 + \cdots + c_n x_n \tag{1}$$

donde c_j = la contribución de cada unidad de la j-ésima actividad realizada y x_j = magnitud de la j-ésima actividad. Así, el valor de la función objetivo, Z, es la contribución total debida al número total de actividades, n.

Las restricciones se representan, en forma general, como

$$a_{i1} x_1 + a_{i2} x_2 + \cdots + a_{in} x_n \leq b_i \tag{2}$$

donde a_{ij} = cantidad del i-ésimo recurso que se consume por cada unidad de la j-ésima actividad, y

bi = cantidad del i-ésimo recurso que está disponible. Es decir, los recursos son limitados.

El segundo tipo general de restricción, especifica que todas las actividades deben tener un valor positivo:

$$x_i \geq 0 \tag{3}$$

En el presente contexto, lo anterior expresa la noción realista de que, en algunos problemas, la actividad negativa es físicamente imposible (por ejemplo, no se pueden producir bienes negativos).

Juntas, la función objetivo y las restricciones, especifican el problema de programación lineal. Éstas indican que se trata de maximizar la contribución de varias actividades, bajo la restricción de que en estas actividades se utilizan cantidades finitas de recursos. Antes de mostrar cómo se puede obtener este resultado, primero se desarrollará un ejemplo.

Ejemplo 3.14 Suponga que una planta procesadora de gas recibe cada semana una cantidad fija de materia prima. Esta última se procesa para dar dos tipos de gas: calidad regular y premium. Estas clases de gas son de gran demanda (es decir, se tiene garantizada su venta) y dan diferentes utilidades a la compañía. Sin embargo, su producción involucra restricciones de tiempo y de almacenamiento. Por ejemplo, no se pueden producir las dos clases a la vez, y las instalaciones están disponibles solamente 80 horas por semana. Además, existe un límite de almacenamiento para cada uno de los productos. Todos estos factores se enlistan abajo (observe que una tonelada métrica, o ton, es igual a 1.000 kg):

	Producto		
Recurso	Regular	Premium	Disponibilidad del recurso
Materia prima	7m^3/ton	11m^3/ton	77m3/semana
Tiempo de producción	10h/ton	8h/ton	80h/semana
Almacenamiento	9ton	6ton	
Ganancia	150/ton	175ton	

Desarrolle una formulación de programación lineal para maximizar las utilidades de esta operación.

Solución El ingeniero que opera esta planta debe decidir la cantidad a producir de cada tipo de gas para maximizar las utilidades. Si las cantidades producidas cada semana de gas regular y Premium se designan como x1 y x2, respectivamente, la ganancia total se calcula mediante

Ganancia total = $150x_1 + 175x_2$

o se escribe como una función objetivo en programación lineal:

Maximizar Z = $150x_1 + 175x_2$

Las restricciones se desarrollan en una forma similar. Por ejemplo, el total de gas crudo (materia prima) utilizado se calcula como:

Total de gas utilizado = $7x_1 + 11x_2$

Este total no puede exceder el abastecimiento disponible de 77 m^3/semana, así que la restricción se representa como

$$7x_1 + 11x_2 \le 77$$

Las restricciones restantes se desarrollan en una forma similar: la formulación completa resultante de PL está dada por

Maximizar Z = $150x_1 + 175x_2$ (maximizar la ganancia)

sujeta a

$7x_1 + 11x_2 \le 77$ (restricciones de material)

$10x_1 + 8x_2 \le 80$ (restricciones de tiempo)

$x_1 \le 9$ (restricciones de almacenaje de gas "regular")

$x_2 \le 6$ (restricciones de almacenaje de gas "premium")

$x_1, x_2 \ge 0$ (restricciones positivas)

Observe que el conjunto de ecuaciones anterior constituye la formulación completa de PL. Las explicaciones en los paréntesis de la derecha se han incluido para aclarar el significado de cada expresión.

Solución gráfica

Debido a que las soluciones gráficas están limitadas a dos o tres dimensiones, tienen una utilidad práctica limitada. Sin embargo, son muy útiles para demostrar algunos conceptos básicos de las técnicas algebraicas generales, utilizadas para resolver problemas multidimensiones en la computadora.

En un problema bidimensional, como el del ejemplo 3.14, el espacio solución se define como un plano con x_1 medida a lo largo de la abscisa; y x_2, a lo largo de la ordenada. Como las restricciones son lineales, se trazan sobre este plano como líneas rectas. si el problema de PL se formuló adecuadamente (es decir, si tiene una solución), estas líneas restrictivas describen una región, llamada el espacio de solución factible, que abarca todas las posibles combinaciones de x_1 y x_2, las cuales obedecen las restricciones y, por lo tanto, representan soluciones factibles. La función objetivo de un valor particular de Z se puede trazar como otra línea recta y sobreponerse en este espacio. El valor de Z, entonces, se ajusta hasta que esté en el valor máximo, y toque aún el espacio factible. Este valor de Z representa la solución óptima. Los valores correspondientes de x_1 y x_2, donde Z toca el espacio de solución factible, representan los valores óptimos de las actividades. El siguiente ejemplo deberá ayudar a aclarar el procedimiento.

Ejemplo 3.15 Desarrolle una solución gráfica para el problema del procesamiento de gas del ejemplo 3.14:

Maximizar $Z = 150x_1 + 175x_2$

Sujeta a

$7x_1 + 11x_2 \leq 77$	(1)
$10x_1 + 8x_2 \leq 80$	(2)
$x_1 \leq 9$	(3)
$x_2 \leq 6$	(4)
$x_1 \geq 0$	(5)
$x_2 \geq 0$	(6)

Las enumeramos las restricciones para identificarlas en la solución gráfica.

Solución. Primero, se trazan las restricciones sobre el espacio solución. Por ejemplo, se reformula la primera restricción como una línea al reemplazar la desigualdad por un signo igual, y se despeja x_2:

$$x_2 = -\frac{7}{11}x_1 + 7$$

Así, como en la figura 38a, los valores posibles de x_1 y x_2 que obedecen dicha restricción se hallan por debajo de esta línea (en la gráfica, la dirección se indica con la pequeña flecha). Las otras restricciones se evalúan en forma similar, se sobreponen en la figura 38a. Observe cómo éstas encierran una región donde todas se satisfacen. Éste es el espacio solución factible (el área ABCDE en la gráfica).

Además de definir el espacio factible, la figura 15.1a también ofrece una mejor comprensión. En particular, se percibe que la restricción 3 (almacenamiento de gas regular) es "redundante". Es decir, el espacio solución factible no resulta afectado si fuese suprimida.

Después, se agrega la función objetivo a la gráfica. Para hacerlo, se debe escoger un valor de Z. Por ejemplo, para Z = 0, la función objetivo es ahora

$$0 = 150x_1 + 175x_2$$

O despejando x_2, se obtiene la línea recta

$$x_2 = \frac{150}{175}x_1$$

Como se muestra en la figura 15.1b, ésta representa una línea punteada que interseca el origen. Ahora, debido a que estamos interesados en maximizar Z, ésta se aumenta a, digamos, 600, y la función objetivo es

$$x_2 = \frac{600}{175} - \frac{150}{175}x_1$$

Así, al incrementar el valor de la función objetivo, la línea se aleja del origen. Como la línea todavía cae dentro del espacio solución, nuestro resultado es aún factible. No obstante, por la misma razón, todavía hay espacio para mejorarlo. Por lo tanto, Z continúa aumentando hasta que un incremento adicional lleve la función objetivo más allá de la región factible. Como se muestra en la figura 38b, el valor máximo de Z corresponde aproximadamente a 1 400. En este punto, x_1 y x_2 son, de manera aproximada, iguales a 4,9 y 3,9, respectivamente. Así, la solución gráfica indica que si se producen estas cantidades de gas regular y premium, se alcanzará una máxima utilidad de aproximadamente 1.400.

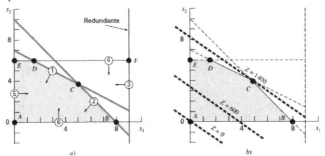

Figura 38. Solución gráfica de un problema de programación lineal.

Además de determinar los valores óptimos, el procedimiento gráfico ofrece una mejor comprensión del problema. Esto se aprecia al sustituir de nuevo las soluciones en las ecuaciones restrictivas:

$$7(4,9) + 11(3,9) \cong 77$$
$$10(4,9) + 8(3,9) \cong 80$$
$$4,9 \leq 9$$
$$3,9 \leq 6$$

En consecuencia, como se ve claramente en la gráfica, producir la cantidad óptima de cada producto nos lleva directamente al punto donde se satisfacen las restricciones de los recursos (1) y del tiempo (2). Tales restricciones se dice que son obligatorias. Además, la gráfica también hace evidente que ninguna de las restricciones de almacenamiento [(3) ni (4)] actúan como una limitante. Tales restricciones se conocen como no obligatorias. Esto nos lleva a la conclusión práctica de que, en este caso, se pueden aumentar las utilidades, ya sea con un incremento en el abastecimiento de recursos (el gas crudo) o en tiempo de producción. Además, esto indica que el aumento del almacenamiento podría no tener impacto sobre las utilidades.

El resultado obtenido en el ejemplo anterior es uno de los cuatro posibles resultados que, por lo general, se obtienen en un problema de programación lineal. Éstos son:

1. Solución única. Como en el ejemplo, la función objetivo máxima interseca un solo punto.

2. Soluciones alternativas. Suponga que los coeficientes de la función objetivo del ejemplo fueran paralelos precisamente a una de las restricciones. En

125

nuestro ejemplo, una forma en la cual esto podría ocurrir sería que las utilidades se modificaran a $140/ton y $220/ton. Entonces, en lugar de un solo punto, el problema podría tener un número infinito de óptimos correspondientes a un segmento de línea (véase figura 39a).

3. Solución no factible. Como en la figura 39b, es posible que el problema esté formulado de tal manera que no haya una solución factible. Esto puede deberse a que se trata de un problema sin solución o a errores en la formulación del problema. Lo último ocurre si el problema está sobre restringido, y ninguna solución satisface todas las restricciones.

4. Problemas no acotados. Como en la figura 39c, esto usualmente significa que el problema está sub restringido y, por lo tanto, tiene límites abiertos. Como en el caso de la solución no factible, esto a menudo ocurre debido a errores cometidos durante la especificación del problema.

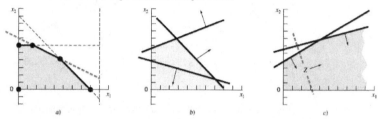

Figura 40. Resultados posibles en un problema de programación lineal

Ahora supongamos que nuestro problema tiene una solución única. El procedimiento gráfico podría sugerir una estrategia numérica para dar con el máximo. Observando la figura 37, deberá quedar claro que siempre se presenta el óptimo en uno de los puntos esquina, donde se presentan dos restricciones. Tales puntos se conocen de manera formal como puntos extremos. Así, del número infinito de posibilidades en el espacio de decisión, al enfocarse en los puntos extremos, se reducen claramente las opciones posibles.

Además, es posible reconocer que no todo punto extremo es factible; es decir, satisface todas las restricciones. Por ejemplo, observe que el punto F en la figura 15.1a es un punto extremo; pero no es factible. Limitándonos a puntos extremos factibles, se reduce todavía más el campo factible.

Por último, una vez que se han identificado todos los puntos extremos factibles, el que ofrezca el mejor valor de la función objetivo representará la solución óptima. Se podría encontrar esta solución óptima mediante la exhaustiva (e ineficiente) evaluación del valor de la función objetivo en cada punto extremo factible. En la siguiente sección se analiza el método simplex, que ofrece una mejor estrategia para trazar un rumbo selectivo, a través de una secuencia de puntos extremos factibles, para llegar al óptimo de una manera extremadamente eficiente.

El método simplex

El método simplex se basa en la suposición de que la solución óptima estará en un punto extremo. Así, el procedimiento debe ser capaz de discriminar si durante la solución del problema se presentará un punto extremo. Para esto, las ecuaciones con restricciones se reformulan como igualdades, introduciendo las llamadas variables de holgura. Una variable de holgura mide cuánto de un recurso restringido está disponible. Por ejemplo, recuerde el recurso restringido que se utilizó en los ejemplos 3.14 y 3.15:

$$7x_1 + 11x_2 \leq 77$$

Se define una variable de holgura S_1 como la cantidad de gas crudo que no se usa para un nivel de producción específico (x_1, x_2). Si esta cantidad se suma al lado izquierdo de la restricción, esto se vuelve exacta a la relación:

$$7x_1 + 11x_2 + S_1 = 77$$

Ahora observemos qué nos dice la variable de holgura. Si es positiva, significa que se tiene algo de "holgura" en esta restricción. Es decir, se cuenta con un excedente de recurso que no se está utilizando por completo. Si es negativa, nos indica que hemos sobrepasado la restricción. Finalmente, si es cero, denota que la restricción se satisface con precisión. Es decir, hemos utilizado todo el recurso disponible. Puesto que ésta es exactamente la condición donde las líneas de restricción se intersecan, la variable de holgura ofrece un medio para detectar los puntos extremos.

Una variable de holgura diferente se desarrolla para cada ecuación restringida, lo cual resulta en lo que se conoce como la *versión aumentada completamente*,

Maximizar $Z = 150x_1 + 175x_2$

sujeta a

$$
\begin{array}{llllll}
7x_1 & +11x_2 & +S_1 & & = 77 & \text{(4a)} \\
10x_1 & +8x_2 & & +S_2 & = 80 & \text{(4b)} \\
x_1 & & & +S_3 & = 9 & \text{(4c)} \\
& x_2 & & +S_4 & = 6 & \text{(4d)}
\end{array}
$$

$$x_1, x_2, S_1, S_2, S_3, S_4 \geq 0$$

Advertir cómo se han establecido las cuatro ecuaciones, de manera que las incógnitas quedan alineadas en columnas. Se hizo así para resaltar que ahora se trata de un sistema de ecuaciones algebraicas lineales (recuerde la parte tres). En la siguiente sección se mostrará cómo se emplean dichas ecuaciones para determinar los puntos extremos en forma algebraica.

A diferencia de la parte tres, donde se tenían n ecuaciones con n incógnitas, nuestro sistema del ejemplo [ecuaciones (4)] está subespecificado o indeterminado; es decir, tiene más incógnitas que ecuaciones. En términos generales, hay n variables estructurales (las incógnitas originales), *m variables de holgura* o excedentes (una por restricción) y n + m variables en total (estructurales más excedentes). En el problema de la producción de gas se tienen 2 variables estructurales, 4 variables de holgura y 6 variables en total. Así, el problema consiste en resolver 4 ecuaciones con 6 incógnitas.

La diferencia entre el número de incógnitas y el de ecuaciones (igual a 2 en nuestro problema) está directamente relacionada con la forma en que se distingue un punto extremo factible. Específicamente, cada punto factible tiene 2 de las 6 variables igualadas a cero. Por ejemplo, los cinco puntos en las esquinas del área ABCDE tienen los siguientes valores cero:

Punto extremo	Variables cero
A	x_1, x_2
B	x_2, S_2
C	S_1, xS_2
D	S_1, S_4
E	$x_1, 4$

Esta observación nos lleva a concluir que los puntos extremos se determinan a partir de la forma estándar igualando dos de las variables a cero. En nuestro ejemplo, esto reduce el problema a resolver 4 ecuaciones con 4 incógnitas. Por ejemplo, para el punto E, si $x_1 = S_4 = 0$, la forma estándar se reduce a

$$+11x_2 \quad +S_1 \qquad\qquad = 77$$
$$+8x_2 \qquad\quad +S_2 \qquad = 80$$
$$\qquad\qquad\qquad\quad +S_3 \quad = 9$$
$$x_2 \qquad\qquad\qquad = 6$$

de donde se obtiene $x_2 = 6$, $S_1 = 11$, $S_2 = 32$ y $S_3 = 9$. Junto con $x_1 = S_4 = 0$, estos valores definen el punto E.

Generalizando, una solución básica de m ecuaciones lineales con n incógnitas se obtiene al igualar a cero las variables n – m y resolver las m ecuaciones para las m incógnitas restantes. Las variables igualadas a cero se conocen formalmente como variables no básicas; mientras que a las m variables restantes se les llama variables básicas. Si todas las variables básicas son no negativas, al resultado se le llama una solución factible básica. El óptimo será una de éstas.

Ahora, un procedimiento directo para determinar la solución óptima será calcular todas las soluciones básicas, determinar cuáles de ellas son factibles, y de éstas, cuál tiene el valor mayor de Z. Sin embargo, éste no es un procedimiento recomendable por dos razones. Primero, aun para problemas de tamaño moderado, se necesita resolver una gran cantidad de ecuaciones. Para m ecuaciones con n incógnitas, se tendrán que resolver

$$C_m^n = \frac{n!}{m!\,(n-m)!}$$

ecuaciones simultáneas. Por ejemplo, si hay 10 ecuaciones (m = 10) con 16 incógnitas (n = 16), ¡se tendrían 8 008 [= 16!/(10!6!)] sistemas de ecuaciones de 10 × 10 para resolver!

Segundo, quizás una porción significativa de éstas no sea factible. Por ejemplo, en el problema actual de los $C_6^4 = 15$ puntos extremos, sólo 5 son factibles. Claramente, si se pudiese evitar resolver todos estos sistemas innecesarios, se tendría un algoritmo más eficiente. Uno de estos procedimientos se describe a continuación.

Implementación del método simplex. El método simplex evita las ineficiencias descritas en la sección anterior. Esto se hace al comenzar con una solución factible básica. Luego se mueve a través de una secuencia de otras soluciones factibles básicas que mejoran sucesivamente el valor de la función objetivo. En forma eventual, se alcanza el valor óptimo y se termina el método.

Se ilustrará el procedimiento con el problema de procesamiento de gas, de los ejemplos 3.14 y 3.15. El primer paso consiste en empezar en una solución factible básica (es decir, en un punto esquina extremo del espacio factible). Para casos como los nuestros, un punto de inicio obvio podría ser el punto A; esto es, $x_1 = x_2 = 0$. Las 6 ecuaciones originales en 4 incógnitas se convierten en

$$
\begin{aligned}
S_1 & = 77 \\
S_2 & = 80 \\
S_3 & = 9 \\
S_4 & = 6
\end{aligned}
$$

Así, los valores iniciales de las variables básicas se dan automáticamente y son iguales a los lados derechos de las restricciones.

Antes de proceder al siguiente paso, la información inicial se puede resumir en un adecuado formato tabular. Como se muestra a continuación, la tabla proporciona un resumen de la información clave que constituye el problema de la programación lineal.

Básica	Z	x_1	x_2	S_1	S_2	S_3	S_4	Solución	Intersección
Z	1	-150	-175	0	0	0	0	0	
S_1	0	7	11	1	0	0	0	77	11
S_2	0	10	8	0	1	0	0	80	8
S_3	0	1	0	0	0	1	0	9	9
S_4	0	0	1	0	0	0	1	6	∞

Observe que para propósitos de la tabla, la función objetivo se expresa como

$$Z - 150X_1 - 175x_2 - 0S_1 - 0S_2 - 0S_3 - 0S_4 = 0 \qquad (5)$$

El siguiente paso consiste en moverse a una nueva solución factible básica que nos lleve a mejorar la función objetivo. Esto se consigue incrementando una variable actual no básica (en este punto, x_1 o x_2) por arriba de cero para que Z aumente. Recuerde que, en el ejemplo presente, los puntos extremos deben tener 2 valores cero. Por lo tanto, una de las variables básicas actuales (S_1, S_2, S_3 o S_4) también deben igualarse a cero.

Para resumir este paso importante: una de las variables no básicas actuales debe hacerse básica (no cero). Esta variable se llama variable de entrada. En el proceso, una de las variables básicas actuales se vuelve no básica (cero). Esta variable se llama *variable de salida*.

Ahora, desarrollaremos un procedimiento matemático para seleccionar las variables de entrada y de salida. A causa de la convención de cómo escribir la función objetivo [ecuación (5)], la variable de entrada puede ser cualquier variable de la función objetivo que tenga un coeficiente negativo (ya que esto hará a Z más grande). La variable con el valor negativo más grande se elige de manera convencional porque usualmente nos lleva al incremento mayor en Z. En nuestro caso, x2 será la variable entrante puesto que su coeficiente, -175, es más negativo que el coeficiente de x1: -150.

Aquí se puede consultar la solución gráfica para mejor comprensión. Se comienza en el punto inicial A, como se muestra en la figura 15.3. Considerando su coeficiente, se escogerá -x2 como entrada. No obstante, para abreviar en este ejemplo, seleccionamos x1 puesto que en la gráfica se observa que nos llevará más rápido al máximo.

Después, se debe elegir la variable de salida entre las variables básicas actuales (S_1, S_2, S_3 o S_4). Se observa gráficamente que hay dos posibilidades. Moviéndonos al punto B se tendrá S_2 igual a cero; mientras que al movernos al punto F tendremos S1 igual a cero. Sin embargo, en la gráfica también queda claro que F no es posible, ya que queda fuera del espacio solución factible. Así, decide moverse de A a B.

¿Cómo se detecta el mismo resultado en forma matemática? Una manera es calcular los valores en los que las líneas de restricción intersecan el eje o la línea que corresponde a la variable saliente (en nuestro caso, el eje x1). Es posible calcular este valor como la razón del lado derecho de la restricción (la columna "Solución" de la tabla) entre el coeficiente correspondiente de x1. Por ejemplo, para la primera variable de holgura restrictiva S1, el resultado es

$$\text{Intersección} = \frac{77}{7} = 11$$

Las intersecciones restantes se pueden calcular y enlistar como la última columna de la tabla. Debido a que 8 es la menor intersección positiva, significa que la segunda línea de restricción se alcanzará primero conforme se incremente x1. Por lo tanto, S2 será la variable de entrada.

De esta manera, nos hemos movido al punto B (x2 = S2 = 0), y la nueva solución básica es ahora

$$
\begin{aligned}
7x_1 \quad +S_1 \qquad\qquad &= 77 \\
10x_1 \qquad\qquad\qquad &= 80 \\
x_1 \qquad +S_3 \qquad &= 9 \\
+S_4 \ &= 6
\end{aligned}
$$

La solución de este sistema de ecuaciones define efectivamente los valores de las variables básicas en el punto B: $x_1 = 8$, $S_1 = 21$, $S_3 = 1$ y $S_4 = 6$.

Se utiliza la tabla para realizar los mismos cálculos empleando el método de Gauss-Jordan. Recuerde que la estrategia básica de este método implica convertir el elemento pivote en 1, y después eliminar los coeficientes en la misma columna arriba y abajo del elemento pivote.

En este ejemplo, el renglón pivote es S_2 (la variable de entrada) y el elemento pivote es 10 (el coeficiente de la variable de salida, x_1). Al dividir el renglón entre 10 y reemplazar S_2 por x_1 se tiene

Básica	Z	x_1	x_2	S_1	S_2	S_3	S_4	Solución	Intersección
Z	1	-150	-175	0	0	0	0	0	
S_1	0	7	11	1	0	0	0	77	11
S_2	0	1	0,8	0	0,1	0	0	8	8
S_3	0	1	0	0	0	1	0	9	9
S_4	0	0	1	0	0	0	1	6	∞

Después, se eliminan los coeficientes de x1 en los otros renglones. Por ejemplo, para el renglón de la función objetivo, el renglón pivote se multiplica por −150 y el resultado se resta del primer renglón para obtener

Z	x_1	x_2	S_1	S_2	S_3	S_4	Solución
1	-150	-175	0	0	0	0	0
-0	-(-150)	-(-120)	-0	-(-15)	0	0	-(-1200)
1	10	-55	0	15	0	0	1200

Es posible realizar operaciones similares en los renglones restantes para obtener la nueva tabla,

Básica	Z	x_1	x_2	S_1	S_2	S_3	S_4	Solución	Intersección
Z	1	0	-55	0	15	0	0	1200	
S_1	0	0	5,4	1	-0,7	0	0	21	3,889
S_2	0	1	0,8	0	0,1	0	0	8	10
S_3	0	0	-0,8	0	-0,1	1	0	1	-1,25
S_4	0	0	1	0	0	0	1	6	6

Así la nueva tabla resume toda la información del punto B. Esto incluye el hecho de que el movimiento ha aumentado la función objetivo a Z = 1.200. Esta tabla se utiliza después para representar el próximo y, en este caso, último paso. Sólo una variable más, x_2, tiene un valor negativo en la función objetivo, y se elige, por lo tanto, como la variable de salida. De acuerdo con los valores de la intersección (ahora calculados como la columna solución sobre los coeficientes de la columna de x_2), la primera restricción tiene el valor positivo más pequeño y, por lo tanto, se selecciona S1 como la variable de entrada. Así, el método simplex nos mueve del punto B al C en la figura 40. Por último, la eliminación de Gauss-Jordan se utiliza para resolver las ecuaciones simultáneas. El resultado es la tabla final,

Básica	Z	x_1	x_2	S_1	S_2	S_3	S_4	Solución
Z	1	0	0	10,1852	7,8704	0	0	1413,889
x_2	0	0	1	0,1852	-0,1296	0	0	3,889
x_1	0	1	0	-0,1481	0,2037	0	0	4,889
S_3	0	0	0	0,1481	-0,2037	1	0	4,111
S_4	0	0	0	-0,1852	0,1296	0	1	2,111

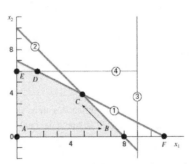

Figura 40. Ilustración gráfica del movimiento sucesivo en el método simplex.

Se sabe que éste es el resultado final porque no quedan coeficientes negativos en la fila de la función objetivo. La solución final se tabula como x_1 = 3,889 y x_2 = 4,889, que dan una función objetivo máxima Z = 1.413,889. Además, como S_3 y S_4 están todavía en la base, sabemos que la solución está limitada por la primera y la segunda restricciones.

3.1.3.2 Optimización no lineal con restricciones.

Existen varios procedimientos para los problemas de optimización no lineal con la presencia de restricciones. Generalmente, dichos procedimientos se dividen en directos e indirectos (Rao, 1996). Los procedimientos indirectos típicos usan las llamadas funciones de penalización. Éstas consideran expresiones adicionales para hacer que la función objetivo sea menos óptima conforme la solución se aproxima a una restricción. Así, la solución no será aceptada por violar las restricciones. Aunque tales métodos llegan a ser útiles en algunos problemas, se vuelven difíciles cuando el problema tiene muchas restricciones.

El método de búsqueda del gradiente reducido generalizado, o GRG, es uno de los métodos directos más populares (para detalles, véase Fylstra et al., 1998; Lasdon et al., 1978; Lasdon y Smith, 1992). Éste es, de hecho, el método no lineal usado en el Solver de Excel.

Este método primero "reduce" a un problema de optimización sin restricciones. Lo hace resolviendo en un conjunto de ecuaciones no lineales las variables básicas en términos de variables no básicas. Después, se resuelve el problema sin restricciones utilizando procedimientos similares a los que se describen en el capítulo anterior. Se escoge primero una dirección de búsqueda a lo largo de la cual se busca mejorar la función objetivo. La selección obvia es un procedimiento cuasi-Newton (BFGS) que, como se describió anteriormente, requiere el almacenamiento de una aproximación de la matriz hessiana. Este procedimiento funciona muy bien en la mayoría de los casos. El procedimiento del gradiente conjugado también está disponible en Excel como una alternativa para problemas grandes. El Solver de Excel tiene la excelente característica de que, en forma automática, cambia al método del gradiente conjugado, dependiendo de la capacidad de almacenamiento. Una vez establecida la dirección de búsqueda, se lleva a cabo una búsqueda unidimensional a lo largo de esa dirección, mediante un procedimiento de tamaño de paso variable.

Se pide al estudiante revisar la sección 15.3, páginas 334 – 343, de la literatura (1). Adicional revisar en Octave las funciones $fminbnd$(Minimiza una función de una variable con restricciones) y $fminsearch$ (minimiza una función de varias variables.

Ejercicios

Ejercicio 3.12 Una compañía fabrica dos tipos de productos, A y B. Éstos se fabrican durante una semana laboral de 40 horas para enviarse al final de la semana. Se requieren 20 kg y 5 kg de materia prima por kilogramo de producto, respectivamente, y la compañía tiene acceso a 9 500 kg de materia prima por semana. Sólo se puede crear un producto a la vez, con tiempos de producción para cada uno de ellos de 0.04 y 0.12 horas, respectivamente. La planta sólo puede almacenar 550 kg en total de productos por semana. Por último, la compañía obtiene utilidades de $45 y $20 por cada unidad de A y B, respectivamente. Cada unidad de producto equivale a un kilogramo.

a) Plantee el problema de programación lineal para maximizar la utilidad.

b) Resuelva en forma gráfica el problema de programación lineal.

c) Solucione el problema de programación lineal con el método simplex.

d) Resuelva el problema con algún paquete de software.

e) Evalúe cuál de las opciones siguientes elevaría las utilidades al máximo: incrementar la materia prima, el almacenamiento, o el tiempo de producción.

Ejercicio 3.13 Suponga que para el ejemplo 3.12, la planta de procesamiento de gas decide producir un tercer grado de producto con las características siguientes:

	Supremo
Gas crudo	$15m^3$/ton
Tiempo de producción	12h/ton
Almacenamiento	5 ton
Utilidad	$250/ton

Además, suponga que se ha descubierto una nueva fuente de gas crudo, lo que duplicó el total disponible a 154 m^3/semana.

a) Plantee el problema de programación lineal para maximizar la utilidad.

b) Resuelva el problema de programación lineal con el método simplex.

c) Solucione el problema con un paquete de software.

d) Evalúe cuál de las opciones siguientes aumentaría las utilidades al máximo: incrementar la materia prima, el almacenamiento, o el tiempo de producción.

15.3 Considere el problema de programación lineal siguiente:

Maximizar $f(x, y) = 1,75x + 1,25y$

sujeta a:

$$1,2x + 2,25y \le 14$$
$$x + 1,1y \le 8$$
$$2,5x + y \le 9$$
$$x \ge 0$$
$$y \ge 0$$

Obtenga la solución:

1) En forma gráfica

2) Usando el método simplex

3) Utilizando Octave.

Ejercicio15.4 Se le pide a usted que diseñe un silo cónico cubierto para almacenar 50 m^3 de desechos líquidos. Suponga que los costos de excavación son de $100/m3, los de cubrimiento lateral son de $50/$m^2$ y los de la cubierta son de $25/$m^2$. Determine las dimensiones del silo que minimizan el costo

a) si la pendiente lateral no está restringida y

b) la pendiente lateral debe ser menor de 45°.

Ejercicio 15.5Una compañía automotriz tiene dos versiones del mismo modelo de auto para vender, un cupé de dos puertas y otro de tamaño grande de cuatro puertas.

a) Encuentre gráficamente cuántos autos de cada diseño deben producirse a fin de maximizar la utilidad, y diga de cuánto es esta ganancia.

b) Con Octave, resuelva el mismo problema.

3.2 Interpolación

En una gran variedad de problemas es preferible representar una función a partir del conocimiento de su comportamiento en un conjunto discreto de puntos. En algunos problemas solo tendremos valores en un conjunto de datos, mientras que en otros, buscaremos representar una función mediante otra más simple.

En el primer caso hablaremos de interpolación de datos, y en le segundo de interpolación de funciones. En ambos casos el objetivo es obtener estimaciones de la función en puntos intermedios, aproximar la derivada o la integral de la función en cuestión o, simplemente, obtener una representación continua o suave de las variables del problema.

Una función de interpolación es aquella que pasa a través de puntos dados como datos, los cuales se muestran comúnmente por medio de una tabla de valores o se toman directamente de una función dada.

La interpolación de los datos puede hacerse mediante un polinomio, Las funciones spline, una función racional o las series de Fourier entre otras posibles formas [Stoer/Burlish]. La interpolación polinomial (ajustar un polinomio a los puntos dados) es uno de Los temas más importantes en métodos numéricos, ya que la mayoría de los demás modelos numéricos se basan en la interpolación polinomial.

Los datos obtenidos mediante una medición pueden interpolarse, pero en la mayoría de los casos no es recomendable una interpolación directa debido a los errores aleatorios implicados en la medición.

Los métodos de interpolación lineal proporcionan la posibilidad de reconstruir funciones que simulen de modo exacto el comportamiento de un sistema bajo ciertas condiciones y que lo hagan, aunque no de modo exacto, sí razonablemente bien, para condiciones más generales. La idea es buscar dentro de un espacio vectorial de funciones aquella que verifique una serie de propiedades. En interpolación lineal, encontrarla conducirá al planteamiento de un sistema lineal, una vez que se escribe la hipotética solución en una base de dicho espacio vectorial.

Esquema de interpolación	Ventajas	Desventajas
Interpolación de Lagrange	Forma conveniente Fácil de programar	Difícil de manejar para los cálculos manuales
Interpolación de Newton	El orden del polinomio puede cambiarse si problemas. La evaluación de errores es fácil	Se debe preparar una tabla de diferencias o de diferencias divididas
Interpolación de Lagrange mediante puntos de Chebyshev	Los errores se distribuyen más uniformemente que en la malla que presenta separación	Los puntos de la malla no están distribuidos de manera uniforme
Interpolación de Hermite	Alta precisión debido a que el binomio se ajusta	Necesita los valores de las derivadas

	también a las derivadas	
Spline cúbico	Aplicable a cualquier número de datos	Se necesita resolver ecuaciones simultáneas

Tabla 2. Resumen de los esquemas de interpolación en dimensión uno.

3.2.1 Interpolación polinómica de Lagrange.

El polinomio de interpolación de Lagrange es simplemente una reformulación del polinomio de Newton que evita el cálculo de las diferencias divididas, y se representa de manera concisa como:

$$f_n(x) = \sum_{i=0}^{n} L_i(x) f(x_i) \tag{1}$$

donde

$$L_i(x) = \prod_{\substack{j=0 \\ j \neq i}}^{n} \frac{x - x_j}{x_i - x_j} \tag{2}$$

donde $\prod$ designa el "producto de". Por ejemplo, la versión lineal (n=1) es

$$f_1(x) = \frac{x - x_1}{x_0 - x_1} f(x_0) + \frac{x - x_0}{x_1 - x_0} f(x_1) \tag{3}$$

y la versión de segundo grado es

$$f_2(x) = \frac{(x - x_1)(x - x_2)}{(x_2 - x_0)(x_2 - x_1)} f(x_0) + \frac{(x - x_0)(x - x_2)}{(x_1 - x_0)(x_1 - 2)} f(x_1)$$
$$+ \frac{(x - x_0)(x - x_1)}{(x_2 - x_0)(x_2 - x_1)} f(x_2) \tag{4}$$

La ecuación (1) se obtiene de manera directa del polinomio de Newton (cuadro1). Sin embargo, el razonamiento detrás de la formulación de Lagrange se comprende directamente al darse cuenta de que cada término $L_i(x)$ será 1 en $x = x_i$ y 0 en todos los otros puntos (figura 41). De esta forma, cada producto $L_i(x) f(x_i)$ toma el valor de $f(x_i)$ en el punto xi. En consecuencia, la sumatoria de todos los productos en la ecuación (1) es el único polinomio de n-ésimo grado que pasa exactamente a través de todos los $n + 1$ puntos asociados con datos.

Ejemplo 3.16 Con un polinomio de interpolación de Lagrange de primero y segundo grado evalúe $\ln 2$ basándose en los datos siguientes:

$x_0 = 1$ $f(x_0) = 0$
$x_1 = 4$ $f(x_1) = 1{,}386294$
$x_2 = 6$ $f(x_2) = 1{,}791760$

Solución. El polinomio de primer grado [ecuación (3)] se utiliza para obtener la estimación en $x = 2$,

$$f_1(2) = \frac{2 - 4}{1 - 4} 0 + \frac{2 - 1}{4 - 1} 1{,}386294 = 0{,}4620981$$

De manera similar, el polinomio de segundo grado se desarrolla así: [ecuación (4)]

$$f_1(2) = \frac{(2 - 4)(2 - 6)}{(1 - 4)(1 - 6)} 0 + \frac{(2 - 1)(2 - 6)}{(4 - 1)(4 - 6)} 1{,}386294$$
$$+ \frac{(2 - 1)(2 - 4)}{(6 - 1)(6 - 4)} 1{,}791760 = 0{,}565844$$

La forma de Lagrange tiene un error estimado de

$$R_n = f[x, x_n, x_{n-1}, \cdots, x_0] \prod_{i=0}^{n}(x - x_i)$$

De este modo, si se tiene un punto adicional en x = xn + 1, se puede obtener un error estimado. Sin embargo, como no se emplean las diferencias divididas finitas como parte del algoritmo de Lagrange, esto se hace rara vez.

Las ecuaciones (1) y (2) se programan de manera muy simple para implementarse en una computadora. Más abajo se muestra el pseudocódigo que sirve para tal propósito.

Cuadro 1 Obtención del polinomio de lagrange directamente a partir del polinomio de interpolación de Newton

El polinomio de interpolación de Lagrange se obtiene de manera directa a partir de la formulación del polinomio de Newton. Haremos esto únicamente en el caso del polinomio de primer grado [ecuación (18.2)]. Para obtener la forma de Lagrange, reformulamos las diferencias divididas. Por ejemplo, la primera diferencia dividida.

$$f[x_1, x_0] = \frac{f(x_1) - f(x_0)}{x_1 - x_0} \qquad (C18.1.1)$$

se reformula como

$$f[x_1, x_0] = \frac{f(x_1)}{x_1 - x_0} + \frac{f(x_0)}{x_0 - x_1} \qquad (C18.1.2)$$

conocida como la *forma simétrica.* Al sustituir la ecuación (C18.1.2) en la (18.2) se obtiene

$$f_1(x) = f(x_0) + \frac{x - x_0}{x_1 - x_0} f(x_1) + \frac{x - x_0}{x_0 - x_1} f(x_0)$$

Por último, al agrupar términos semejantes y simplificar se obtiene la forma del polinomio de Lagrange.

$$f_1(x) = \frac{x - x_1}{x_0 - x_1} f(x_0) + \frac{x - x_0}{x_1 - x_0} f(x_1)$$

Pseudocódigo de la interpolación de Lagrange
```
FUNCTION Lagrng(x, y, n, xx)
sum=0
DOFOR i=0, n
    product = yi
    DOFOR j=0, n
        If i≠j THEN
            product=product*(xx - xj)/(xi - xj)
        ENDIF
    END DO
    sum = sum + product
END DO
Lagrng=sum
END Lagrng
```

La versión de Lagrange es un poco más fácil de programar. Debido a que no requiere del cálculo ni del almacenaje de diferencias divididas, la forma de Lagrange a menudo se utiliza cuando el grado del polinomio se conoce *a priori*.

3.2.2 Interpolación polinomial de Newton.

Existen una gran variedad de formas alternativas para expresar una interpolación polinomial. El polinomio de interpolación de Newton en diferencias divididas es una de las formas más populares y útiles.

3.2.2.1 Interpolación lineal.

La forma más simple de interpolación consiste en unir dos puntos asociados con datos con una línea recta. Dicha técnica, llamada interpolación lineal, se ilustra de manera gráfica en la figura 43 utilizando triángulos semejantes,

$$\frac{f_1(x) - f(x_0)}{x - x_0} = \frac{f(x_1) - f(x_0)}{x_1 - x_0}$$

Figura 43. Interpolación polinomial: a) primer grado (lineal), b) cuadrática y c) cúbica

reordenándose se tiene

$$f_1(x) = f(x_0) + \frac{f(x_1) - f(x_0)}{x_1 - x_0}(x - x_0) \qquad (2)$$

que es una forma de interpolación lineal. La notación $f_1(x)$ designa que éste es un polinomio de interpolación de primer grado. Observe que además de representar la pendiente de la línea que une los puntos, el término $[f(x_1) - f(x_0)]/(x_1 - x_0)$ es una aproximación en diferencias divididas finitas a la primera derivada. En general, cuanto menor sea el intervalo entre los puntos asociados con datos, mejor será la aproximación. Esto se debe al hecho de que, conforme el intervalo disminuye, una función continua estará mejor aproximada por una línea recta. Esta característica se demuestra en el siguiente ejemplo.

Ejemplo 3.17 Estime el logaritmo natural de 2 mediante interpolación lineal. Primero, realice el cálculo por interpolación entre $ln\,1 = 0$ y $ln\,6 = 1,791759$. Después, repita el procedimiento, pero use un intervalo menor de ln 1 a ln 4 (1,386294). Observe que el valor verdadero de ln 2 es 0,6931472.

Solución Usamos la ecuación (12) y una interpolación lineal para ln(2) desde x0 = 1 hasta x1 = 6 para obtener

$$f_1(2) = 0 + \frac{1,791759 - 0}{6 - 1}(2 - 1) = 0,3583519$$

que representa un error: $\varepsilon_t = 48,3\%$. Con el intervalo menor desde $x_0 = 1$ hasta $x_1 = 4$ se obtiene

$$f_1(2) = 0 + \frac{1,386294 - 0}{4 - 1}(2 - 1) = 0,4620981$$

Así, usando el intervalo más corto el error relativo porcentual se reduce a et = 33.3%. Ambas interpolaciones se muestran en la figura 44, junto con la función verdadera.

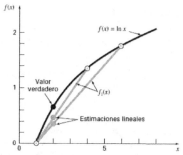

Figura 40. Dos interpolaciones lineales para estimar ln 2.

3.2.2.2 Interpolación cuadrática.

En el ejemplo anterior el error resulta de nuestra aproximación a una curva mediante una línea recta. En consecuencia, una estrategia para mejorar la estimación consiste en introducir alguna curvatura a la línea que une los puntos. Si se tienen tres puntos asociados con datos, éstos pueden ajustarse en un polinomio de segundo grado (también conocido como polinomio cuadrático o parábola). Una forma particularmente conveniente para ello es

$$f_2(x) = b_0 + b_1(x - x_0) + b_2(x - x_0)(x - x_1) \qquad (3)$$

Observe que aunque la ecuación (3) parece diferir del polinomio general [ecuación (1)], las dos ecuaciones son equivalentes. Lo anterior se demuestra al multiplicar los términos de la ecuación (3):

$$f_2(x) = b_0 + b_1 x - b_1 x_0 + b_2 x^2 + b_2 x_0 x_1 - b_2 x x_0 - b_2 x x_1$$

o agrupando términos,

$$f_2(x) = a_0 + a_1 x + a_2 x^2$$

donde

$$a_0 = b_0 - b_1 x_0 + b_2 x_0 x_1$$
$$a_1 = b_1 - b_2 x_0 - b_2 x_1$$
$$a_2 = b_2$$

Así, las ecuaciones (1) y (3) son formas alternativas, equivalentes del único polinomio de segundo grado que une los tres puntos.

Un procedimiento simple puede usarse para determinar los valores de los coeficientes. Para encontrar b0, en la ecuación (3) se evalúa con $x = x_0$ para obtener

$$b_0 = f(x_0) \qquad (4)$$

La ecuación (4) se sustituye en la (3), después se evalúa en $x = x_1$ para tener

$$b_1 = \frac{f(x_1) - f(x_0)}{x_1 - x_0} \qquad (5)$$

Por último, las ecuaciones (4) y (5) se sustituyen en la (3), después se evalúa en $x = x_2$ y (luego de algunas manipulaciones algebraicas) se resuelve para

$$b_2 = \frac{\frac{f(x_2) - f(x_1)}{x_2 - x_1} - \frac{f(x_1) - f(x_0)}{x_1 - x_0}}{x_2 - x_0} \qquad (6)$$

Observe que, como en el caso de la interpolación lineal, b1 todavía representa la pendiente de la línea que une los puntos x_0 y x_1. Así, los primeros dos términos de la ecuación (3) son equivalentes a la interpolación lineal de x_0 a x_1, como se especificó antes en la ecuación (2). El último término, $b_2(x - x_0)(x - x_1)$, determina la curvatura de segundo grado en la fórmula.

Antes de ilustrar cómo utilizar la ecuación (3), debemos examinar la forma del coeficiente b_2. Es muy similar a la aproximación en diferencias divididas finitas de la segunda derivada. Así, la ecuación (3) comienza a manifestar una estructura semejante a la expansión de la serie de Taylor.

Ejemplo 3.18 Ajuste un polinomio de segundo grado a los tres puntos del ejemplo 3.16

$x_0 = 1$ $f(x_0) = 0$
$x_1 = 4$ $f(x_1) = 1,386294$
$x_2 = 6$ $f(x_2) = 1,791760$

Con el polinomio evalúe ln 2

Solución. Aplicando la ecuación (4) se obtiene

$$b_0 = 0$$

La ecuación (5) nos da

$$b_1 = \frac{1,386294 - 0}{4 - 1} = 0,4620981$$

Y con la ecuación (6) se obtiene

$$b_2 = \frac{\dfrac{1,791759 - 1,386294}{6 - 4} - 0,4620981}{6 - 1} = -0,0518731$$

Sustituyendo estos valores en la ecuación (3) se obtiene la fórmula cuadrática

$$f_2(x) = 0 + 0,4620981(x - 1) - 0,0518731(x - 1)(x - 4)$$

que se evalúa en $x = 2$ para

$$f_2(2) = 0,5658444$$

que representa un error relativo de $\varepsilon_t = 18.4\%$. Así, la curvatura determinada por la fórmula cuadrática (figura 45) mejora la interpolación comparándola con el resultado obtenido antes al usar las líneas rectas del ejemplo 3.16 y en la figura 44.

Forma general de los polinomios de interpolación de Newton.

El análisis anterior puede generalizarse para ajustar un polinomio de n-ésimo grado a n + 1 puntos asociados con datos. El polinomio de n-ésimo grado es

$$f_n(x) = b_0 + b_1(x - x_0) + \cdots$$
$$+b_n(x - x_0)(x - x_1) \cdots (x - x_{n-1}) \qquad (7)$$

los puntos asociados con datos se utilizan para evaluar los coeficientes $b_0, b_1,..., b_n$. Para un polinomio de n-ésimo grado se requieren n + 1 puntos asociados con datos: $[x_0, f(x_0)], [x_1, f(x_1)], \ldots, [x_n, f(x_n)]$. Usamos estos puntos asociados con datos y las siguientes ecuaciones para evaluar los coeficientes:

$$b_0 = f(x_0) \qquad (8)$$
$$b_1 = f[x_1, x_0] \qquad (9)$$
$$b_2 = f[x_2, x_1, x_0] \qquad (10)$$
$$\vdots$$
$$b_n = f[x_n, x_{n-1}, \cdots, x_1, x_0] \qquad (11)$$

donde las evaluaciones de la función colocadas entre paréntesis son diferencias divididas finitas. Por ejemplo, la primera diferencia dividida finita en forma general se representa como

$$f[x_i, x_j] = \frac{f(x_i)-f(x_j)}{x_i-x_j} \tag{12}$$

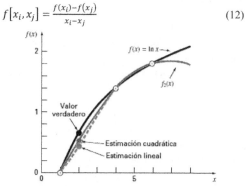

Figura 45. Interpolación cuadrática para estimar ln 2.

La segunda diferencia dividida finita, que representa la diferencia de las dos primeras diferencias divididas, se expresa en forma general como

$$f[x_i, x_j] = \frac{f[x_i,x_j]-[x_j,x_k]}{x_i-x_k} \tag{13}$$

En forma similar, la n-ésima diferencia dividida finita es

$$f[x_n, x_{n-1}, \cdots, x_1, x_0] = \frac{f[x_n,x_{n-1},\cdots x_1]-[x_{n-1},x_{n-2},\cdots x_1]}{x_n-x_0} \tag{14}$$

Estas diferencias sirven para evaluar los coeficientes en las ecuaciones (8) a (11), los cuales se sustituirán en la ecuación (7) para obtener el polinomio de interpolación

$$f_n(x) = f(x_0) + (x - x_0)f[x_1,x_0] + (x - x_0)(x - x_1)f[x_2,x_1,x_0]$$
$$+ \cdots + (x - x_0)(x - x_1) \cdots (x - x_{n-1})f[x_n,x_{n-1},\cdots,x_0] \tag{15}$$

que se conoce como <u>polinomio de interpolación de Newton en diferencias divididas</u>. Debe observarse que no se requiere que los puntos asociados con datos utilizados en la ecuación (15) estén igualmente espaciados o que los valores de la abscisa estén en orden ascendente, como se ilustra en el siguiente ejemplo. También, advierta cómo las ecuaciones (12) a (14) son recursivas, es decir, las diferencias de grado superior se calculan tomando diferencias de grado inferior (figura 46).

i	x_i	$f(x_i)$	Primero	Segundo	Tercero
0	x_0	$f(x_0)$	$f[x_1, x_0]$	$f[x_2, x_1, x_0]$	$f[x_3, x_2, x_1, x_0]$
1	x_1	$f(x_1)$	$f[x_2, x_1]$	$f[x_3, x_2, x_1]$	
2	x_2	$f(x_2)$	$f[x_3, x_2]$		
3	x_3	$f(x_3)$			

Figura 46. Representación gráfica de naturaleza recursiva de las diferencias divididas finitas.[1]

Ejemplo 3.19 En el ejemplo anterior, los puntos asociados con datos $x_0 = 1$, x1=4 y $x_2 = 6$ se utilizaron para estimar ln 2 mediante una parábola. Ahora, agregando un cuarto punto $[x3 = 5; f(x_3) = 1,609438]$, estime ln 2 con un polinomio de interpolación de Newton de tercer grado.

Solución. Utilizando la ecuación (7), con n = 3, el polinomio de tercer grado es

$$f_3(x) = b_0 + b_1(x - x_0) + b_2(x - x_0)(x - x_1) + b_3(x - x_0)(x - x_1)(x - x_2)$$

Las primeras diferencias divididas del problema son [ecuación (12)]

$$f[x_1, x_0] = \frac{1,386294 - 0}{4 - 0} = 0,4620981$$

$$f[x_2, x_1] = \frac{1,791759 - 1,386294}{6 - 4} = 0,2017326$$

$$f[x_1, x_0] = \frac{1,609438 - 1,791759}{5 - 6} = 0,182316$$

Las segundas diferencias divididas son [ecuación (13)]

$$f[x_2, x_1, x_0] = \frac{0,2027326 - 0,4620981}{6 - 1} = 0,05187311$$

$$f[x_3, x_2, x_1] = \frac{0,182316 - 0,2027326}{5 - 4} = 0,02041100$$

La tercera diferencia dividida es [ecuación (14) con n = 3]

$$f[x_3, x_2, x_1, x_0] = \frac{0,02041100 - 0,05187311}{5 - 1} = 0,007865529$$

Los resultados de $f[x_1, x_0], f[x_2, x_1, x_0]$ y $f[x_3, x_2, x_1, x_0]$ representan los coeficientes b_1, b_2 y b_3 de la ecuación (7), respectivamente. Junto con $b_0 = f(x_0) = 0,0$, la ecuación (7) es

$$f_3(x) = 0 + 0,4620981(x - 1) - 0,05187311(x - 1)(x - 4)$$
$$+ 0,007865529(x - 1)(x - 4)(x - 6)$$

La cual sirve para evaluar $f_3(2) = 0,6287686$ que representa un error relativo $\varepsilon_t = 9,3\%$. La gráfica del polinomio cúbico se muestra en la figura 47.

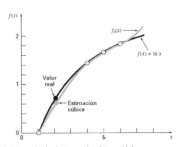

Figura 47. Uso de la interpolación cúbica para estimar ln 2

Nota. Se pide a los estudiantes revisar la sección 18.14 de la literatura (1)

3.2.3 Interpolación polinomial de Hermite.

Los esquemas de interpolación polinomial examinados anteriormente en este capítulo no utilizan la información de la derivada de La propia función ajustada. Sin embargo, un polinomio se puede ajustar no sólo a los valores de la función sino también a las derivadas de los puntos. Los polinomios ajustados a los valores de la función y su derivada se llaman polinomios de interpolación de Hermite o polinomios osculatrices [Isaacson/Keller].

Supóngase que se conocen los puntos $x_0, x_1 \ldots x_n$, y los valores de la función y de todas sus derivadas hasta de orden p $(f_i, f' \ldots, f_i^p, , i = 0, 1, \ldots, n))$. El número total de datos es $K = (p + 1)(n + 1)$. Un polinomio de orden K - 1, a saber,

$$g(x) = \sum\nolimits_{j=0}^{k-1} a_j x^j \tag{1}$$

se puede ajustar a los K datos, donde a_l es un coeficiente. Al igualar la ecuación (1) con los datos, obtenemos un conjunto de K = (p + 1) (N + 1) ecuaciones

$$g(x_i) = f_i \quad i = 0, 1, \ldots, n$$
$$g'(x) = f'_{i,} \quad i = 0, 1, \ldots, n$$
$$\vdots \tag{2}$$
$$g^{(p)} \quad i = 0, 1, \ldots, n$$

Los coeficientes se pueden determinar resolviendo la ecuación (2) en forma exacta si K es pequeño.

Una expresión alternativa, análoga a la fórmula de interpolación de Lagrange, se puede escribir como

$$g(x) = \sum_{i=0}^n \propto_i (x) f_i + \sum_{i=0}^n \beta(x) f'_i + \cdots + \sum_{i=0}^n \theta_i(x) f_i^{(p)} \tag{3}$$

Aquí

$$\propto_i (x_i) = \delta_{i,j} \tag{4}$$

y todas las derivadas de $\propto_i (x)$ se anulan para cada $x = x_i, \beta_i(x)$ y todas sus derivadas se anulan para cada $x = x_i$ excepto

$$\left[\frac{d}{dx} \beta_i(x) \right]_{x=x_j} = \delta_{i,j} \tag{5}$$

De manera semejante, $\theta_i(x)$ y todas sus derivadas se anulan para cada $x = x_j$ excepto

$$\left[\frac{d}{dx} \theta_i(x) \right]_{x=x_j} = \delta_{i,j} \tag{6}$$

En realidad, la ecuación (3) es una extensión de la fórmula de interpolación de Lagrange Se reduce a la interpolación de Lagrange si no se ajusta a la derivada.

Ejemplo 3.20 Suponga que una tabla de valores contiene los valores de la función y su primera derivada. Para cada intervalo, obtenga un polinomio que se ajuste a los valores de la función y las primeras derivadas en los extremos de ese intervalo.

Solución. Para cada intervalo, el número total de datos es cuatro, por lo que el orden del polinomio es tres. El polinomio se llama polinomio cúbico de Hermite. Consideremos un intervalo entre x_{i-1} y x_i, como se muestra en la figura 48. El polinomio cúbico que se ajusta a f_{i-1}, y f_i, se escribe como

$$y(t) = a + bt + ct^2 + et^3 \tag{A}$$

Donde se utiliza una coordenada local $t = x - x_{i-1}$. Al ajustar la ecuación (A) a los datos dados se obtiene

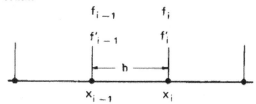

que da

$$f_{i-1} = a \qquad (B)$$
$$f'_{i-1} = b \qquad (C)$$
$$f'_i = a + bh + ch^2 + eh^3 \qquad (D)$$
$$f'_i = b + 2ch + 3eh^2 \qquad (E)$$

Donde $h = x_i - x_{i-1}$. Al sustituir las ecuaciones (B) y (C) en las ecuaciones (D) y (E) y resolverlas en términos de c y e, se obtiene

$$c = \frac{3(f_i - f_{i-1}) - (f'_i + 2f'_{i-1})h}{h^2}$$
$$e = \frac{2(f_i - f_{i-1}) - (f'_i + 2f'_{i-1})h}{h^3} \qquad (F)$$

Así el polinomio cúbico de interpolación de Hermite es

$$y(t) = f_{i-1} + f'_{i-1}t + [3(f_i - f_{i-1}) - (f'_{i-1} + 2f'_{i-1})h]\left(\frac{t}{h}\right)^2 + [-2(f_i - $$
$$f_{i-1}) + (f'_i + f'_{i-1})h]\left(\frac{t}{h}\right)^3 \qquad (G)$$

donde

$$\alpha_{i-1} = 3(1-s)^2 - 2(1-s)^2$$
$$\alpha_i = 3s^2 - 2s^3$$
$$\beta_{i-1} = h[(1-s)^2 - (1-s)^3] \qquad (I)$$
$$\beta_i = h[s^2 - s^3]$$

donde

$$s = \frac{t}{h} = \frac{x - x_{i-1}}{h}$$

Se puede demostrar fácilmente que $\alpha_i(x)$ vale uno para $x = x_i$ pero vale cero para $x = x_{i-1}$ y su primera derivada se anula tanto en x_{i-1}, su primera derivada vale uno en $x = x_i$, pero vale ceron en $x = x_{i-1}$.

3.2.4 Interpolación raíces de Chebyshev.

La separación determinada por un polinomio de Chebyshev es mayor en el centro del dominio de interpolación y decrece hacia los extremos. Como resultado, los errores se distribuyen de una forma más regular en todo el dominio y sus magnitudes son menores que en el caso de los puntos separados de manera uniforme. La interpolación con los puntos de Chebyshev se usa ampliamente en las subrutinas matemáticas al igual que en los cálculos numéricos generales.

143

Los polinomios de Chebyshev se pueden expresar de dos formas distintas pero equivalentes: una utiliza funciones coseno y la otra series de potencias. En la primera expresión, el polinomio de Chebyshev normalizado de orden K se define como

$$T_k(x) = \cos(K\cos^{-1}(x)), \quad -1 \le x \le 1 \qquad (1)$$

Los polinomios de Chebyshev en la serie de potencias están dados por

$$
\begin{array}{rcl}
T_0(x) &=& 1 \\
T_1(x) &=& x \\
T_2(x) &=& 2x^2 - 1 \\
T_3(x) &=& 4x^3 - 3x \\
T_4(x) &=& 8x^4 - -8x^2 + 1 \\
T_5(x) &=& 16x^5 - 20x^3 + 5x \\
T_6(x) &=& 32x^6 - 48x^4 + 18x^2 - 1
\end{array}
\qquad (2)
$$

Los polinomios de Chebyshev de cualquier orden superior en la serie de potencias se pueden generar utilizando la relación recursiva,

$$T_j(x) = 2xT_{j-1} - T_{j-2}(x) \qquad (3)$$

La forma de coseno de los polinomios de Chebyshev en la ecuación (1) indican que el mínimo y máximo local en $-1 \le x \ge 1$ son - 1 y 1, respectivamente. Conviene observar también que todos los polinomios de Chebyshev valen 1 en $x = 1y + 1$ o - 1 en $x = -1$, como se ilustra en la figura 48. Puesto que la función coseno se anula en $\pm$ ir/2, $\pm$ 3 ir/2,..., las raices de un polinomio de Chebyshev de orden K satisfacen

$$K\cos^{-1}(x_n) = \left(k + \frac{1}{2} - n\right)\pi, \quad n = 1,2,\dots,K \qquad (4)$$

o más explícitamente,

$$x_n = \cos\left(\frac{k+\frac{1}{2}-n}{K}\pi\right) \quad n = 1,2,\dots,K \qquad (5)$$

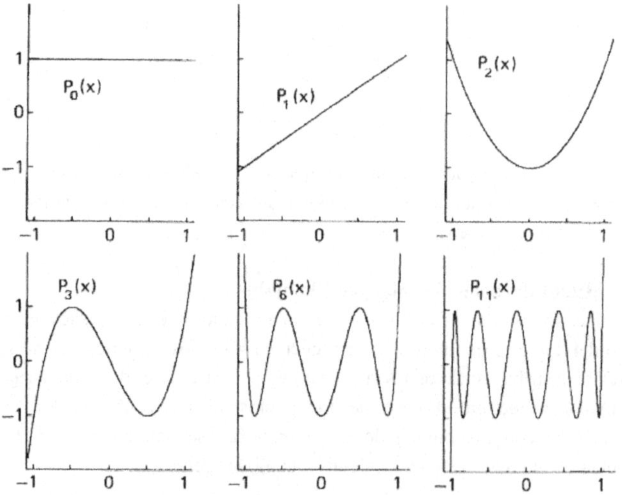

Figura 48. Polinomios de Chebyshev

Si K = 3, por ejemplo, x,, para n = 1, 2 y 3 son − 0,86602,0, + 0,86602, respectivamente.

Si el rango de interpolación es [1, 1], las K raíces x,, 1 1, 2.....K, se pueden utilizar como las abscisas de los puntos en la interpolación de Lagrange, en vez de utilizar puntos con igual separación. Sin embargo, hay que observar que la numeración de los puntos al obtener los puntos de Chebyshev y la de la fórmula de interpolación de Lagrange son distintas. Si se utilizan los tres puntos de Chebyshev de K 3 como se mostró en el párrafo anterior, el orden de la fórmula de interpolación de Lagrange es N = 2 y los puntosx1en la ecuación de la interpolación de Lagrange son x0 = 0.86602, x1 = 0 y x2 = + 0.086602. Las ordenadas de los extremos a saber, en x = - 1 y x + 1 - no se utilizan. Por lo tanto, la fórmula de interpolación de Lagrange se utilizará como "extrapolación" en [- 1, - 0.86602], al igual que en [+0.86602, +11.

La interpolación polinomial de Chebyshev se puede aplicar en cualquier rango distinto de $[-1, 1]$, si se transforma a $[-1, 1]$ sobre el rango de interés. Si escribimos el rango de interpolación como $[a, b]$, la transformación está dada por

$$x = \frac{2z-a-b}{b-a} \qquad (6)$$

o en forma equivalente,

$$z = \frac{(b-a)x+a+b}{2} \qquad (7)$$

donde

$$-1 \leq x \leq 1 \qquad y \qquad a \leq z \leq b.$$

por lo tanto, al sustituir los puntos de Chebyshev x, en $[-1, 1]$ dados por la ecuación (5) en la ecuación (7), los puntos de Chebyshev z,1 en $[a, b]$ son

$$z_n = \frac{1}{2}\left[(b - a)cos\left(\frac{K+\frac{1}{2}-n}{K}\right) + a + b\right], \qquad n = 1,2,\dots,K \qquad (8)$$

El error de una interpolación que utiliza raíces de Chebyshev también está dado por la ecuación (7). Sin embargo, el comportamiento de $L(x)$, es diferente del que se obtiene con Los puntos separados uniformemente. En realidad, el propio $L(x)$ es un polinomio de Chebyshev ya que pasa por las raíces del polinomio de Chebyshev. En consecuencia, el error de La interpolación con las raíces de Chebyshev está distribuido de manera más uniforme que con los puntos con igual separación. Sin embargo, La distribución real del error $e(x)$ se desvía del polinomio de Chebyshev, ya que depende de x.

Ejemplo3.21

1) Obtenga los tres puntos de Chebyshev en 2 z 4.

2) Por medio de los tres puntos de Chebyshev, escriba a formula de interpolación ajustada a ln(z).

Solución.

1) Al sustituir a = 2, b = 4 y K = 3 en la ecuación (8) y hacer n = 1, 2, 3, se encuentran los puntos de Chebyshev como

$$z_1 = 2,13397$$
$$z_2 = 3$$
$$z_3 = 3,86602$$

2) Ahora hacemos una tabla de valores con los puntos de Chebyshev como sigue:

z	y=ln(z)
2,13397	0,757984
3	1,098612
3,86602	1,352226

La fórmula de interpolación de Lagrange ajustada al conjunto de datos es

$$g(z) = \frac{(z-3)(z-3,86602)}{(2,13397-3)(2,13397-3,86602)}(0,757984)$$

$$+ \frac{(z-2,13397)(z-3,86602)}{(3-2,13397)(3-3,86602)}(1,098612)$$

$$+ \frac{(z-2,13397)(z-3)}{(3,86602-2,13397)(3,86602-3)}(1,1,352226)$$

Resumiendo podemos indicar

1) Los puntos de Chebyshev son raíces de un polinomio de Chebyshev.
2) Un polinomio de Chebyshev de orden K proporciona K puntos de Chebyshev. La fórmula de interpolación de Lagrange que utiliza K puntos de Chebyshev es un polinomio de orden K - 1.
3) La función L(x) que representa el error dado por La ecuación (2.3.9) se convierte entonces en un polinomio de Chebyshev de orden K.
4) Al utilizar puntos de Chebyshev en La interpolación de Lagrange, el error se distribuye de manera más uniforme que con los puntos de igual separación.

Ejercicios

3.6 Estime el logaritmo natural de 10 por medio de interpolación lineal.
a) Interpole entre log 8 = 0.9030900 y log 12 = 1.0791812.
b) Interpole entre log 9 = 0.9542425 y log 11 = 1.0413927. Para cada una de las interpolaciones calcule el error relativo porcentual con base en el valor verdadero.

3.7 Ajuste un polinomio de interpolación de Newton de segundo grado para estimar el log 10, con los datos del problema 18.1 en x = 8, 9 y 11. Calcule el error relativo porcentual verdadero.

3.8 Ajuste un polinomio de interpolación de Newton de tercer grado para estimar log 10 con los datos del problema 15.6.

3.9 Repita los problemas 3.6 a 3.8 usando el polinomio de Lagrange.

3.3 Aproximación.

El objetivo fundamental en este capítulo es buscar dentro de un espacio de funciones de dimensión finita aquellas que están más cerca (en el sentido que proporciona una distancia definida de modo riguroso

en ese espacio) a una función dada que queramos aproximar. Los casos más interesantes surgen cuando esa distancia se deduce de un producto escalar porque las ideas de ortogonalidad permiten utilizar bases en las que la solución buscada se escribe más fácilmente.

Un estudio independiente merecen los problemas de aproximación cuando la función a aproximar está definida de modo discreto (mínimos cuadrados). Este problema tiene una relación directa con el concepto estadístico de regresión lineal, y por eso merece una atención especial tanto para los ingenieros que tienen como parte de sus tareas el simular sistemas como para los ingenieros dedicados a las finanzas que deben predecir el comportamiento de determinadas variables econométricas.

Dentro de los problemas de mínimos cuadrados, destacan los que tienen como espacio de funciones de base las exponenciales complejas (será el único caso en que utilicemos números complejos). Este caso se corresponde con la transformada de Fourier de funciones definidas de modo discreto. Los ejercicios de este último tipo son muy básicos, dado que este tema constituye una materia en sí misma, el Tratamiento Digital de Señales, que cae fuera del ámbito de este libro de problemas. Saber manejar bien las técnicas de aproximación por mínimos cuadrados es fundamental en ingeniería, pues así se construyen modelos continuos a partir de resultados discretos obtenidos de experimentos o de otros cálculos numéricos.

3.3.1 Aproximación polinomial simple.

La interpolación es de gran importancia en el campo de la ingeniería, ya que al consultar fuentes de información presentadas en forma tabular, con frecuencia no se encuentra el valor buscado como un punto en la tabla. Por ejemplo, las tablas 3 y 4 presentan la temperatura de ebullición de la acetona ($C3H6O$) a diferentes presiones.

Supóngase que solo se dispusiera de la segunda y se desease calcular la temperatura de ebullición de la acetona a 2 atm de presión.

Una forma muy común de resolver este problema es sustituir los puntos (0) y (1) en la ecuación de la línea recta: $p(x) = a_0 + a_1 x$, de tal modo que resultan dos ecuaciones con dos incógnitas que son a_0 y a_1. Con la solución del sistema se consigue una aproximación polinomial de primer grado, lo que permite efectuar interpolaciones lineales; es decir, se sustituye el punto (0) en la ecuación de la línea recta y se obtiene

$$56,5 = a_0 + 1a_1$$

Puntos	0	1	2	3	4	5	6
T(°C)	56,5	78,6	113,0	144,5	181,0	205,0	214,5
P(atm)	1	2	5	10	20	30	40

Tabla 3. Temperatura de ebullición de la acetona a diferentes presiones.

Puntos	0	1	2	3
T(°C)	56,5	113,0	181,0	214,5
P(atm)	1	5	20	40

Tabla 4. Temperatura de ebullición de la acetona a diferenctes presiones

y al sustituir el punto (1)

$$113 = a_0 + 5a_1$$

sistema que al resolverse da $a_0 = 42,375$ y $a_1 = 14,125$.

Por tanto, estos valores general la ecuación

$$p(x) = 42,375 + 14,125x$$

La ecuación resultante puede emplearse para aproximar la temperatura cuando la presión es conocida.

147

Al sustituir la presión x = 2 atm, se obtiene una temperatura de 70.6 °C. A este proceso se le conoce como interpolación.

Gráficamente, la tabla 5.2 puede verse como una serie de puntos (0), (1), (2) y (3) en un plano P vs T (véase figura 49), en donde si se unen con una línea los puntos (0) y (1), por búsqueda gráfica, se obtiene T ≈ 70.6 °C, para P = 2 atm.

En realidad, esta interpolación solo ha consistido en aproximar una función analítica desconocida [T = f (P)] dada en forma tabular, por medio de una línea recta que pasa por los puntos (0) y (1).

Para aproximar el valor de la temperatura correspondiente a P = 2 atm se pudieron tomar otros dos puntos distintos, por ejemplo (2) y (3), pero es de suponer que el resultado tendría un margen de error mayor, ya que el valor que se busca esta entre los puntos (0) y (1).

Si se quisiera una aproximación mejor al valor "verdadero" de la temperatura buscada, podrían unirse mas puntos de la tabla con una curva suave (sin picos), por ejemplo tres (0), (1), (2) (véase figura 50) y gráficamente obtener T correspondiente a P = 2 atm.

Analíticamente, el problema se resuelve al aproximar la función desconocida [T = f (P)] con un polinomio que pase por los tres puntos (0), (1) y (2). Este polinomio es una parábola y tiene la forma general

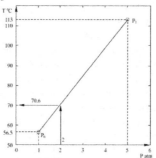

Figura 49. Interpolación gráfica de la temperatura de ebullición de la acetona a 2 atm.

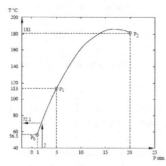

Figura 50. Interpolación gráfica con tres puntos.

148

$$p_2(x) = a_0 + a_1 x + a_2 x^2 \qquad (1)$$

Donde los parámetros a_0, a_1 y a_2 se determinan sustituyendo cada uno de los tres puntos conocidos en la ecuación 1; es decir

$$56,5 = a_0 + a_1 1 + a_2 1^2$$
$$113 = a_0 + a_1 5 + a_2 5^2 \qquad (2)$$
$$181 = a_0 + a_1 20 + a_2 20^2$$

Al resolver el sistema obtenemos

$$a_0 = 39,85 \quad a_1 = 17,15 \quad a_3 = -0,50482$$

De tal forma que la ecuación polinomial quedaría

$$p_2(x) = 39,85 + 17,15x - 0,50482x^2 \qquad (3)$$

y puede emplearse para aproximar algún valor de la temperatura correspondiente a una valor de presión. Por ejemplo, si x= 2atm, entonces

$$T \approx p_2(x) = 39,85 + 17,12(2) - 0,50482(2)^2 \approx 72,1°C$$

La aproximación a la temperatura "correcta" es obviamente mejor en este caso. Obsérvese que ahora se ha aproximado la función desconocida $[T = f(P)]$ con un polinomio de segundo grado (parábola) que pasa por los tres puntos más cercanos al valor buscado. En general, si se desea aproximar una función con un polinomio de grado n, se necesitan n + 1 puntos, que sustituidos en la ecuación polinomial de grado n

$$p_n(x) = a_0 + a_1 x + a_2 x^2 + \cdots + a_n x^n \qquad (4)$$

generan un sistema de n + 1 ecuaciones lineales en las incógnitas a_i, i = 0, 1, 2$\cdots$, n.

Una vez resuelto el sistema se sustituyen los valores de a_i en la ecuación (4), con lo cual se obtiene el polinomio de aproximación. A este método se le conoce como aproximación polinomial simple.

Por otro lado, como se dijo al principio de este capítulo, puede tenerse una función conocida, pero muy complicada, por ejemplo

$$f(x) = kx \ln x + \frac{1}{x} \sum_{m=0}^{\infty} C_m x^m$$

$$f(x) = \left(\frac{2}{x}\right)^2 sen\, x$$

La cual conviene, para propositos prácticos, aproximar con otra función más sencilla, como un polinomio. El procedimiento es generar una tabla de valores mediante la función original, y a partir de dicha tabla aplicar el método arriba descrito.

3.3.2 Aproximación polinomial segmentaria.

En alguno de los casos previos habrá podido pensarse en aproximar $f(x)$ por medio de un polinomio de grado "alto", 10 o 20. Esto pudiera ser por diversas razones, dos de ellas son: porque se quiere mayor exactitud; porque se quiere manejar un solo polinomio que sirva para interpolar en cualquier punto del intervalo [a,b].

Sin embargo, hay serias objeciones al empleo de la aproximación de grado "alto"; la primera es que los cálculos para obtener pn(x) son mayores, además hay que verificar más cálculos para evaluar pn (x), y lo peor del caso es que los resultados son poco confiables.

Si bien lo anterior es grave, lo es mas que el error de interpolación aumenta en lugar de disminuir. Para abundar un poco mas en la discusión de los errores de aproximación, se retomara el producto de la ecuación

$$R_n(x) = \left[\prod_{l=0}^{n}(x - x_1)\right] f[x, x_0, x_1, \cdots, x_n]$$

$$\prod_{i=0}^{n}(x - x_1)$$

donde, si n es muy grande, los factores (x - x_i), son numerosos y, si su magnitud es mayor de 1, evidentementevsu influencia será aumentar el error $R_n(x)$

Para disminuir $R_n(x)$, atendiendo el producto exclusivamente, es menester que los factores (x - x_i) sean en su mayoría menores de 1 en magnitud, lo cual puede lograrse tomando intervalos pequeños alrededor de x. Como el intervalo sobre el cual se va a aproximar $f(x)$ por lo general se da de antemano, lo anterior se logra dividiendo dicho intervalo en subintervalos suficientemente pequeños y aproximando $f(x)$ en cada subintervalo, por medio de un polinomio adecuado; por ejemplo, mediante una línea recta en cada subintervalo (véase figura 51).

Esto da como aproximación de f (x) una línea quebrada o segmentos de líneas rectas ⁻que se llamaran $g_1(x)$⁻, cuyos puntos de quiebre son x_1, x_2,$\cdots$, x_{n-1}. Las funciones $f(x)$ y $g_1(x)$ coinciden en x_0, x_1, x_2, $\cdots$, x_n y el error en cualquier punto x de $[x_0, x_n]$ queda acotado, aplicado a cada subintervalo $[x_i, x_{i+1}]$ con i = 0, 1, 2,$\cdots$, n-1, por

$$R_1(x) = |f(x) - g_1(x)| \max_{a \leq \xi \leq b} \left|\frac{f''(\xi)}{2!}\right| \max_i |(x - x_i)(x - x_{i+1})|$$

(1)

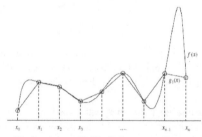

Figura 51. Aproximación de f(x) por una línea quebrada.

Si f (x) fuera diferenciable dos veces en $[x_0, x_n]$, el valor máximo de $|(x - x_i)(x - x_{i+1})|$ para $x \in [x_i, x_{i+1}]$ se da en $x = (x_i + x_{i+1})/2$, el punto medio de $[x_i, x_{i+1}]$; de modo que

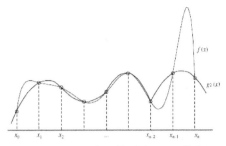

Figura 52. Aproximación f(x) por parábolas

$$\max_i|(x - x_i)(x - x_{i+1})| = \max_i \left|\left(\frac{x_i + x_{i+1}}{2} + x_i\right)\left(\frac{x_i + x_{i+1}}{2} + x_{i+1}\right)\right|$$

$$= \max_i \left|\frac{x_{i+1}-x_i}{2} \frac{x_i - x_{i+1}}{2}\right| = \max_i \frac{(x_{i+1} - x_i)^2}{4} = \max_i \frac{\Delta x_i^2}{4}$$

Al sustituir en la ecuación (1)

$$R_1(x) = |f(x) - g_1(x)| < \max_{a \le \xi \le b} \left|\frac{f''(\xi)}{2!}\right| \max_i \frac{\Delta x_i^2}{4} \qquad (2)$$

Donde se aprecia que el error $R_1(x)$ puede reducirse tanto como se quiera, haciendo Δx_i pequeño para toda i; por ejemplo, tomando un numero suficientemente grande de subintervalos en [a,b], o bien empleando polinomios de grado dos (véase figura 5.8) para cada subintervalo [xi, xi+1]; de esta última manera se consiguen segmentos polinomiales de grado dos $g_2(x)$, cuyo término de error (2) correspondiente tendrá Δx_i^3 en lugar de Δx_i^2. Esto da como resultado una disminución del error respecto del empleo de líneas rectas.

Nota. Se pide al estudiante revisar la aproximación cúbica segmentaria de Hermite y de Bessel.

3.3.3 Aproximación polinomial con mínimos cuadrados.

Hasta ahora, el texto se ha enfocado en la manera de encontrar un polinomio de aproximación que pase por los puntos dados en forma tabular. Sin embargo, a veces la información (dada en la tabla) contiene errores significativos; por ejemplo, cuando proviene de medidas físicas. En estas circunstancias carece de sentido pasar un polinomio de aproximación por los puntos dados, por lo que es mejor pasarlo solo cerca de ellos (véase figura 53).

No obstante, esto crea un problema, ya que se puede pasar un número infinito de curvas entre los puntos. Para determinar la mejor curva se establece un criterio que la fije y una metodología que la determine. El criterio más común consiste en pedir que la suma de las distancias calculadas entre el valor de la función que aproxima p(xi) y el valor de la función f(xi) dada en la tabla, sea mínima (vease figura 54); es decir, que

$$\sum_{i=1}^{m} |p(x_i) - f(x_i)| = \sum_{i=1}^{m} d_i = minimo$$

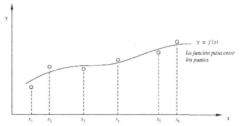

Figura 53. Aproximación polinomial que pasa por entre los puntos.

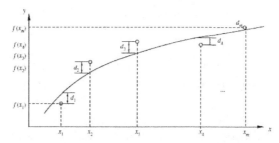

Figura 54. Ilustración de las distancias d_i a minimizar.

Para evitar problemas de derivabilidad más adelante, se acostumbra utilizar las distancias d_i, elevadas al cuadrado

$$\sum_{i=1}^{m} |p(x_i) - f(x_i)|^2 = \sum_{i=1}^{m} d_i^{\,2} = mínimo$$

En la figura 54 se observan los puntos tabulados, la aproximación polinomial $p(x)$ y las distancias d_i entre los puntos correspondientes, cuya suma hay que minimizar.

Si se utiliza

$$p(x) = a_0 + a_1 x \tag{0}$$

$$\sum_{i=1}^{m} [a_0 + a_1 x_i - f(x_i)]^2 \tag{1}$$

Podemos observar que, del número infinito de polinomios que pasan entre los puntos, se selecciona aquel cuyos coeficientes a_0 y a_1 minimicen la ecuación (1).

En el cálculo de funciones de una variable, el lector ha aprendido que para encontrar el mínimo o el máximo de una función, se deriva y se iguala con cero esa derivada. Después se resuelve la ecuación resultante para obtener los valores de la variable que pudieran minimizar o maximizar la función. En el caso en estudio, donde se tiene una función por minimizar de dos variables (a_0 y a_1), el procedimiento es derivar parcialmente, con respecto a cada una de las variables, e igualar a cero cada derivada, con lo cual se obtiene un sistema de dos ecuaciones algebraicas en las incógnitas a_0 y a_1; o sea

152

$$\frac{\partial}{\partial a_0} \left[\sum_{i=1}^{m} [a_0 + a_1 x_i - f(x_i)]^2 \right]$$

$$\frac{\partial}{\partial a_1} \left[\sum_{i=1}^{m} [a_0 + a_1 x_i - f(x_i)]^2 \right] \tag{2}$$

Se deriva dentro de la sumatoria

$$\sum_{i=1}^{m} \frac{\partial}{\partial a_0} [a_0 + a_1 x_i - f(x_i)]^2 = \sum_{i=1}^{m} 2[a_0 + a_1 x_i - f(x_i)]^2$$

$$\sum_{i=1}^{m} \frac{\partial}{\partial a_1} [a_0 + a_1 x_i - f(x_i)]^2 = \sum_{i=1}^{m} 2[a_0 + a_1 x_i - f(x_i)]^2$$

Al desarrollar las sumatorias se obtiene

$$[a_0 + a_1 x_1 - f(x_1)] + [a_0 + a_1 x_2 - f(x_2)] + \cdots + [a_0 + a_1 x_m - f(x_m)] = 0$$

$$[a_0 + a_1 x_1^2 - f(x_1)x_1] + [a_0 x_2 + a_1 x_2 - f(x_2)x_2] + \cdots$$
$$+ [a_0 x_m + a_1 x_m^2 - f(x_m)x_m] = 0$$

que simplificada quedan

$$m\, a_0 + a_1 \sum_{i=1}^{m} x_i = \sum_{l=1}^{m} f(x_i)$$

$$a_0 \sum_{i=1}^{m} x_i + a_1 \sum_{i=1}^{m} x_i^2 = \sum_{i=1}^{m} f(x_i)x_i$$

El sistema se resuelve por la regla de Cramer y se tiene las ecuaciones (3)

$$a_0 = \frac{\left[\sum_{i=1}^{m} f(x_i)\right]\left[\sum_{i=1}^{m} x_i^2\right] - \left[\sum_{i=1}^{m} x_i\right]\left[\sum_{i=1}^{m} f(x_i)x_i\right]}{m\left[\sum_{i=1}^{m} x_i^2\right] - \left[\sum_{i=1}^{m} x_i\right]^2}$$

$$a_1 = \frac{m\left[\sum_{i=1}^{m} f(x_i)x_i\right] - \left[\sum_{i=1}^{m} f(x_i)\right]\left[\sum_{i=1}^{m} x_i\right]}{m\left[\sum_{i=1}^{m} x_i^2\right] - \left[\sum_{i=1}^{m} x_i\right]^2}$$

Que sustituyendo en la ecuación (0) dan la aproximación polinomial de primer grado que mejor ajusta la información tabulada. Este polinomio puede usarse a fin de aproximar valores de la función par argumentos no conocidos en la tabla.

Ejemplo 3.22 El calor específico Cp(cal/k gmol) del Mn_3O_4 varia con la temperatura de acuerdo con la siguiente tabla.

Punto	1	2	3	4	5	6
T(K)	280	650	1000	1200	1500	1700
Cp(cal/k gmol)	32.7	45,4	52,15	53,7	52,9	50,3

Aproximar la información con un polinomio por el método de mínimos cuadrados.

Solución. El calor específico aumenta con la temperatura hasta el valor tabulado de 1.200 K, para disminuir posteriormente en valores más altos de temperatura. Esto sugiere utilizar un polinomio con curvatura en vez de una recta; por ejemplo, uno de segundo grado, que es el más simple.

Para facilitar el cálculo de los coeficientes del sistema de ecuaciones (3), se construye la siguiente tabla:

153

Puntos	T	c_p	x_i^2	x_i^3	x_i^4	$y_i x_i$	$y_i^2 x_i^2$
i	x_i	y_i					
1	280	32,7	$0,78 \times 10^5$	$0,022 \times 10^9$	$0,062 \times 10^{11}$	9156	$2,56 \times 10^6$
2	650	45,4	$0,42 \times 10^6$	$0,275 \times 10^9$	$1,785 \times 10^{11}$	29510	$19,18 \times 10^6$
3	1000	52,15	$1,00 \times 10^6$	$1,000 \times 10^9$	$1,000 \times 10^{12}$	52150	$52,15 \times 10^6$
4	1200	53,70	$1,44 \times 10^6$	$1,728 \times 10^9$	$2,074 \times 10^{12}$	64440	$77,33 \times 10^6$
5	1500	52,90	$2,25 \times 10^6$	$3,375 \times 10^9$	$5,063 \times 10^{12}$	79350	$119,03 \times 10^6$
6	1700	50,30	$2,89 \times 10^6$	$4,900 \times 10^9$	$8,350 \times 10^{12}$	85510	$145,37 \times 10^6$
$\sum Totales$	6330	287,15	$8,08 \times 10^6$	$11,30 \times 10^9$	167.7×10^{11}	320116	$415,62 \times 10^6$

Los coeficientes se sustituyen en el sistema de ecuaciones (3) y se obtiene

$$6a_0 + 6330a_1 + 8,08 * 10^6 a_2 = 287,15$$
$$6330a_0 + 8,08 * 10^6 a_1 + 11,30 * 10^9 a_2 = 320116$$
$$8,08 * 10^6 a_0 + 11,30 * 10^9 a_1 + 166,70 * 10^{11} a_2 = 415,62 * 10^6$$

cuya solución por el método de eliminación Gaussiana es

$$a_0 = 19,29544, \qquad a_1 = 0,053728, \qquad a_2 = -2,08787 * 10^{-5} T^2$$

Los valores de las sumas no se escribieron con todas sus cifras significativas, pero el polinomio de regresión se calculó usando todas las cifras que conserva la computadora.

Escribimos en Octave el siguiente programa

format long

```
T=[280 650 1000 1200 1500 1700];
Cp=[32.7 45.4 52.15 53.7 52.9 50.3];
a=polyfit(T,Cp,2);
fprintf("a0=%8.5f a1=%9.6f a2=%9.6f\n",a(3),a(2),a(1))
Tint=800;
Cpint=a(3)+a(2)*Tint+a(1)*Tint^2;
fprintf(' Cp(%4.0f)=%6.1f\n',Tint,Cpint)
```

Otra forma de hacerlo usando las ecuaciones normales para la regresión, es esta

```
T=[280 650 1000 1200 1500 1700];
Cp=[32.7 45.4 52.15 53.7 52.9 50.3];
A=[length(T) sum(T) sum(T.^2);...
sum(T) sum(T.^2) sum(T.^3);...
sum(T.^2) sum(T.^3) sum(T.^4)]
b=[sum(Cp); sum(Cp.*T); sum(Cp.*T.^2)]
a=A\b
for i=1:length(a)
aa(i)=a(length(a)+1-i);
end
polyval(aa,800)
```

Un algoritmo que nos puede servir para la aproximación con mínimos cuadrados es el siguiente:

Para obtener los N+1 coeficientes del polinomio optimo de grado N que pasa entre M parejas de puntos, proporcionar los

DATOS: El grado del polinomio de aproximacion N, el numero de parejas de valores (X(I), FX(I), I = 1,
2,... , M).

RESULTADOS: Los coeficientes A(0), A(1),... , A(N) del polinomio de aproximacion.

PASO 1. Hacer J = 0.

PASO 2. Mientras J ≤ (2*N−1), repetir los pasos 3 a 5.

PASO 3. Si J ≤ N Hacer SS(J) = 0. De otro modo continuar.

PASO 4. Hacer S(J) = 0.

PASO 5. Hacer J = J + 1.

PASO 6. Hacer I = 1.

PASO 7. Mientras I ≤ M, repetir los pasos 8 a 15.

PASO 8. Hacer XX = 1.

PASO 9. Hacer J = 0.

PASO 10. Mientras J ≤ (2*N−1), repetir los pasos 11 a 14.

PASO 11. Si J ≤ N hacer SS(J) = SS(J) + XX*FX(I).
De otro modo continuar.

PASO 12. Hacer XX = XX*X(I).

PASO 13. Hacer S(J) = S(J) + XX.

PASO 14. Hacer J = J + 1.

PASO 15. Hacer I = I +1.

PASO 16. Hacer B (0,0) = M.

PASO 17. Hacer I = 0.

PASO 18. Mientras I ≤ N, repetir los pasos 19 a 24.

PASO 19. Hacer J = 0.

PASO 20. Mientras J ≤ N, repetir los pasos 21 y 22.

PASO 21. Si I ≠ 0 y J ≠ 0.
Hacer $B(I,J) = S(J−1+I)$.

PASO 22. Hacer J = J +1.

PASO 23. Hacer B(I,N+1) = SS(I).

PASO 24. Hacer I = I +1.

PASO 25. Resolver el sistema de ecuaciones lineales B **a** = **ss** de orden N+1 con alguno de los algoritmos del
capitulo 3.

PASO 26. IMPRIMIR A(0), A(1),... , A(N) y TERMINAR.

3.3.3.2 Aproximación multilineal con mínimos cuadrados.

Es frecuente el tener funciones de más de una variable; esto es, $f(u,v,z)$. Si se sospecha una funcionalidad lineal en las distintas variables; es decir, si se piensa que la función

$$y = a_0 + a_1u + a_2v + a_3z$$

Puede ajustar los datos de la siguiente tabla:

Puntos	u	v	z	y
1	u_1	v_1	z_1	$f(u_1, v_1, z_1)$
2	u_2	v_2	z_2	$f(u_2, v_2, z_2)$
3	u_3	v_3	z_3	$f(u_3, v_3, z_3)$
⋮	⋮	⋮	⋮	
m	u_m	v_m	z_4	$f(u_m, v_m, z_m)$

Se puede aplicar el método de los mínimos cuadrados para determinar los coeficientes a0, a_1, a_2 y a_3 que mejor aproximen la función de varias variables tabulada. El procedimiento es análogo al descrito anteriormente y consiste en minimizar la función.

$$\sum_{i=}^{m} [(a_0 + a_1u_i + a_2v_i + a_3z_i) - y_i]^2$$

que, derivada parcialmente con respecto a cada coeficiente por determinar: a_0, a_1, a_2, a_3 e igualada a cero cada una, queda:

$$\frac{\partial}{\partial a_0} \sum_{i=}^{m} [(a_0 + a_1u_i + a_2v_i + a_3z_i) - y_i]^2 = 2\sum_{i=}^{m}(a_0 + a_1u_i + a_2v_i + a_3z_i - y_i)\,1$$
$$= 0$$

$$\frac{\partial}{\partial a_1} \sum_{i=}^{m} [(a_0 + a_1u_i + a_2v_i + a_3z_i) - y_i]^2 = 2\sum_{i=}^{m}(a_0 + a_1u_i + a_2v_i + a_3z_i - y_i)\,u_i$$
$$= 0$$

$$\frac{\partial}{\partial a_2} \sum_{i=}^{m} [(a_0 + a_1u_i + a_2v_i + a_3z_i) - y_i]^2 = 2\sum_{i=}^{m}(a_0 + a_1u_i + a_2v_i + a_3z_i - y_i)\,v_i$$
$$= 0$$

$$\frac{\partial}{\partial a_3} \sum_{i=}^{m} [(a_0 + a_1u_i + a_2v_i + a_3z_i) - y_i]^2 = 2\sum_{i=}^{m}(a_0 + a_1u_i + a_2v_i + a_3z_i - y_i)\,z_i$$

ecuaciones que arregladas generan el sistema algebraico lineal siguiente (1):

$$ma_0 + a_1\sum u + a_2\sum v + a_3\sum z = \sum y$$

$$a_0\sum u + a_1\sum u^2 + a_2\sum uv + a_3\sum uz = \sum uy$$

$$a_0\sum v + a_1\sum vu + a_2\sum v^2 + a_3\sum vz = \sum vy$$

$$a_0\sum z + a_1\sum zu + a_2\sum zv + a_3\sum z^2 = \sum zy$$

en las incógnitas a_0, a_1, a_2 y a_3. Para simplificar la escritura se han omitido los índices i, de u, v, y z y los límites de las sumatorias, que van de 1 hasta m.

Ejemplo 3.23 A partir de un estudio experimental acerca de la estabilización de arcilla muy plástica, pudo observarse que el contenido de agua para moldeo con densidad optima dependía linealmente de los porcentajes de cal y puzolana mezclados con la arcilla. Se obtuvieron así los resultados que se dan abajo. Ajuste una ecuación de la forma

$$y = a_0 + a_1 u + a_2 v$$

a los datos de la tabla

Agua (%)	Cal (%)	Puzolana (%)
y	u	v
27,5	2,0	18,0
28,0	3,5	16,5
28,8	4,5	10,5
29,1	2,5	2,5
30,0	8,5	9,0
31,0	10,5	4,5
32,0	13,5	1,5

Solución El sistema por resolver es una modificación del sistema de ecuaciones (1) para una función y de dos variables u y v

$$na_0 + a_1 \sum u + a_2 \sum v = \sum y$$
$$a_0 \sum u + a_1 \sum u^2 + a_2 \sum uv = \sum uy$$
$$a_0 \sum u + a_1 \sum vu + a_2 \sum v^2 = \sum vy$$

Con objeto de facilitar el cálculo del sistema anterior, se construye la siguiente tabla:

i	u_i	v_i	y_i	u_i^2	$u_i v_i$	v_i^2	$u_i y_i$	$v_i v_i$
1	2,0	18,0	27,5	4,00	36,00	324,00	55,00	495,00
2	3,5	16,5	28,0	12,25	57,75	272,25	98,00	462,00
3	4,5	10,5	28,8	20,25	47,25	110,25	129,60	302,40
4	2,5	2,5	29,1	6,25	6,25	6,25	72,75	72,75
5	8,5	9,0	30,0	72,25	76,50	81,00	255,00	270,00
6	10,5	4,5	31,0	110,25	47,25	20,25	325,50	139,50
7	13,5	1,5	32,0	182,25	20,25	2,25	432,00	48,00
$\sum$ Totales	45,0	65,5	206,4	407,75	291,25	816,25	1367,85	1789,65

Los coeficientes se sustituyen en el sistema de ecuaciones y al aplicar alguno de los métodos estudiados, se obtiene

$$a_0 = 28,69 \qquad a_1 = 0,2569 \qquad a_2 = -0,09607$$

Al sustituir los valores se obtiene

$$y = 28,69 + 0,2569u - 0,09607v$$

Los cálculos los podemos realizar en Octave con el siguiente Script

```
u=[2; 3.5; 4.5; 2.5; 8.5; 10.5; 13.5];
v=[18; 16.5; 10.5; 2.5; 9; 4.5; 1.5];
```

y=[27.5; 28; 28.8; 29.1; 30; 31; 32];

A=[size(u,1) sum(u) sum(v);...

sum(u) sum(u.^2) sum(u.*v);...

sum(v) sum(v.*u) sum(v.^2)];

b=[sum(y);sum(u.*y);sum(v.*y)]

a=A\b

Al graficar en el espacio la ecuación y = 28.69 + 0.2569 u − 0.09607 v, resulta un plano que pasa por entre los puntos experimentales, quedando algunos de ellos abajo, otros arriba y los demás en la superficie, pero la suma de los cuadrados de las distancias de estos puntos a la superficie es mínima, respecto de cualquier otro plano que pase entre dichos puntos (véase figura 55).

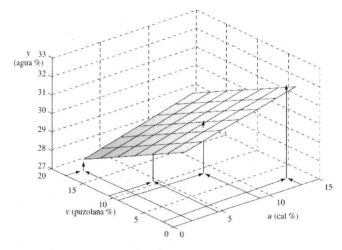

Figura 55. Gráfica del plano y = 28.69+0.2569u − 0.09607v y algunos datos experimentales.

Ejercicios

Ejercicio3.10 A continuación se presentan las presiones de vapor del cloruro de magnesio.

Puntos	0	1	2	3	4	5	6	7
P(mmHg)	10	20	40	60	100	200	400	760
T(°C)	930	988	1050	1088	1142	1316	1323	1418

Calcule la presión de vapor correspondiente a T=1000°C.

Ejercicio 3.11 El brazo de un robot equipado con un láser deberá realizar perforaciones en serie de un mismo radio en placas rectangulares de 15x10 pulgadas. Las perforaciones deberán ubicarse en la placa como se muestra en la siguiente tabla

x pulg	2,00	4,25	5,25	7,81	9,20	10,60
y pulg	7,20	7,10	6,00	5,00	3,50	5,00

Considerando que el recorrido del brazo del robot deberá ser suave, es decir, sin movimiento en zigzag, encuentre un recorrido.

Ejercicio 3.12 Las densidades de las soluciones acuosas del ácido sulfúrico varían con la temperatura y la concentración, de acuerdo con la tabla.

C(%)	T(°C)			
	10	30	60	100
5	1,0344	1,0281	1,014	0,9888
20	1,1453	1,1335	1,1153	1,0885
40	1,3103	1,2953	1,2732	1,2446
70	1,6923	1,6014	1,5753	1,5417

a) Calcule la densidad a una concentración de 40% y una temperatura de 15 °C.

b) Calcule la densidad a 30 °C y concentración de 50%.

c) Calcule la densidad a 50 °C y 60% de concentración.

d) Calcule la temperatura a la cual una solución al 30% tiene una densidad de 1,215.

Ejercicio 3.13 A continuación se proporcionan las velocidades de un cohete espacial en los primeros segundos de su lanzamiento.

Tiempo t (s)	0	10	15	20	25
Velocidad v (m/s)	0	227	365	520	600

Encontrar la velocidad, la aceleración y la distancia recorrida por el cohete a 18 segundos del despegue.

3.3.4 Aproximación de Fourier.[1]

Los ingenieros a menudo tratan con sistemas que oscilan o vibran. Como es de esperarse, las funciones trigonométricas juegan un papel importante en el modelado de tales problemas. La aproximación de Fourier representa un esquema sistemático para utilizar series trigonométricas con este propósito.

Una de las características distintivas del análisis de Fourier es que trata con los dominios de la frecuencia y del tiempo. Como algunos ingenieros requieren trabajar con el último, se ha dedicado gran parte del siguiente material a ofrecer una visión general de la aproximación de Fourier. Un aspecto clave de esta visión será familiarizarse con el dominio de la frecuencia. Luego de dicha orientación se presenta una introducción a los métodos numéricos para calcular transformadas de Fourier discretas.

3.3.4.1 Ajuste de curvas con funciones sinusoidales.

Una función periódica $f(t)$ es aquella para la cual

$$f(t) = f(t + T) \qquad (1)$$

159

donde T es una constante llamada el periodo, que es el valor menor para el cual es válida la ecuación (1). Entre los ejemplos comunes se encuentran diversas formas de onda, como ondas cuadradas y dientes de sierra (figura 56). Las ondas fundamentales son las funciones sinusoidales.

En el presente análisis se usará el término sinusoide para representar cualquier forma de onda que se pueda describir como un seno o un coseno. No existe una convención muy clara para elegir entre estas funciones y, en cualquier caso, los resultados serán idénticos.

En este capítulo se usará el coseno, que generalmente se expresa como

$$f)(t) = A_0 + C_1 cos(\omega_0 t + \theta) \qquad (2)$$

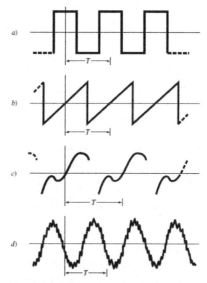

Figura 56. Ondas funciones periódicas a) onda cuadrada, b) onda dientes de sierra, señales periódicas c) no ideales y d) contaminadas por ruido

Así, cuatro parámetros sirven para caracterizar la sinusoide (figura 57). El valor medio A_0, establece la altura promedio sobre las abscisas. La amplitud C_1 especifica la altura de la oscilación. La frecuencia angular ω_0 caracteriza con qué frecuencia se presentan los ciclos. Finalmente, el ángulo de fase, o corrimiento de fase θ, parametriza en qué extensión la sinusoide está corrida horizontalmente. Esto puede medirse como la distancia en radianes desde t = 0 hasta el punto donde la función coseno empieza un nuevo ciclo. Como se ilustra en la figura 19.4a, un valor negativo se conoce como un ángulo de fase de atraso, ya que la curva $cos(\omega_0 t - \theta)$ comienza un nuevo ciclo de q radianes después del $cos(\omega_0 t)$. Así, se dice que $cos(\omega_0 t - \theta)$ tiene un retraso $cos(\omega_0 t)$. En forma opuesta, como se muestra en la figura 58b, un valor positivo se refiere como un ángulo de fase de adelanto. Observe que la frecuencia angular (en radianes/tiempo) se relaciona con la frecuencia f (en ciclos/tiempo) mediante

$$\omega_0 = 2\pi f \qquad (3)$$

y, a su vez, la frecuencia está relacionada con el periodo T (en unidades de tiempo) mediante

$$f = \frac{1}{T} \qquad (4)$$

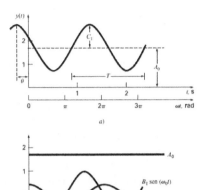

Figura 57. a) función sinusoidal b) la suma de las tres curvas en b dan la curvas simple de a

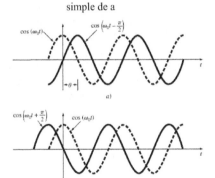

Figura 58. a) ángulo de fase de atraso y b) ángulo de fase de adelanto

Aunque la ecuación (2) representa una caracterización matemática adecuada de una sinusoide, es difícil trabajar desde el punto de vista del ajuste de curvas, pues el corrimiento de fase está incluido en el argumento de la función coseno. Esta deficiencia se resuelve empleando la identidad trigonométrica

$$C_1 cos(\omega_0 t + \theta) = C_1[cos(\omega_0 t)\,cos(\theta) - sen(\omega_0 t)sen(\theta)] \qquad (5)$$

Sustituyendo la ecuación (5) en la (2) y agrupando términos se obtiene (figura 57b)

$$f(t) = A_0 + A_1 cos(\omega_0 t) + B_1 sen(\omega_0 t) \qquad (6)$$

161

donde

$A_1 = C_1\cos(\theta)$ $\qquad\qquad B_1 = -C_1 sen(\theta)$

(7)

Dividiendo las dos ecuaciones anteriores y despejando se obtiene

$$\theta = arctan\left(-\frac{B_1}{a_1}\right) \tag{8}$$

donde, si A1 < 0, sume p a q. Si se elevan al cuadrado y se suman las ecuaciones (7) llegaríamos a

$$C_1 = \sqrt{A_1^2 + B_1^2} \tag{9}$$

Así, la ecuación (6) representa una fórmula alternativa de la ecuación (2) que también requiere cuatro parámetros; pero que se encuentra en el formato de un modelo lineal general. Como se analizará en la próxima sección, es posible aplicarlo simplemente como base para un ajuste por mínimos cuadrados.

Sin embargo, antes de iniciar con la próxima sección, se deberá resaltar que se puede haber empleado la función seno en lugar de coseno, como modelo fundamental de la ecuación (2). Por ejemplo,

$$f(t) = A_0 + C_1 sen(\omega_0 t + \delta)$$

Se pudo haber usado. Se aplican relaciones simples para convertir una forma en otra:

$$sen(\omega_0 t + \delta) = cos\left(\omega_0 t + \delta - \frac{\pi}{2}\right)$$

y

$$cos(\omega_0 t + \theta) = cos\left(\omega_0 t + \theta - \frac{\pi}{2}\right) \tag{10}$$

En otras palabras, q = d – p/2. La única consideración importante es que se debe usar una u otra forma de manera consistente. Aquí, usaremos la versión coseno en todo el análisis.

3.3.5.1.1 Ajuste por mínimos cuadrados de una sinusoide

La ecuación (6) se entiende como un modelo lineal por mínimos cuadrados

$$y = A_0 + A_1 cos(\omega_0 t) + B_1 sen(\omega_0 t) + e \tag{11}$$

que es sólo otro ejemplo del modelo general

$$y = a_0 z_0 + a_1 z_1 + a_2 z_{20} + \cdots + a_m z_m + e$$

Donde $z_0 = 1$, $z_1 = \cos(\omega_0 t)$, $z_2 = sen(\omega_0 t)$ y todas las otras $z = 0$. Así, nuestro objetivo es determinar los valores de los coeficientes que minimicen la función

$$S_r = \sum_{i=1}^{N} \{y_i - [A_0 + A_1 cos(\omega_0 t_i) + B_1 sen(\omega_0 t_i)]\}^2$$

Las ecuaciones normales para lograr esta minimización se expresan en forma matricial como

$$\begin{bmatrix} N & \sum cos(\omega_0 t) & \sum sen(\omega_0 t) \\ \sum cos(\omega_0 t) & \sum cos^2(\omega_0 t) & \sum cos(\omega_0 t)sen(\omega_0 t) \\ \sum sen(\omega_0 t) & \sum cos(\omega_0 t)sen(\omega_0 t) & \sum sen^2(\omega_0 t) \end{bmatrix} \begin{Bmatrix} A_0 \\ A_1 \\ B_1 \end{Bmatrix} =$$

$$\begin{Bmatrix} \sum y \\ \sum ycos(\omega_0 t) \\ \sum ysen(\omega_0 t) \end{Bmatrix} \tag{12}$$

Estas ecuaciones sirven para encontrar los coeficientes desconocidos. aunque, en lugar de hacer esto, se examina el caso especial donde hay N observaciones espaciadas de manera uniforme a intervalos Δt y con una longitud total T = (N − 1)Δt. En esta situación, se determinan los siguientes valores promedio (véase ejemplo 3.14):

$$\frac{\sum sen(\omega_0 t)}{N} = 0 \qquad\qquad \frac{\sum cos(\omega_0 t)}{N} = 0$$

$$\frac{\sum sen^2(\omega_0 t)}{N} = \frac{1}{2} \qquad\qquad \frac{\sum cos^2(\omega_0 t)}{N} = \frac{1}{2} \qquad (13)$$

$$\frac{\sum cos(\omega_0 t)sen(\omega_0 t)}{N} = 0$$

Así, para los puntos igualmente espaciados, las ecuaciones normales se convierten en

$$\begin{bmatrix} N & 0 & 0 \\ 0 & N/2 & 0 \\ 0 & 0 & N/2 \end{bmatrix} \begin{Bmatrix} A_0 \\ A_1 \\ B_1 \end{Bmatrix} = \begin{Bmatrix} \sum y \\ \sum ycos(\omega_0 t) \\ \sum ysen(\omega_0 t) \end{Bmatrix}$$

La inversa de una matriz diagonal es simplemente otra matriz diagonal, cuyos elementos son los recíprocos de la matriz original. Así, los coeficientes se determinan como

$$\begin{Bmatrix} A_0 \\ A_1 \\ B_1 \end{Bmatrix} = \begin{bmatrix} 1/N & 0 & 0 \\ 0 & 2/N & 0 \\ 0 & 0 & 2/N \end{bmatrix} \begin{Bmatrix} \sum y \\ \sum ycos(\omega_0 t) \\ \sum ysen(\omega_0 t) \end{Bmatrix}$$

o

$$A_0 = \frac{\sum y}{N} \qquad (14)$$

$$A_1 = \frac{2}{N}\sum ycos(\omega_0 t) \qquad (15)$$

$$B_1 = \frac{2}{N}\sum ysen(\omega_0 t) \qquad (16)$$

Ejemplo 3.14 La curva de la figura 57 se describe por $y = 1.7 + cos(4,189t + 1,0472)$. Genere 10 valores discretos para esta curva a intervalos $\Delta t = 0,15$ en el intervalo de t=0 a t=1,35. Utilice esta información para evaluar los coeficientes de la ecuación (11) mediante un ajuste por mínimos cuadrados.

Solución. Los datos requeridos para evaluar los coeficientes con w = 4,189 son

t	y	$ycos(\omega_0 t$	$ysen(\omega_0 t$
0	2,200	2,200	0,000
0,15	1,595	1,291	0,938
0,30	1,031	0,319	0,980
0,45	0,722	-0,223	0,687
0,60	0,786	-0,636	0,462
0,75	1,200	-1,200	0,000
0,90	1,805	-1,460	-1,061
1,05	2,369	-0,732	-2,253
1,20	2,678	0,829	-2,547

1,35	2,614	2,114	-1,536
$\sum =$	17,000	2,502	-4,330

Estos resultados se utilizan para determinar [ecuaciones (14) a (16)]

$$A_0 = \frac{17,000}{10} = 1,7 \qquad A_1 = \frac{2}{10}2,502 = 0,500 \qquad B_1 = \frac{2}{10}(-4,330) = -0,866$$

De esta manera, el ajuste por mínimos cuadrados es

$$y = 1,7 + 0,500cos(\omega_0 t) - 0,866sen(\omega_0 t)$$

El modelo se expresa también en el formato de la ecuación (2) calculando [ecuación (8)]

$$\theta = arctan\left(-\frac{-0,866}{0,500}\right) = 1,0472$$

y la ecuación (9)

$$C_1 = \sqrt{(0,5)^2 + (-0,866)^2} = 1,00$$

cuyo resultados es

$$y = 1,7 + cos(\omega_0 t + 1,0472)$$

o, en forma alternativa, con seno utilizando la ecuación (10)

$$y = 1,7 + sen(\omega_0 t + 2,618)$$

El análisis anterior se puede extender al modelo general

$$f(t) = A_0 + A_1cos(\omega_0 t) + B_1sen(\omega_0 t) + A_2cos(2\omega_0 t) + B_2sen(2\omega_0 t) + \cdots$$
$$+ A_mcos(m\omega_0 t) + B_msen(m\omega_0 t)$$

donde, para datos igualmente espaciados, los coeficientes se evalúan con

$$A_0 = \frac{\sum y}{N}$$

$$A_j = \frac{2}{N}\sum ycos(j\omega_0 t)$$
$$B_j = \frac{2}{N}\sum ysen(j\omega_0 t)$$
$$j = 1, 2, \ldots, m$$

Aunque estas relaciones se utilizan para ajustar datos en el sentido de la regresión (es decir, N > 2m + 1), una aplicación alternativa es emplearlos para la interpolación o colocación (es decir, usarlos en el caso donde el número de incógnitas, 2m + 1, es igual al número de datos, N). Éste es el procedimiento usado en la serie de Fourier continua, como se estudiará a continuación.

3.3.5.2 Serie de Fourier continua.

Para una función con un periodo T, se escribe una serie de Fourier continua

$$f(t) = a_0 + a_1cos(\omega_0 t) + b_1sen(\omega_0 t) + a_2cos(2\omega_0 t) + b_2sen(2\omega_0 t) + \cdots$$

o de una manera concisa,

$$f(t) = a_0 + \sum_{k=1}^{\infty}[a_kcos(k\omega_0 t) + b_ksen(k\omega_0 t)] \qquad (17)$$

donde $\omega_0 = 2\pi/T$ se denomina la frecuencia fundamental y sus múltiplos constantes $2\omega_0$, $3\omega_0$, etc., se denominan armónicos. De esta forma, la ecuación (17) expresa a $f(t)$ como una combinación lineal de las funciones base: 1, $cos(\omega_0 t)$, $sen(\omega_0 t)$, $cos(2\omega_0 t)$, $sen(2\omega_0 t)$,...

Como se describe en el cuadro, los coeficientes de la ecuación (17) se calculan por medio de

$$a_k = \frac{2}{T} \int_0^T f(t) \cos(k\omega_0 t)\, dt \qquad (18)$$

y

$$b_k = \frac{2}{T} \int_0^T f(t) \operatorname{sen}(k\omega_0 t)\, dt \qquad (19)$$

para k=1,2,... y

$$a_0 = \frac{1}{T} \int_0^T f(t)\, dt \qquad (20)$$

Cuadro 19.1 Determinación de los coeficientes de la serie de Fourier continua [1]

Como se hizo para los datos discretos de la sección 19.1.1, se establecen las siguientes relaciones:

$$\int_0^T \operatorname{sen}(k\omega_0 t)\, dt = \int_0^T \cos(k\omega_0 t)\, dt = 0 \qquad (C19.1.1)$$

$$\int_0^T \cos(k\omega_0 t)\operatorname{sen}(g\omega_0 t)\, dt = 0 \qquad (C19.1.2)$$

$$\int_0^T \operatorname{sen}(k\omega_0 t)\operatorname{sen}(g\omega_0 t)\, dt = 0 \qquad (C19.1.3)$$

$$\int_0^T \cos(k\omega_0 t)\cos(g\omega_0 t)\, dt = 0 \qquad (C19.1.4)$$

$$\int_0^T \operatorname{sen}^2(k\omega_0 t)\, dt = \int_0^T \cos^2(k\omega_0 t)\, dt = \frac{T}{2} \qquad (C19.1.5)$$

Para evaluar los coeficientes, cada lado de la ecuación (19.17) se integra obteniéndose

$$\int_0^T f(t)\, dt = \int_0^T a_0\, dt + \int_0^T \sum_{k=1}^\infty \left[a_k \cos(k\omega_0 t) \right.$$

$$\left. + b_k \operatorname{sen}(k\omega_0 t) \right]\, dt$$

Como cada término en la sumatoria es de la forma de la ecuación (C19.1.1), la ecuación se convierte en

$$\int_0^T f(t)\, dt = a_0 T$$

en la cual se despeja para tener

$$a_0 = \frac{\int_0^T f(t)\, dt}{T}$$

Así, a_0 es simplemente el valor medio de la función a lo largo del periodo.

Para evaluar uno de los coeficientes del coseno, por ejemplo, a_n, la ecuación (19.17) se multiplica por $(m\omega_0 t)$ e integra para dar

$$\int_0^T f(t)\cos(m\omega_0 t)\, dt = \int_0^T a_0 \cos(m\omega_0 t)\, dt$$

$$+ \int_0^T \sum_{k=1}^\infty a_k \cos(k\omega_0 t)\, \cos(m\omega_0 t)\, dt$$

$$+ \int_0^T \sum_{k=1}^\infty b_k \operatorname{sen}(k\omega_0 t)\, \cos(m\omega_0 t)\, dt \qquad (C19.1.6)$$

En las ecuaciones (C19.1.1), (C19.1.2) y (C19.1.4) se observa que todos los términos del lado derecho son cero, con excepción del caso donde $k = m$. Este último caso se puede evaluar con la ecuación (C19.1.5) y, por lo tanto, de la ecuación (C19.1.6) se obtiene a_m o de manera más general [ecuación (19.18)],

$$a_k = \frac{2}{T} \int_0^T f(t)\cos(k\omega_0 t)\, dt$$

para $k = 1, 2, \dots$

En forma similar, la ecuación (19.17) se multiplica por $\operatorname{sen}(m\omega_0 t)$, se integra y se manipula para dar la ecuación (19.19).

Ejemplo 3.15 Utilice la serie de Fourier continua para aproximar la función de onda cuadrada o rectangular (figura 59)

$$f(t) = \begin{cases} -1 & -T/2 < t < -T/4 \\ 1 & -T/4 < t < -T/4 \\ -1 & T/4 < t < -T/2 \end{cases}$$

Solución. Como la altura promedio de la onda es cero, se obtiene en forma directa un valor de $a_0 = 0$. Los coeficientes restantes se evalúan como sigue [ecuación (18)]

$$a_k = \frac{2}{T} \int_{-T/2}^{T/2} f(t) \cos(k\omega_0 t)\, dt$$

$$= \frac{2}{T}\left[-\int_{-T/2}^{-T/4} f(t)\cos(k\omega_0 t)\,dt + \int_{-T/4}^{T/4} f(t)\cos(k\omega_0 t)\,dt \right.$$
$$\left. -\int_{T/4}^{T/2} f(t)\cos(k\omega_0 t)\,dt \right]$$

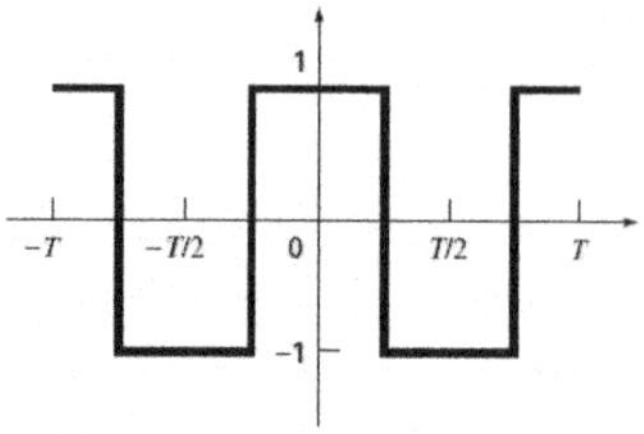

Figura 59. Forma de onda cuadrada o rectangular con una altura de 2 y un periodo T=$2\pi/\omega_0$

Las integrales se evalúan y nos da

$$a_k = \begin{array}{ll} 4/(k\pi) & para\ k = 1,5,9, \ldots \\ -4/(k\pi) & para\ k = 3,7,11, \ldots \\ 0 & para\ k = pares\ enteros \end{array}$$

De manera similar, se determina que todas las b = 0. Entonces, la aproximación de la serie de Fourier es

$$f(t) = \frac{4}{\pi}\cos(\omega_0 t) - \frac{4}{3\pi}\cos(3\omega_0 t) + \frac{4}{5\pi}\cos(5\omega_0 t) - \frac{4}{7\pi}\cos(7\omega_0 t) + \cdots$$

Los resultados hasta los primeros tres términos se muestran en la figura 60.

Debe mencionarse que a la onda cuadrada de la figura 59 se le llama función par, ya que $f(t) = f(-t)$. Otro ejemplo de una función par es cos(t). Se puede demostrar (Van Valkenburg, 1974) que las b_i en la serie de Fourier siempre son iguales a cero en las funciones pares. Observe también que las funciones impares son aquellas en las que $f(t) = -f(-t)$. La función $sen(t)$ es una función impar. En este caso las a_i serán iguales a cero.

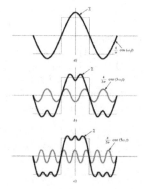

Figura 60. Aproximación de la serie de Fourier para la onda cuadrada de la figura 59. a, b y c términos

Además de la forma trigonométrica de la ecuación (19.17), la serie de Fourier se expresa también en términos de funciones exponenciales como sigue (véase el cuadro de más abajo)

$$f(t) = \sum_{k=-\infty}^{\infty} \tilde{C}_k e^{ik\omega_0 t}$$

donde $i = \sqrt{-1}$ y

$$\tilde{C}_k = \frac{1}{T} \int_{-T/2}^{T/2} f(t) e^{-ik\omega_0 t} \, dt$$

3.3.4.3 Integral y Transformada de Fourier.[1]

Aunque la serie de Fourier es una herramienta útil para investigar el espectro de una función periódica, existen muchas formas de onda que no se autorrepiten de manera regular. Por ejemplo, un relámpago ocurre sólo una vez (o al menos pasará mucho tiempo para que ocurra de nuevo); pero causará interferencia en los receptores que están operando en un amplio rango de frecuencias (por ejemplo, en televisores, radios, receptores de onda corta, etc.). Tal evidencia sugiere que una señal no recurrente como la producida por un relámpago exhibe un espectro de frecuencia continuo. Ya que fenómenos como éstos son de gran interés para los ingenieros, una alternativa a la serie de Fourier sería valiosa para analizar dichas formas de onda no periódicas.

La *integral de Fourier* es la principal herramienta para este propósito. Se puede obtener de la forma exponencial de la serie de Fourier

$$f(t) = \sum_{k=-\infty}^{\infty} \tilde{C}_k e^{ik\omega_0 t}$$

donde

$$\tilde{C}_k = \frac{1}{T} \int_{-T/2}^{T/2} f(t) e^{-ik\omega_0 t} \, dt$$

$\omega_0 = 2\pi/T$ y $k = 0, 1, 2, \dots$

La transición de una función periódica a una no periódica se efectúa al permitir que el periodo tienda al infinito. En otras palabras, conforme T se vuelve infinito, la función nunca se repite y, de esta forma, se vuelve no periódica. Si se permite que ocurra esto, se puede demostrar (por ejemplo, Van Valkenburg, 1974; Hayt y Kemmerly, 1986) que la serie de Fourier se reduce a

$$f(t) = \frac{1}{2\pi} \int_{-\infty}^{\infty} F(i\omega_0) e^{i\omega_0 t} d\omega_0 \tag{21}$$

y los coeficientes se convierten en una función continua de la variable frecuencia w, teniéndose que

$$F(i\omega_0) = \int_{-\infty}^{\infty} f(t) e^{i\omega_0 t} dt \tag{22}$$

La función $F(i\omega_0)$, definida por la ecuación (22), se llama integral de Fourier de $f(t)$. Entonces, las ecuaciones (21) y (22) se conocen como el par de transformadas de Fourier. Así, además de llamarse integral de Fourier, $F(i\omega_0)$ también se denomina transformada de Fourier de $f(t)$. De igual manera, $f(t)$, como se define en la ecuación (21), se conoce como transformada inversa de Fourier de $F(i\omega_0)$. Así, el par nos permite transformar entre uno y otro de los dominios de la frecuencia y del tiempo para una señal no periódica.

La diferencia entre la serie de Fourier y la transformada de Fourier ahora será clara. La principal diferencia radica en que cada una se aplica a un tipo diferente de funciones (las series a formas de onda periódicas y la transformada a las no periódicas). Además de esta diferencia principal, los dos procedimientos difieren en cómo se mueven entre los dominios de la frecuencia y del tiempo. La serie de Fourier convierte una función continua y periódica en el dominio del tiempo, a magnitudes de frecuencia discretas en el dominio de la frecuencia. Al contrario, la transformada de Fourier convierte una función continua en el dominio del tiempo en una función continua en el dominio de la frecuencia. De esta manera, el espectro de frecuencia discreto generado por la serie de Fourier es análogo a un espectro de frecuencia continuo generado por la transformada de Fourier.

El paso de un espectro continuo en uno discreto se puede ilustrar gráficamente. En la figura 61a, se observa el tren de pulsos de ondas rectangulares con amplitudes de pulsación iguales a la mitad del periodo, asociado con su correspondiente espectro discreto.

En la figura 61b, al duplicar el periodo en el tren de pulsos se tienen dos efectos sobre el espectro. Primero, se agregan dos líneas de frecuencia a cada lado de las componentes originales. Segundo, se reducen las amplitudes de las componentes.

Conforme el periodo se aproxima al infinito, dichos efectos generan líneas espectrales cada vez más comprimidas, hasta que el espacio entre las líneas tiende a cero. En el límite, las series convergen a la integral de Fourier continua, como se muestra en la figura 61c.

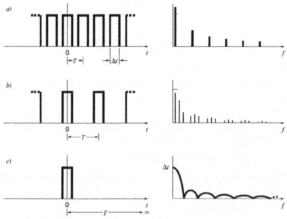

Figura 61. Ilustración de cómo el espectro de frecuencia discreta de una serie de Fourier.

3.3.4.4 Transformada discreta de Fourier.[1]

En ingeniería, las funciones en general se representan por conjuntos finitos de valores discretos. Es decir, los datos con frecuencia se obtienen de, o convierten a, una

168

forma discreta. Como se indica en la figura 62, se puede dividir un intervalo de 0 a t en N subintervalos de igual tamaño $\Delta t = T/N$. El subíndice n se emplea para designar los tiempos discretos a los cuales se toman las muestras. Así, fn designa un valor de la función continua $f(t)$ tomado en tn.

Observe que los puntos asociados con datos se especifican en n = 0, 1, 2,..., N – 1. No hay un valor en n = N. (Véase Ramírez, 1985, para la razón de la exclusión de fN.)

Para el sistema de la figura 62 se escribe la transformada discreta de Fourier como

$$F_k = \sum_{n=0}^{N-1} f_n e^{-ik\omega_0 t} \qquad (27)$$

para $k = 0$ a $N - 1$

y la transformada inversa de Fourier como

$$f_n = \frac{1}{N} \sum_{k=0}^{N-1} F_k e^{i\omega_0 t} \qquad (28)$$

para $n = 0$ a $N - 1$

donde $\omega_0 = 2\pi/N$

Las ecuaciones (27) y (28) representan las análogas discretas de las ecuaciones (26) y (25), respectivamente. Como tales, ellas se emplean para calcular tanto la transformada directa como la inversa de Fourier, para datos discretos. Aunque es posible realizar tales cálculos a mano, son bastante laboriosos. Como lo expresa la ecuación (19.27), la TDF requiere N 2 operaciones complejas. Así, es necesario desarrollar un algoritmo computacional para implementar la TDF.

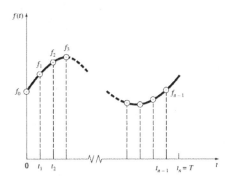

Figura 63. Puntos muestrales de la serie discreta de Fourier

Algoritmo computacional para la TDF Observe que el factor l/N en la ecuación (28) es sólo un factor de escala que se puede incluir tanto en la ecuación (27) como en la (28), pero no en ambas. En nuestro algoritmo computacional, lo incluiremos en la ecuación (27) para que el primer coeficiente F0 (que es el análogo del coeficiente continuo a0) sea igual a la media aritmética de las muestras. También, usaremos la identidad de Euler para implementar un algoritmo con lenguajes que no contengan datos de variables complejas,

169

$$e^{\pm ia} = \cos a \pm i\, sen\, a$$

y después volver a expresar las ecuaciones (27) Y (28) como

$$F_k = \frac{1}{N}\sum_{n=0}^{N}[f_n \cos(k\omega_0 n) - if_n sen(k\omega_0 n)] \qquad (29)$$

y

$$f_n = \sum_{k=0}^{N-1}[F_k \cos(k\omega_0 n) + iF_k\, sen(k\omega_0 n)] \qquad (30)$$

El pseudocódigo se describe más abajo.

DOFOR k = 0, N – 1
DOFOR n = 0, N – 1
angle = kw0n
realk = realk + fn cos(angle)/N
imaginaryk = imaginaryk – fn sin(angle)/N
END DO
END DO

Los resultados obtenidos son los siguientes:

Índice	$f(t)$	Real	Imaginaria
0	1,000	0,000	0,000
1	0,707	0,000	0,000
2	0,000	0,500	0,000
3	-0,707	0,000	0,000
4	-1,000	0,000	0,000
5	-0,707	0,000	0,000
6	0,000	0,000	0,000
7	0,707	0,000	0,000
8	1,000	0,000	0,000
9	0,707	0,000	0,000
10	0,000	0,000	0,000
11	-0,707	0,000	0,000
12	-1,000	0,000	0,000
13	-0,707	0,000	0,000
14	0,000	0,500	0,000
15	0,707	0,000	0,000

Se pide a los estudiantes revisar el tema de la Transformada rápida de Fourier e implementar un programa en Octave.

Ejercicios

Ejercicio 3.14 Los valores promedio de una función se determinan por medio de

$$\overline{f(x)} = \frac{\int_0^x f(x)dx}{x}$$

Emplee esta relación para verificar los resultados de la ecuación (13).

Ejercicio 3.15. Se ha tabulado la radiación solar en Tucson, Arizona, como sigue:

Tiempo, meses	E	F	M	A	M	J	J	A	S	O	N	D
Radiación, W/m^2	144	188	245	311	351	359	308	287	260	211	159	131

Suponga que cada mes tiene 30 días y ajuste una sinusoide a estos datos. Utilice la ecuación resultante para pronosticar la radiación a mediados de agosto.

Ejercicio 3.16 El pH en un reactor varía en formas sinusoidales durante el curso del día. Utilice regresión por mínimos cuadrados para ajustar la ecuación (19.11) a los datos siguientes. Use el ajuste para determinar la media, amplitud y tiempo del pH máximo. Note que el periodo es de 24 h.

Tiempo, h	0	2	4	5	7	9	12	15	20	22	24
pH	7,3	7	7,1	6,5	7,4	7,2	8,9	8,8	8,9	7,9	7

UNIDAD 4 ECUACIONES DIFERENCIALES ORDINARIAS Y PARCIALES.

4.1 Ecuaciones Diferenciales Ordinarias

Muchos problemas importantes en ciencia y ingeniería son modelados mediante ecuaciones diferenciales. Sin embargo, la probabilidad de saber resolver una ecuación diferencial tomada al azar es prácticamente nula. Este hecho implica la necesidad de utilizar métodos numéricos para su solución. Por otra parte, aunque algunas ecuaciones diferenciales pueden resolverse por métodos analíticos, dicha solución es demasiado complicada y no es de mucha utilidad. Existen también ecuaciones diferenciales cuya solución no puede expresarse en términos de funciones elementales.

Los problemas de ecuaciones diferenciales ordinarias (EDO) se clasifican en problemas con condiciones iniciales y problemas con condiciones en la frontera. Muchos de los problemas con condiciones iniciales dependen del tiempo; en ellos, las condiciones para la solución están dadas en el tiempo inicial. Los métodos numéricos para los problemas con condiciones iniciales difieren en forma significativa de los que se utilizan para los problemas con condiciones en la frontera.

En situaciones reales, la ecuación diferencial que modela el problema es demasiado complicada para resolverse e manera exacta y se toma uno de dos enfoques para aproximar la solución. El primer enfoque es modificar el problema al simplificar la ecuación diferencial por una que se pueda resolver de manera exacta, y a continuación utilizar la solución de la ecuación simplificada para aproximar la solución para el problema original. El otro enfoque, es usar métodos para aproximar del problema original. Este es el enfoque que se toma con más frecuencia debido a que los métodos de aproximación dan resultados más precisos e información del error más realista.

En la tabla 9.1 de la literatura (2) podemos ver un resumen de los métodos para resolver problemas de EDO con condición inicial.

La ecuación (2) representa una familia de curvas en el plano $x - y$, obtenida cada una de ellas para un valor particular de c, como se muestra en la figura 7.3. Cada una de estas curvas corresponde a una solución particular de la EDO (1), y analíticamente dichas constantes se obtienen exigiendo que la solución de esa ecuación pase por algún punto (x_0, y_0); esto es, que

$$y(x_0) = y_0 \qquad (3)$$

lo cual significa que la variable dependiente y vale y_0 cuando la variable independiente x vale x_0 (véase la curva F2 de la figura 64).

Tabla 9.1 Resumen de los métodos para los problemas de EDO con condición inicial [2]

Nombre de los métodos	Fórmula relevante	Error Local	Error Global	Otras características[a]
Ecuaciones no rígidas:				
Métodos de Euler				
hacia adelante	Diferencias hacia adelante	$O(h^2)$	$O(h)$	AI, CF
modificado	Regla del trapecio	$O(h^3)$	$O(h^2)$	AI, CF, NL
hacia atrás	Diferencias hacia atrás	$O(h^2)$	$O(h)$	AI, CF, NL
Runge-Kutta				
de segundo orden	Regla del trapecio	$O(h^3)$	$O(h^2)$	AI, CF
de tercer orden	Regla de 1/3 de Simpson	$O(h^4)$	$O(h^3)$	AI, CF
de cuarto orden	Regla de 1/3 o 3/8 de Simpson	$O(h^5)$	$O(h^4)$	AI, CF
Predictor-corrector				
de segundo orden	(idéntico al de Runge-Kutta de segundo orden)			AI, CF
de tercer orden	Newton hacia atrás	$O(h^4)$	$O(h^3)$	NA, CD
de cuarto orden	Newton hacia atrás	$O(h^5)$	$O(h^4)$	NA, CD
Ecuaciones rígidas:				
Métodos implícitos	Diferencias hacia atrás; método de Gear			AI/NA
Transformación exponencial	Transformación exponencial			AI

[a]NA: Sin capacidad de autoinicialización.
AI: Capacidad de autoinicialización.
CF: El tamaño del intervalo se puede cambiar con facilidad a mitad de la solución.
CD: El tamaño del intervalo se cambia con dificultad.
NL: En cada paso, podría requerirse la solución de ecuaciones no lineales.

En los cursos regulares de cálculo y ecuaciones diferenciales se estudian técnicas analíticas para encontrar soluciones del tipo de la ecuación (2) a problemas como el de la ecuación (1) o, mejor aún, a problemas de valor inicial −ecuación (1) y condición (3), simultáneamente.

En la práctica, la mayoría de las ecuaciones no pueden resolverse utilizando estas técnicas, por lo general debe recurrirse a los métodos numéricos.

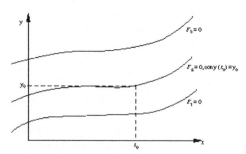

Figura 64. Representación gráfica de la solución general de la ecuación (2)

Cuando se usan métodos numéricos no es posible encontrar soluciones de la forma $F(x, y, c) = 0$, ya que estos trabajan con números y dan por resultado números. Sin embargo, el propósito usual de encontrar una solución es determinar valores de y

(números) correspondientes a valores específicos de x, lo cual es factible con los mencionados métodos numéricos sin tener que encontrar F (x, y, c) = 0.

El problema de valor inicial (PVI) por resolver numéricamente queda formulado como sigue:

a) Una ecuación diferencial de primer orden [del tipo (1)].

b) El valor de y en un punto conocido x_0 (condición inicial).

c) El valor x_f donde se quiere conocer el valor de y (y_f).

En lenguaje matemático quedara así:

$$PVI \begin{cases} \frac{dy}{dx} = F(x,y) \\ y(x_0) = y_0 \\ y(x_f) = ? \end{cases} \qquad (4)$$

El método de Euler es el más simple de los métodos numéricos para resolver un problema de valor inicial del tipo (4). Consiste en dividir el intervalo que va de x0 a xf en n subintervalos de ancho h (véase figura 65); o sea

$$h = \frac{x_f - x_0}{n} \qquad (5)$$

de manera que se obtiene un conjunto discreto de (n + 1) puntos: $x_0, x_1, x_2, \dots, x_n$ del intervalo de interés $[x_0, x_f]$. Para cualquiera de estos puntos se cumple que

$$x_i = x_0 + ih, \qquad 0 \le i \le n \qquad (6)$$

La condición inicial y $(x_0) = y_0$ representa el punto $P_0 = (x_0, y_0)$ por donde pasa la curva solución de la ecuación 7.11, la cual por simplicidad se denotara como $F(x) = y$, en lugar de $F(x, y, c_1) = 0$.

Con el punto P_0 se puede evaluar la primera derivada de $F(x)$ en ese punto; a saber

$$F'(x) = \frac{dy}{dx} \qquad P_0 = f(x_0, y_0) \qquad (7)$$

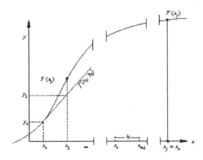

Figura 66. Deducción gráfica del método de Euler.

Con esta información se procede a trazar una recta, aquella que pasa por P0 y de pendiente $f(x_0, y_0)$. Esta recta aproxima $F(x)$ en una vecindad de x_0. Tómese la recta como remplazo de F (x) y localícese en ella (la recta) el valor de y correspondiente a x_1. Entonces, de la figura 66

173

$$\frac{y_1 - y_0}{x_1 - x_0} = f(x_0, y_0) \qquad (8)$$

Se resuelve para y_1

$$y_1 = y_0 + (x_1 - x_0)f(x_0, y_0) = y_0 + hf(x_0, y_0) \quad (9)$$

Es evidente que la ordenada y_1 calculada de esta manera no es igual a $F(x_1)$, pues existe un pequeño error. No obstante, el valor y_1 sirve para aproximar $F'(x)$ en el punto $P = (x_1, y_1)$ y repetir el procedimiento anterior a fin de generar la sucesión de aproximaciones siguiente:

$$
\begin{aligned}
y_1 &= & y_0 + hf(x_0, y_0) \\
y_2 &= & y_1 + hf(x_1, f_1) \\
&\vdots \\
y_{i+1} &= & y_i + hf(x_i, y_i) \\
&\vdots \\
y_n &= & y_{n-1} + hf(x_{n-1}, y_{n-1})
\end{aligned}
\qquad (10)
$$

Como se muestra en la figura 67, en esencia se trata de aproximar la curva y = F (x) por medio de una serie de segmentos de línea recta.

Dado que la aproximación a una curva mediante una línea recta no es exacta, se comete un error propio del método mismo. De modo similar a como se hizo en otros capítulos, este se denominará error de truncamiento. Dicho error puede disminuirse tanto como se quiera (al menos teóricamente) reduciendo el valor de h, pero a cambio de un mayor número de cálculos y tiempo de máquina y, por consiguiente, de un error de redondeo más alto.

4.1.1 Método de Euler.
La ecuación diferencial ordinaria (EDO) general de primer orden es

$$\frac{dy}{dx} = f(x, y) \qquad (1)$$

En la teoría de las EDO se establece que su solución general debe contener una constante arbitraria c, de tal modo que la solución general de la ecuación (1) es

$$F(x, y, z) = 0 \qquad (2)$$

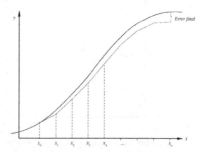

Figura 67. Aplicación repetida del método de Euler.
Ejemplo 4.1 Resuelva el siguiente

$$PVI \begin{cases} \dfrac{dy}{dx} = (x - y) \\ y(0) = 2 \\ y(1) =? \end{cases}$$

mediante el método de Euler.

Solución. El intervalo de interés para este ejemplo es $[0, 1]$ y al dividirlo en cinco subintervalos se tiene

$$h = \frac{1 - 0}{5} = 0,2$$

con lo cual se generan los argumentos

$$x_0 = 0,0 \, , x_1 = x_0 + h = 0,0 + 0,2 = 0,2$$
$$x_2 = x_1 + h = 0,2 + 0,2 = 0,4$$
$$\vdots$$
$$x_5 = x_4 + h = 0,8 + 0,2 = 1,0$$

Con $x_0 = 0,0$, $y_0 = 2$ y las ecuaciones 10 se obtienen los valores

$$y_1 = y(0,2) = 2 + 0,2(0,0 - 2) = 1,6$$
$$y_2 = y(0,4) = 1,6 + 0,2(0,2 - 1,6) = 1,32$$
$$y_3 = y(0,6) = 1,32 + 0,2(0,4 - 1,32) = 1,136$$
$$y_4 = y(0,8) = 1,136 + 0,2(0,6 - 1,136) = 1,0288$$
$$y_5 = y(1,0) = 1,0288 + 0,2(0,8 - 1,0288) = 0,98304$$

$y_1 = y(0.2) = 2 + 0.2|0.0 - 2| = 1.6$
$y_2 = y(0.4) = 1.6 + 0.2|0.2 - 1.6| = 1.32$
$y_3 = y(0.6) = 1.32 + 0.2|0.4 - 1.32| = 1.136$
$y_4 = y(0.8) = 1.136 + 0.2|0.6 - 1.136| = 1.0288$
$y_5 = y(1.0) = 1.0288 + 0.2|0.8 - 1.0288| = 0.98304$

Por otro lado, la solución analítica es $1,10364$, el error cometido es $0,1206$ en valor absoluto y $10,92$ por ciento (véase figura 68)

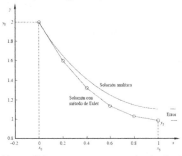

Figura 68. Solución analítica en contraste con el método de Euler aplicado 5 veces.

Generamos en Octave un Script

```
function [] = Main()
    disp("Ingrese los valores iniciales de (x,y)");
    prompt = ("a = xo = ");
    xinicial = input(prompt);
```

175

```
prompt = ("yo = ");
yinicial = input(prompt);

disp("\nIngrese N y xfinal");
prompt = ("N = ");
n = input(prompt);
prompt = ("b = xf = ");
xfinal = input(prompt);

delta = (xfinal-xinicial)/n;
printf("\nCalculo de Delta\n Delta = (b-a)/n \n");
printf("Delta = %f\n",delta);

Calculo(delta,xinicial,yinicial,n);
endfunction
function [] = Calculo(delta, xinicial, yinicial, n)
array_x = zeros(1,n+1);
array_y = zeros(1,n+1);

band = true;
for i = 1: n+1

  if(band == false)
    disp("\nCalculo de x:")
    printf("\n x = a + i * Delta");
    printf("\n x = %f + %d * %f",xinicial,round(i),delta);
    array_x(i) = xinicial+ (i-1)*delta;
    printf("\n x = %f \n" , array_x(i));

    array_y(i) = array_y(i-1) + delta*expresion;
    disp("\nCaculo de y:")
    printf("\n y = y(n-1) + Delta * Funcion");
    printf("\n y = %f + %f * %f",array_y(i-1), delta, expresion)
    printf("\n y = %f \n" , array_y(i));

  else
    array_y(i) = yinicial;
    array_x(i) = xinicial;
    band = false;
  endif
  if(i == n+1)
    break;
  else
    expresion = (array_y(i))^(1/2) * array_x(i);
```

```
printf("\nCalculo de Funcion: ");
printf("\n \t\ty(n-1)^1/2*x(n-1)")
printf("\n funcion = (%f)^1/2 * %f \n", array_y(i), array_x(i));
printf("\n funcion = %f \n", expresion);
endif
endfor
disp("\nx:");
fprintf(" %f ",(array_x));
disp("\ny:");
fprintf(" %f ",(array_y));
disp("");
endfunction
```

4.1.2 Método de Euler modificado.

En el método de Euler se tomó como válida, para todo el primer subintervalo, la derivada encontrada en un extremo de este (véase figura 66). Para obtener una exactitud razonable se utiliza un intervalo muy pequeño, a cambio de un error de redondeo mayor (ya que se realizarán más cálculos).

El método de Euler modificado trata de evitar este problema utilizando un valor promedio de la derivada tomada en los dos extremos del intervalo, en lugar de la derivada tomada en un solo extremo.

Este método consta de dos pasos básicos:

1. Se parte de (x_0, y_0) y se utiliza el método de Euler a fin de calcular el valor de y correspondiente a x_1. Este valor de y se denotara aquí como $y - 1$, ya que solo es un valor transitorio para y_1. Esta parte del proceso se conoce como paso predictor.

2. El segundo paso se llama corrector, pues trata de corregir la predicción. En el nuevo punto obtenido (x1, y1) se evalúa la derivada $f(x_1, y_1)$ usando la ecuación diferencial ordinaria del PVI que se esté resolviendo; se obtiene la media aritmética de esta derivada y la derivada en el punto inicial (x_0, y_0)

$$\frac{1}{2}[f(x_0, y_0) + f(x_1, \bar{y}_1)] = derivada\ promedio$$

Se usa la derivada promedio para calcular con la ecuación (10) un nuevo valor de y_1, que deberá ser más exacto que y_1

$$y_1 = y_0 + \frac{(x_1 - x_0)}{2}[f(x_0, y_0) + f(x_1, \bar{y}_1)]$$

y que se tomara como valor definitivo de y_1 (véase figura 69). Este procedimiento se repite hasta llegar a y_n.

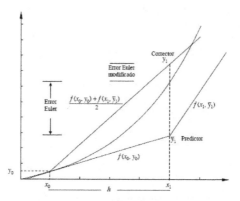

Figura 69. Primera iteración del método de Euler modificado.

El esquema iterativo para este método quedaría en general así:

Primero, usando el paso de predicción resulta

$$\bar{y}_{i+1} = y_i + hf(x_i, y_i) \qquad (11a)$$

Una vez obtenida $\bar{y}_{i+1}$ se calcula $f(x_{i+1}, \bar{y}_{i+1})$, la derivada en el punto (x_{i+1}, y_{i+1}) y se promedia con la derivada previa $f(x_i, y_i)$ para encontrar la derivada promedio

$$\frac{1}{2}[f(x_i, y_i) + f(x_{i+1}, \bar{y}_{i+1})]$$

Se sustituye $f(x_i, y_i)$ con este valor promedio en la ecuación de iteración de Euler y se obtiene

$$y_{i+1} = y_i + \frac{h}{2}[f(x_i, y_i) + f(x_{i+1}, \bar{y}_{i+1})] \qquad (11b)$$

Ejemplo 4.2 Resuelva el PVI del ejemplo 4.1 por el método de Euler modificado.

Solución. Al utilizar nuevamente cinco intervalos, para que la comparación de los resultados obtenidos sea consistente con los anteriores, se tiene:

1ª iteración

Primer paso: $\overline{y_1} = y_0 + hf(x_0, y_0) = 2 + 0{,}2(0 - 2) = 1{,}6$

Segundo paso: $\frac{1}{2}[f(x_0, y_0) + f(x_1, \bar{y}_1)] = \frac{1}{2}[(0 - 2) + (0{,}2 - 1{,}6)] = -1{,}7$

$$y(0{,}2) = y_1 = 2 + 0{,}2(-1{,}7) = 1{,}66$$

2ª iteración

Primer paso: $\bar{y}_2 = y_1 + hf(x_1, y_1) = 1{,}66 + 0{,}2(0{,}2 - 1{,}66) = 1{,}368$

Segundo paso: $\frac{1}{2}[f(x_1, y_1) + f(x_2, \bar{y}_2)] = \frac{1}{2}[(0 - 2) + (0{,}4 - 1{,}368)] = -1{,}214$

$$y(0{,}4) = y_2 = 1{,}66 + 0{,}2(-1{,}214) = 1{,}4172$$

Al continuar los cálculos se llega a

$$\bar{y}_5 = 1{,}08509$$
$$y_5 = 1{,}11222$$

En la figura 70 podemos encontrar un pseudocódigo para la versión mejorada del método de Euler.

```
a) Programa principal o "manejador"

Asigna valores para
y = valor inicial variable dependiente
xi = valor inicial variable independiente
xf = valor final variable independiente
dx = cálculo del tamaño de paso
xout = intervalo de salida

x = xi
m = 0
xpₘ = x
ypₘ = y
DO
    xend = x + xout
    IF (xend > xf) THEN xend = xf
    h = dx
    CALL Integrator (x, y, h, xend)
    m = m + 1
    xpₘ = x
    ypₘ = y
    IF (x ≥ xf) EXIT
END DO
DISPLAY RESULTS
END
```

```
b) Rutina para tomar un paso de salida

SUB Integrator (x, y, h, xend)
DO
    IF (xend - x < h) THEN h = xend - x
    CALL Euler (x, y, h, ynew)
    y = ynew
    IF (x ≥ xend) EXIT
END DO
END SUB
```

```
c) Método de Euler para una EDO sola

SUB Euler (x, y, h, ynew)
CALL Derivs(x, y, dydx)
ynew = y + dydx * h
x = x + h
END SUB
```

```
d) Rutina para determinar la derivada

SUB Derivs (x, y, dydx)
dydx = ...
END SUB
```

Figura 70. Pseudocódigo para el Método de Euler mejorado.

4.1.3 Métodos de Runge - Kutta.

Los métodos de Runge - Kutta, para resolver el PVI (ecuación 4), consisten en obtener un resultado al que se podría llegar al utilizar un número finito de términos de una serie de Taylor de la forma

$$y_{i+1} = y_1 + hf(x_i, y_i) + \frac{h^2}{2!} f'(x_i, y_i) + \frac{h^3}{3!} f''(x_i, y_i) + \cdots \quad (12)$$

con una aproximación en la cual se calcula y_{i+1} de una formula del tipo

$$y_{i+1} = y_1 + h[\propto_0 f(x_i, y_i) + \propto_1 f(x_i + \mu_1 h, y_i + b_1 h) + \propto_2 f(x_i + \mu_2 h, y_i + b_2 h) + \cdots + \propto_p f(x_i + \mu_p h, y_i + b_p h)]$$

(13)

donde las α, μ y b se determinan de modo que si se expandiera $f(x_i + \mu jh, y_i + b_j h)$, con j = 1, ..., p en series de Taylor alrededor de (xi, yi), se observaría que los coeficientes de h, h2, h3, ..., coincidirían con los coeficientes correspondientes de la ecuación (12).

A continuación se derivara solo el caso más simple, cuando p = 1, para ilustrar el procedimiento del caso general, ya que los lineamientos son los mismos.

A fin de simplificar y sistematizar la derivación, conviene expresar la ecuación (13) con p = 1 en la forma

$$y_{i+1} = y_1 + h[\propto_0 f(x_i, y_i) + \propto_1 f(x_i + \mu h, y_i + bh)] \quad (14)$$

Obsérvese que en esta expresión se evalúa f en (x_i, y_i) y en $(x_i + \mu h, y_i + bh)$. El valor $x_i + \mu h$ es tal que $x_i < x_i + \mu h \le x_{i+1}$, para mantener la abscisa del segundo punto dentro del intervalo de interés (véase figura 71), con lo que $0 < \mu \le 1$.

179

Por otro lado, b puede manejarse más libremente y expresarse yi + bh, sin pérdida de generalidad, como una ordenada arriba o abajo de la ordenada que da el método de Euler simple

$$y_i + bh = y_i + \lambda h f(x_i, y_i) = y_i + \lambda \kappa_0 \qquad (15)$$

con $\kappa_0 = h f(x_i, y_i)$

Queda entonces por determinar α0, α1, μ y λ, tales que la ecuación (14) tenga una expansión en potencias de h, cuyos primeros términos, tantos como sea posible, coincidan con los primeros términos de la (12).

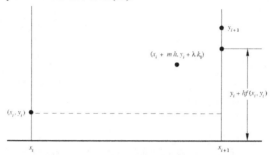

Figura 71. Deducción del método de Runge – Kutta

Para obtener los parámetros desconocidos, se expande primero $f(x_i + \mu h, y_i + \lambda k_0)$ en serie de Taylor (obviamente mediante el desarrollo de Taylor de funciones de dos variables).

$$f(x_i + uh, y_i + \lambda k_0) = f(x_i, y_i) + \mu h \frac{\partial f}{\partial x} + \lambda k_0 \frac{\partial f}{\partial x} + \frac{\mu^2 h^2}{2!} \frac{\partial^2 f}{\partial x^2} + \mu h \lambda k_0 \frac{\partial^2 y}{\partial x \partial y} +$$
$$\frac{\lambda^2 k_0^2}{2!} \frac{\partial^2 f}{\partial y^2} + O(h^3) \qquad (16)$$

Todas las derivadas parciales son evaluadas en (x_i, y_i).

Se sustituye en la ecuación (14)

$$y_{i+1} = y_1 + \alpha_0 \, h f(x_i, y_i)$$
$$+ \alpha_1 \, h \left[f(x_i, y_i) + \mu h \frac{\partial f}{\partial x} + \lambda k_0 \frac{\partial f}{\partial y} + \frac{\mu^2 h^2}{2!} \frac{\partial^2 f}{\partial x^2} + \mu h \lambda k_0 \frac{\partial^2 y}{\partial x \partial y} \right.$$
$$\left. + \frac{\lambda^2 k_0^2}{2!} \frac{\partial^2 f}{\partial y^2} + O(h^3) \right]$$

Esta última ecuación se arregla en potencias de h, y queda

$$y_{i+1} = y_1 + h f(\alpha_0 + \alpha_1) f(x_i, y_i) + h^2 \, \alpha_1 + \left(\mu \frac{\partial f}{\partial x} + \lambda f(x_i, y_i) \frac{\partial f}{\partial y} \right) +$$
$$\frac{h^3}{2} \alpha_1 \left(\mu^2 \frac{\partial^2 f}{\partial x^2} + 2\mu\lambda f(x_i, y_i) \frac{\partial^2 y}{\partial x \partial y} + \lambda^2 f^2(x_i, y_i) \frac{\partial^2 f}{\partial y^2} \right) + O(h^4) \qquad (17)$$

Para que los coeficientes correspondientes de h y h^2 coincidan en las ecuaciones (12) y (17) se requiere

$$\alpha_0 + \alpha_1 = 1$$
$$\mu \alpha_1 = \frac{1}{2} \qquad \lambda \alpha_1 = \frac{1}{2} \qquad (18)$$

Hay cuatro incógnitas para solo tres ecuaciones; por tanto, se tiene un grado de libertad en la solución de la ecuación (18). Podría pensarse en usar dicho grado de libertad para hacer coincidir los coeficientes de h^3. Sin embargo, resulta obvio que esto es imposible para cualquier forma que tenga la función $f(x, y)$. Existe por tanto un número infinito de soluciones de la ecuación (18), pero quizá la más simple sea

$$\propto_0 = \propto_1 = \frac{1}{2}; \ \mu = \lambda = 1$$

Esta elección conduce al sustituir en la ecuación (14) a

$$y_{i+1} = y_i + \frac{h}{2}[f(x_i, y_i) + f(x_i + h, y_i + hf(x_i, y_i))]$$

o bien con

$$y_{i+1} = y_i + \frac{h}{2}(\kappa_0 + \kappa_1)$$

$$\kappa_0 = f(x_i, y_i); \quad \kappa_1 = f(x_i + h, y_i + h\kappa_0)$$

(19)

conocida como *algoritmo de Runge-Kutta* de segundo orden (lo de segundo orden se debe a que coincide con los primeros tres términos de la serie de Taylor), que es la fórmula del método de Euler modificado, con dos pasos sintetizados en uno.

Por ser orden superior al de Euler, este método proporciona mayor exactitud (véase el ejemplo 4.2); por tanto, es posible usar un valor de h no tan pequeño como en el primero. El precio es la evaluación de $f(x, y)$ dos veces en cada subintervalo, contra una en el método de Euler.

Las fórmulas de Runge-Kutta, de cualquier orden, se pueden derivar en la misma forma en que se llega a la ecuación (19).

El *método de Runge-Kutta de cuarto orden* (igual que para orden dos, existen muchos métodos de cuarto orden) es una de las fórmulas más usadas de esta familia y está dado como:

$$y_{i+1} = y_i + \frac{h}{6}(\kappa_1 + \kappa_2 + \kappa_3 + \kappa_4)$$

(20)

donde

$$\kappa_1 = f(x_i, y_i)$$
$$\kappa_2 = f(x_i + h/2, h\kappa_1/2)$$
$$\kappa_3 = f(x_i + h/2, h\kappa_2/2)$$
$$\kappa_4 = f(x_i + h, y_i, h\kappa_3)$$

En la ecuación (20) hay coincidencia con los primeros cinco términos de la serie de Taylor, lo cual significa gran exactitud sin cálculo de derivadas; pero a cambio, hay que evaluar la función $f(x, y)$ cuatro veces en cada subintervalo.

Al igual que en el método de Euler modificado, puede verse a los métodos de Runge-Kutta como la ponderación de pendientes k_1, $k2$, k_3 y k_4 con pesos 1, 2, 2, 1, respectivamente para el caso de cuarto orden, dando lugar a una recta de pendiente $(k_1 + 2k_2 + 2k_3 + k_4)/6$, la cual pasa por el punto (x_0, y_0), que es la que se usa para obtener y_1 (véase figura 72).

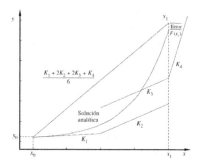

Figura 72 Interpretación gráfica del método de Runge – Kutta de cuarto orden.

Ejemplo 4.3 Resuelva el PVI del ejemplo 4.1 por el método de Runge – Kutta de cuarto orden (RK-4).

Solución. Al tomar nuevamente cinco subintervalos y emplear la ecuación (20), obtenemos

1ª iteración

Cálculo de las constantes k_1, k_2, k_3 y k_4

$$k_1 = f(x_0, y_0) = (0 - 2) = -2$$
$$k_2 = f(x_0 + h/2, y_0 + h\,k_1/2) = [(0 + 0,2/2) - (2 + 0,2(2)/2)] = -1,7$$
$$k_3 = f(x_0 + h/2, y_0 + h\,k_2/2) = [(0 + 0,2/2) - (2 + 0,2(-1,7)/2)] = -1,73$$
$$k_4 = f(x_0 + h/2, y_0 + h\,k_3/2) = [(0 + 0,2) - (2 + 0,2(-1,73))] = -1,454$$

Cálculo de y_1

$$y(0,2) = y_1 = y_0 + \frac{h}{6}(k_1 + k_2 + k_3 + k_4)$$

$$= 2 + \left(\frac{0,2}{6}\right)(-2 + 2(-1,7) + 2(1,73) - 1,454) = 1,6562$$

2ª iteración

Cálculo de las constantes k_1, k_2, k_3 y k_4

$$k_1 = f(x_1, y_1) = (0,2 - 1,6562) = -1,4562$$
$$k_2 = f(x_1 + h/2, y_1 + h\,k_1/2) = [(0 + 0,2/2) - (1,6562 + 0,2(-1,4562)/2)] = -1,21058$$
$$k_3 = f(x_1 + h/2, y_1 + h\,k_2/2) = [(0,2 + 0,2/2) - (1,6562 + 0,2(-1,21058)/2)] = -1,235142$$
$$k_4 = f(x_1 + h/2, y_1 + h\,k_3/2) = [(0,2 + 0,2) - (1,6562 + 0,2(-1,235142))] = -1,0091716$$

Cálculo de y_2

$$y(0,4) = y_2 = y_1 + \frac{h}{6}(k_1 + 2k_2 + 2k_3 + k_4)$$

$$= 1,6562 + \left(\frac{0,2}{6}\right)(-1,4562 + 2(-1,21058) + 2(1,235142) - 1,0091716)$$

$$= 1,410972813$$

Con la continuación de este procedimiento se obtiene

$$y(0,6) = y_3 = 1,246450474$$
$$y(0,8) = y_4 = 1,148003885$$
$$y(1,0) = y_5 = 1,103655714$$

182

que da un error absoluto de 0.00001 y un error porcentual de 0.0009.

A continuación presentamos en Octave el Script para el orden cuatro

```
%Metodo de runge-kutta  en octave
clc;

function [x, y] = rungeKuttaOrdenCuatro(f, ti , tf,  h)
  x = ti:h:tf;  % [ ti , ti=ti+h...  tf ]
  y(1) = 4;  %asignando el primer valor al vector y[1] = 4

  for i=1:length(x)-1
    k1 = f(x(i), y(i));
    k2 = f(x(i) + (h/2), y(i) + ((k1*h)/2));
    k3 = f(x(i) + (h/2), y(i) + ((k2*h)/2));
    k4 = f(x(i) + h, y(i)+ k3*h);
    y(i+1) = y(i) + (1/6)*(k1 + 2*k2 + 2*k3 + k4)*h;
  endfor

endfunction

f = @(x,t) (t + 1)*(x + 1)*cos(x^2 + 2*x);
ti = input("ingrese el valor del tiempo inicial ti: ");
tf = input("ingrese el valor del tiempo inicial tf: ");
h = input("ingrese el valor de paso h: ");
[x, y] = rungeKuttaOrdenCuatro(f, ti, tf, h);

fprintf("%s\t %s\n", "x" ,"y");
for i=1:length(x)
  fprintf("%.4f\t", x(i));
  fprintf("%.4f", y(i));
  fprintf("\n");
endfor


plot(x, y,"r*")
xlabel("Eje x")
ylabel("Eje y")
title("grafica runge - kutta ")
```

4.1.4 Métodos Rígidos y de pasos múltiples.
4.1.4.1 Métodos Rígidos.

El término rigidez constituye un problema especial que puede surgir en la solución de ecuaciones diferenciales ordinarias. Un sistema rígido es aquel que tiene componentes que cambian rápidamente, junto con componentes de cambio lento. En muchos casos, los componentes de variación rápida son efímeros, transitorios, que desaparecen, después de lo cual la solución es dominada por componentes de variación lenta. Aunque los fenómenos transitorios existen sólo en una pequeña parte del intervalo de integración, pueden determinar el tiempo en toda la solución.

Tanto las EDO individuales como los sistemas pueden ser rígidos. Un ejemplo de una EDO rígida es:

$$\frac{dy}{dt} = -1000y + 3000 - 2000e^{-t} \tag{1}$$

Si $y(0) = 0$, la solución analítica que se obtiene es:

$$y = 3 - 0{,}998e^{-1000t} - 2{,}002e^{-t} \tag{2}$$

Como se muestra en la figura 73, la solución al principio se encuentra dominada por el término exponencial rápido (e−1 000t). Después de un periodo muy corto (t < 0.005), esta parte transitoria termina y la solución se regirá por el exponencial lento (e$^-$^{t}).

Al examinar la parte homogénea de la ecuación (26.l), se conoce el tamaño de paso necesario para la estabilidad de tal solución:

$$\frac{dy}{dt} = -ay \tag{3}$$

Si $y(0) = y_0$, puede usarse el cálculo para determinar la solución

$$y = y_0 e^{-at}$$

Así, la solución empieza en y_0 y asintóticamente se aproxima a cero.

Es factible usar el método de Euler para resolver el mismo problema en forma numérica:

$$y_{i+1} = y_i + \frac{dy_i}{dt}h$$

Al sustituir la ecuación (3) se tiene

$$y_{i+1} = y_i - ay_i h$$

o

$$y_{i+1} = y_i(1 - ah) \tag{4}$$

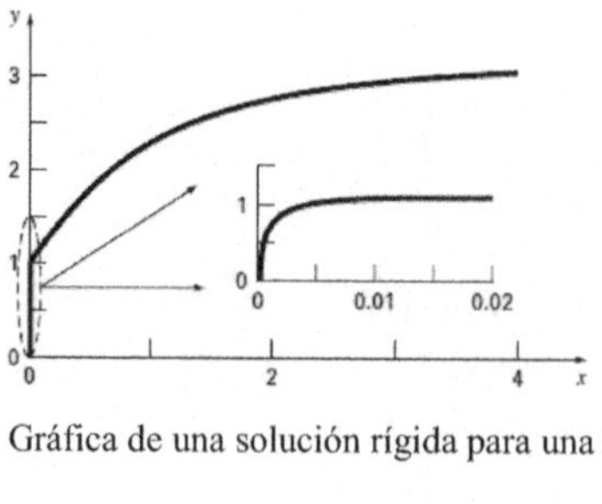

Figura 73. Gráfica de una solución rígida para una sola EDO.

La estabilidad de esta fórmula, sin duda, depende del tamaño de paso h. Es decir, $|1 - ah|$ debe ser menor que 1. Entonces, si $h > 2/a$, $|y_i| \to \infty$ conforme $i \to \infty$.

En la parte transitoria rápida de la ecuación (2) se utiliza este criterio con la finalidad de mostrar que para mantener la estabilidad el tamaño de paso debe ser < 2/1 000 = 0.002. Además, deberá observarse que mientras este criterio mantiene la estabilidad (es decir, una solución acotada), sería necesario un tamaño de paso aún más pequeño para obtener una solución exacta. Así, aunque la parte transitoria se presenta sólo en una pequeña fracción del intervalo de integración, ésta controla el tamaño de paso máximo permitido.

En lugar de usar procedimientos explícitos, los métodos implícitos ofrecen una solución alternativa. Tales representaciones se denominan implícitas, debido a que la incógnita aparece en ambos lados de la ecuación. Una forma implícita del método de Euler se desarrolla evaluando la derivada en el tiempo futuro,

$$y_{i+1} = y_i + \frac{dy_{i+1}}{dt} h$$

A esto se le llama: <u>método de Euler hacia atrás o implícito</u>. Si se sustituye la ecuación (3) se llega a:

$$y_{i+1} = y_i - ay_{i+1}h$$

de donde se obtiene

$$y_{i+1} = \frac{y_i}{1+ah} \qquad (5)$$

En este caso, sin importar el tamaño de paso, $|y_i| \to 0$ conforme $i \to \infty$. De ahí que el procedimiento se llame <u>incondicionalmente estable</u>.

Ejemplo 4.4 Con los métodos explícito e implícito de Euler resuelva

$$\frac{dy}{dt} = -1000y + 3000 - 2000e^{-t}$$

donde y(0) = 0.

a) Use el método de Euler explícito con tamaños de paso de 0.0005 y 0.0015 para encontrar y entre t = 0 y 0.006.

b) Utilice el método implícito de Euler con un tamaño de paso de 0.05 para encontrar y entre 0 y 0.4.

Solución.

a) En este problema, el método explícito de Euler es:

$$y_{i+1} = y_i + (1000y_i + 3000 - 2000e^{-t_1})h$$

El resultado para h = 0.0005 se despliega en la figura 74a junto con la solución analítica. Aunque muestre algún error de truncamiento, el resultado capta la forma general de la solución analítica. En cambio, cuando el tamaño de paso se incrementa a un valor justo debajo del límite de estabilidad (h = 0.0015), la solución presenta oscilaciones. Usando h > 0.002 se tiene como resultado una solución totalmente inestable; es decir, la solución tenderá al infinito conforme se avanza en las iteraciones.

b) El método de Euler implícito es:

$$y_{i+1} = y_i + (1000y_{i+1} + 3000 - 2000e^{-t_{i+1}})h$$

Ahora como la EDO es lineal, se reordena esta ecuación de tal forma que y_{i+1} quede sola en el lado izquierdo,

$$y_{i+1} = \frac{y_i + 3000h - 2000e^{-t_{i+1}}}{1 + 1000h}$$

El resultado con $h = 0.05$ se muestra en la figura 26.2b junto con la solución analítica. Observe que aun cuando usamos un tamaño de paso mucho mayor que aquel que indujo la inestabilidad en el método de Euler explícito, la solución numérica se ajusta muy bien al resultado analítico.

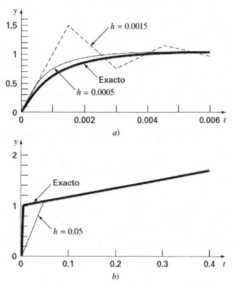

Figuran74. Solución de una EDO "rígida" con los métodos de Euler a) explícito y b) implícito

Los sistemas de EDO también pueden ser rígidos. Un ejemplo es:

$$\frac{dy_1}{dt} = -5y_1 + 3y_2 \tag{6a}$$

$$\frac{dy_2}{dt} = 100y_1 - 301y_2 \tag{6b}$$

Para las condiciones iniciales $y_1(0) = 52.29$ y $y_2(0) = 83.82$, la solución exacta es:

$$y_1 = 52{,}96e^{-3{,}9899t} - 0{,}67e^{-302{,}0101t} \tag{7a}$$

$$y_2 = 17{,}83e^{-3{,}9899t} + 65{,}99e^{-302{,}0101t} \tag{7b}$$

Observe que los exponentes son negativos y difieren por cerca de 2 órdenes de magnitud. Como en una sola ecuación, los exponentes grandes son los que responden rápidamente y representan la esencia de la rigidez del sistema.

Para este ejemplo el método implícito de Euler para sistemas se formula como

$$y_{1,i+1} = y_{1,i} + \left(-5y_{1,i+1} + 3y_{2,i+1}\right)h \tag{8a}$$

$$y_{2,i+1} = y_{2,i} + \left(100y_{1,i+1} + 301y_{2,i+1}\right)h \tag{8b}$$

Al agrupar términos se tiene

$$(1 + 5h)y_{1,i+1} - 3hy_{2,i+1} = y_{1,i} \qquad (9a)$$
$$-100hy_{1,i+1} + (1 + 301h)y_{2,i+1} = y_{2,i} \qquad (9b)$$

Así, notamos que el problema consiste en resolver un conjunto de ecuaciones simultáneas en cada paso.

Para EDO no lineales, la solución se vuelve aún más difícil, ya que debe resolverse un sistema de ecuaciones simultáneas no lineales (recuerde la sección 6.6). Así, aunque se gana estabilidad a través de procedimientos implícitos, se paga un precio al agregar mayor complejidad a la solución.

El método implícito de Euler es incondicionalmente estable y tiene sólo una exactitud de primer orden. También es posible desarrollar de manera similar un esquema de integración para la regla del trapecio implícita de segundo orden para sistemas rígidos. En general, es preferible tener métodos de orden superior.

4.1.4.2 Métodos de pasos múltiples.

Los métodos de un paso utilizan información de un solo punto x_i para predecir un valor de la variable dependiente, y_{i+1}, en un valor futuro, de la variable x_{i+1} (figura 75a). Los procedimientos alternativos, llamados métodos de pasos múltiples o multipasos (figura 75b), se basan en que, una vez empezado el cálculo, se tiene a disposición información de los puntos anteriores. La curvatura de las líneas que unen esos valores previos ofrecen información respecto a la trayectoria de la solución. Los métodos de pasos múltiples explorados en este capítulo aprovechan tal información para resolver las EDO. Antes de describir las versiones de orden superior, presentaremos un método simple de segundo orden que sirve para demostrar las características generales de los procedimientos multipaso.

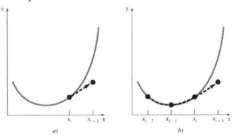

Figura 75. Diferencias entre los métodos de un paso y de pasos múltiples

4.1.4.2.1 Método de Heun sin autoinicio.

El procedimiento de Heun utiliza el método de Euler como un predictor

$$y_{i+1}^0 = y_i + f(x_i, y_i)h \qquad (10)$$

y la regla del trapecio como un corrector

$$y_{i+1} = y_i + \frac{f(x_i,y_i)+f(x_{i+1},y_{i+1}^0)}{2}h \qquad (11)$$

Así, el predictor y el corrector tienen errores de truncamiento local de $O(h2)$ y $O(h3)$, respectivamente. Esto sugiere que el predictor es la parte débil en el método, a causa de que tiene el error más grande. Esta debilidad es significativa puesto que la eficiencia del paso corrector depende de la exactitud de la predicción inicial. En consecuencia, una forma de mejorar el método de Heun consiste en desarrollar un predictor que tenga un error local de $O(h^3)$. Esto se obtiene usando el método de Euler y la pendiente en y_i, así como una información extra de un valor anterior y_{i-l} como en:

$$y_i^0 = y_{i-1} + f(x_i, y_i)2h \qquad (12)$$

Observe que la ecuación (12) alcanza O(h3) a expensas de emplear un tamaño de paso mayor, 2h. Además, note que la ecuación (12) no es de autoinicio, ya que necesita un valor previo de la variable dependiente y_{i-1}. Tal valor no está disponible en un problema común de valor inicial. Por ello, las ecuaciones (11) y (12) se denominan método de Heun sin autoinicio.

Como se indica en la figura 76, la derivada estimada para la ecuación (12) se localiza ahora en el punto medio y no al inicio del intervalo sobre el cual se hace predicción. Como se consideró anteriormente, esta ubicación centrada mejora el error del predictor a $O(h^3)$. Sin embargo, antes de realizar una deducción formal del método de Heun sin autoinicio, lo resumiremos y lo expresaremos utilizando una nomenclatura ligeramente modificada:

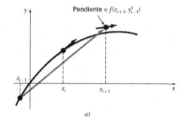

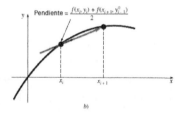

Figura 76.Método de Heun sin autoinicio.

Predictor: $\qquad y_i^0 = y_{i-1}^m + f(x_i, y_i^m)2h \qquad (13)$

Corrector: $\qquad y_{i+1}^j = y_i^m + \dfrac{f(x_i, y_i^m) + f\left(x_{i+1}, y_{i+1}^{j-1}\right)}{2} h \qquad (14)$

(para j=1,2,...m)

donde los superíndices se agregaron para denotar que el corrector se aplica iterativamente desde j = 1 hasta m para obtener mejores soluciones. Observe que y_i^m y y_{i-1}^m son los resultados finales del corrector en los pasos anteriores. Las iteraciones terminan en cualquier paso considerando el criterio de terminación:

$$|\varepsilon_a| = \left|\frac{y_{i+1}^{j}-y_{i+1}^{j-1}}{y_{i+1}^{j}}\right| 100\% \qquad (15)$$

Cuando ε_a es menor que una tolerancia de error es preestablecida, concluyen las iteraciones. En este momento, j = m. El uso de las ecuaciones (13) a (15) para resolver una EDO se demuestra en el siguiente ejemplo.

Ejemplo 4.5 Con el método de Heun sin autoinicio realice los cálculos. Es decir, integre $y' = 4e^{0,8x} - 0.5y$ y desde x = 0 hasta x = 4 con un tamaño de paso de 1.0. Igual que en el ejemplo 25.5, la condición inicial en x = 0 es y = 2. Sin embargo, como aquí tenemos un método de pasos múltiples, requerimos de información adicional, considerando que y = –0.3929953 en x = – 1.

Solución. El predictor [ecuación (13)] se utiliza para extrapolar linealmente de x = –1 a x = 1.

$$y_i^0 = 0,3929953 + \left[4e^{0,8(0)} - 0,5(2)\right]2 = 5,607005$$

El corrector [ecuación (14)] se usa después para calcular el valor:

$$y_1^1 = 2 + \frac{4e^{0,8(0)} - 0,5(2) + 4e^{0,8(1)} - 0,5(5,607005)}{2}1 = 6,549331$$

que representa un error relativo porcentual de –5.73% (valor verdadero = 6.194631). Este error es más pequeño que el valor de –8.18% en el que se incurre con el método de Heun de autoinicio.

Ahora, se aplica la ecuación (14) de manera iterativa para mejorar la solución:

$$y_1^2 = 2 + \frac{3 + 4e^{0,8(1)} - 0,5(6,549331)}{2}1 = 6,313749$$

que representa un ε_t de –1.92%. Se determina un estimado del error utilizando la ecuación (15):

$$|\varepsilon_a| = \left|\frac{6,313749 - 6,549331}{6,313749}\right| 100\% = 3,7\%$$

La ecuación (14) se aplica de manera iterativa hasta que ε_a esté por debajo de un valor pre especificado de ε_s. Sin embargo, como el valor del predictor inicial es más exacto, el método de pasos múltiples converge más rápido.

En el segundo paso, el predictor es:

$$y_2^0 = 2 + \left[4e^{0,8(1)} - 0,5(6,36085)\right]2 = 13,44346 \qquad \varepsilon_t = 9,43\%$$

el cual es mejor que la predicción de 12,08260 (ε_t = 18%) calculada con el método de Heun original. El primer corrector da 15,76693 (ε_t = 6.8%); las siguientes iteraciones convergen al mismo resultado como en el método de Heun de autoinicio: 15,30224 (ε_t = –3.1%). Observe que en el paso anterior, la rapidez de convergencia del corrector es mayor debido a la mejoría de la predicción inicial.

4.1.4.2.1 Método de Milne.

El método de Milne es el método de pasos múltiples más común, basado en las fórmulas de integración de Newton-Cotes. Éste utiliza la fórmula abierta de Newton-Cotes de tres puntos como un predictor:

$$y_{i+1}^0 = y_{i-3}^m + \frac{4h}{3}(2f_i^m - f_{i-1}^m + 2f_{i-2}^m) \qquad (16)$$

y la fórmula cerrada de Newton-Cotes de tres puntos (regla de Simpson 1/3) como corrector:

$$y_{i+1}^j = y_{i-1}^m + \frac{h}{3}\left(f_{i-1}^m + 4f_i^m + f_{i+1}^{j-1}\right) \tag{17}$$

donde j es un índice que representa el número de iteraciones del modificador. El predictor y los modificadores del corrector para el método de Milne se desarrollan a partir de las fórmulas del cuadro (Deducción de relaciones generales para modificadores) y de los coeficientes del error en las tablas (Fórmulas de integración cerrada de Newton-Cotes y Fórmulas de integración abierta de Newton-Cotes):

$$E_p = \frac{28}{29}(y_i^m - y_i^0) \tag{18}$$

$$E_c \cong -\frac{1}{29}(y_{i+1}^m - y_{i+1}^0) \tag{19}$$

Ejemplo 4.6 Con el método de Milne integre y' = 4e0.8x − 0.5y desde x = 0 hasta x = 4 usando un tamaño de paso de 1. La condición inicial en x = 0, es y = 2. Como tratamos con un método de pasos múltiples se necesita de puntos previos. En una aplicación real, se usaría un método de un paso tal como un RK de cuarto orden para calcular los puntos requeridos. En este ejemplo, usaremos la solución analítica obteniéndose los valores exactos para $x_{i-3} = -3$, $x_{i-2} = -2$ y $x_{i-1} = -1$ de $y_{i-3} = -4.547302$, $y_{i-2} = -2.306160$ y $y_{i-1} = -0.3929953$, respectivamente.

Solución. El predictor [ecuación (16)] se usa para calcular el valor en x = 1:

$$y_1^0 = -4,54730 + \frac{4(1)}{3}[2(3) - 1,99381 + 2(1,96067)] = 6,02272$$

$\varepsilon_t = 2,8\%$

El corrector [ecuación (17)] se emplea después para calcular

$$y_1^1 = -0,3929953 + \frac{1}{3}[1,99381 + 4(3) + 5,890802] = 6,235210$$

$\varepsilon_t = -0,66\%$

Este resultado puede sustituirse en la ecuación (17) para corregir la estimación en forma iterativa. El proceso converge a un valor final corregido de 6,204855 ($\varepsilon_t = -0.17\%$).

Este valor es más exacto que la estimación de 6.360865 (et = −2.68%) obtenida antes con el método de Heun sin autoinicio. Los resultados en los siguientes pasos son y(2) = 14,86031 ($\varepsilon_t = -0.11\%$), y(3) = 33.72426 ($\varepsilon_t = -0.14\%$) y y(4) = 75.43295 ($\varepsilon_t = -0.12\%$).

4.1.4.2.2 Método de Adams de cuarto orden.

Un método común de pasos múltiples basado en las fórmulas de integración de Adams utiliza la fórmula de Adams-Bashforth de cuarto orden (tabla 26.1 tomada de la literatura 1) como predictor:

Cuadro 26.1 Deducción de relaciones generales para modificadores

La relación entre el valor verdadero, la aproximación y el error de un predictor se representa en forma general como

$$\text{Valor verdadero} = y_{i+1}^0 + \frac{\eta_p}{\delta_p}h^{n+1}y^{(n+1)}(\xi_p) \qquad (C26.1.1)$$

donde η_p y δ_p = numerador y denominador, respectivamente, de la constante del error de truncamiento de un predictor, ya sea de Newton-Cotes abierto (tabla 21.4) o de Adams-Bashforth (tabla 26.1) y n es el orden.

Se desarrolla una relación similar para el corrector:

$$\text{Valor verdadero} = y_{i+1}^m - \frac{\eta_c}{\delta_c}h^{n+1}y^{(n+1)}(\xi_c) \qquad (C26.1.2)$$

donde η_c y δ_c = numerador y denominador, respectivamente, de la constante del error de truncamiento de un corrector, ya sea de Newton-Cotes cerrado (tabla 21.2) o de Adams-Moulton (tabla 26.2). Como en la deducción de la ecuación (26.24), la ecuación (C26.1.1) se resta de la ecuación (C26.1.2) para obtener

$$0 = y_{i+1}^m - y_{i+1}^0 - \frac{\eta_c + \eta_p\delta_c / \delta_p}{\delta_c}h^{n+1}y^{(n+1)}(\xi) \qquad (C26.1.3)$$

Ahora, dividiendo la ecuación entre $\eta_c + \eta_p\,\delta_c/\delta_p$, multiplicando el último término por δ_p/δ_p y reordenando, se obtiene una estimación del error de truncamiento local del corrector:

$$E_c = -\frac{\eta_c\delta_p}{\eta_c\delta_p + \eta_p\delta_c}(y_{i+1}^m - y_{i+1}^0) \qquad (C26.1.4)$$

Para el modificador del predictor, la ecuación (C26.1.3) se despeja en el paso anterior:

$$h^ny^{(n+1)}(\xi) = -\frac{\delta_c\delta_p}{\eta_c\delta_p + \eta_p\delta_c}(y_i^0 - y_i^m)$$

que podrá sustituirse en el término del error de la ecuación (C26.1.1) para tener

$$E_p = \frac{\eta_p\delta_c}{\eta_c\delta_p + \eta_p\delta_c}(y_i^0 - y_i^0) \qquad (C26.1.5)$$

Las ecuaciones (C26.1.4) y (C26.1.5) son versiones generales de modificadores que se utilizan para mejorar algoritmos de pasos múltiples. Por ejemplo, el método de Milne tiene $\eta_p = 14$, $\delta_p = 45$, $\eta_c = 1$, $\delta_c = 90$. Sustituyendo estos valores en las ecuaciones (C26.1.4) y (C26.1.5) se obtienen las ecuaciones (26.43) y (26.42), respectivamente. Podrán desarrollarse modificadores similares para otros pares de fórmulas abiertas y cerradas que tengan errores de truncamiento local del mismo orden.

Tabla 21.2 Fórmulas de integración cerrada de Newton-Cotes. Las fórmulas se presentan en el formato de la ecuación (21.5) de manera que el peso de los datos para estimar la altura promedio es aparente.[1] El tamaño de paso está dado por $h = (b-a)/n$.

Segmentos (n)	Puntos	Nombre	Fórmula	Error de truncamiento
1	2	Regla del trapecio	$(b-a)\dfrac{f(x_0)+f(x_1)}{2}$	$-(1/12)h^3f''(\xi)$
2	3	Regla de Simpson 1/3	$(b-a)\dfrac{f(x_0)+4f(x_1)+f(x_2)}{6}$	$-(1/90)h^5f^{(4)}(\xi)$
3	4	Regla de Simpson 3/8	$(b-a)\dfrac{f(x_0)+3f(x_1)+3f(x_2)+f(x_3)}{8}$	$-(3/80)h^5f^{(4)}(\xi)$
4	5	Regla de Boole	$(b-a)\dfrac{7f(x_0)+32f(x_1)+12f(x_2)+32f(x_3)+7f(x_4)}{90}$	$-(8/945)h^7f^{(6)}(\xi)$
5	6		$(b-a)\dfrac{19f(x_0)+75f(x_1)+50f(x_2)+50f(x_3)+75f(x_4)+19f(x_5)}{288}$	$-(275/12\,096)h^7f^{(6)}(\xi)$

Tabla 21.4 Fórmulas de integración abierta de Newton-Cotes. Las fórmulas se presentan en el formato de la ecuación (21.5), de manera que sea aparente el peso de los datos para estimar la altura promedio. El tamaño de paso está dado por $h = (b-a)/n$.[1]

Segmentos (n)	Puntos	Nombre	Fórmula	Error de truncamiento
2	1	Método del punto medio	$(b-a)f(x_1)$	$(1/3)h^3f''(\xi)$
3	2		$(b-a)\dfrac{f(x_1)+f(x_2)}{2}$	$(3/4)h^3f''(\xi)$
4	3		$(b-a)\dfrac{2f(x_1)+f(x_2)+2f(x_3)}{3}$	$(14/45)h^5f^{(4)}(\xi)$
5	4		$(b-a)\dfrac{11f(x_1)+f(x_2)+f(x_3)+11f(x_4)}{24}$	$(95/144)h^5f^{(4)}(\xi)$
6	5		$(b-a)\dfrac{11f(x_1)+14f(x_2)+26f(x_3)+14f(x_4)+11f(x_5)}{20}$	$(41/140)h^7f^{(6)}(\xi)$

$$y_{i+1}^0 = y_i^m + h\left(\frac{55}{24}f_i^{j-1} - \frac{59}{24}f_{i-1}^m + \frac{37}{24}f_{i-2}^m - \frac{9}{24}f_{i-3}^m\right) \qquad (20)$$

y la fórmula de Adams-Moulton de cuarto orden (tabla 26.2) como corrector:

$$y_{i+1}^j = y_i^m + h\left(\frac{9}{24}f_{i+1}^{j-1} - \frac{19}{24}f_i^m + \frac{5}{24}f_{i-1}^m - \frac{1}{24}f_{i-2}^m\right) \qquad (21)$$

Tabla 26.2 Coeficientes y error de truncamiento de los correctores de Adams-Moulton.

Orden	β_0	β_1	β_2	β_3	β_4	β_5	Error de truncamiento local
2	1/2	1/2					$-\frac{1}{12}h^3f''(\xi)$
3	5/12	8/12	-1/12				$-\frac{1}{24}h^4f^{(3)}(\xi)$
4	9/24	19/24	-5/24	1/24			$-\frac{19}{720}h^5f^{(4)}(\xi)$
5	251/720	646/720	-264/720	106/720	-19/720		$-\frac{27}{1\,440}h^6f^{(5)}(\xi)$
6	475/1 440	1 427/1 440	-798/1 440	482/1 440	-173/1 440	27/1 440	$-\frac{863}{60\,480}h^7f^{(6)}(\xi)$

Los modificadores del predictor y del corrector para el método de Adams de cuarto orden se desarrollan a partir de las fórmulas del cuadro 26.1 y de los coeficientes de error en las tablas anteriores como sigue:

$$E_p = \frac{251}{270}(y_i^m - y_i^0) \tag{22}$$

$$E_c = -\frac{19}{270}(y_{i+1}^m - y_{i+1}^0) \tag{23}$$

Ejemplo 4.7 Con el método de Adams de cuarto orden resuelva el mismo problema que en el ejemplo 4.6

Solución. El predictor [ecuación (20)] se utiliza para calcular el valor en x = 1.

$$y_1^0 = 2 + 1\left(\frac{55}{24}3 - \frac{59}{24}1,993814 + \frac{37}{24}1,960667 - \frac{9}{24}2,6365228\right) = 6,007539$$

ε_t =3,1%

el cual es comparable al resultado que se obtiene usando el método de Milne, aunque menos exacto. El corrector [ecuación (21)] se emplea después para calcular

$$y_1^1 = 2 + \left(\frac{9}{24}5,898394 + \frac{19}{24}3 - \frac{5}{24}1,993814 + \frac{1}{24}1,960666\right) = 6,253214$$

ε_t =-0,96%

que también es comparable, aunque menos exacto que el resultado con el método de Milne. Este resultado se sustituye en la ecuación (21) para corregir de manera iterativa el estimado. El proceso converge a un valor corregido final de 6,214424 (ε_t = 0.32%), que es un resultado exacto, pero también inferior al obtenido con el método de Milne.

4.1.5 Problemas de valores en la frontera y de valores propios.

Una ecuación diferencial ordinaria se acompaña de condiciones auxiliares. Estas condiciones se utilizan para evaluar las constantes de integración que resultan durante la solución de la ecuación. Para una ecuación de n-ésimo orden, se requieren n condiciones. Si todas las condiciones se especifican para el mismo valor de la variable independiente, entonces se trata de un problema de valor inicial (figura 77a).

Hay otra aplicación en la cual las condiciones no se conocen para un solo punto, sino, más bien, se conocen en diferentes valores de la variable independiente. Debido a que estos valores se especifican en los puntos extremos o frontera de un sistema, se les conoce como problemas de valores en la frontera (PVF) (figura 77b). Muchas aplicaciones importantes en ingeniería son de esta clase.

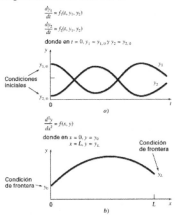

Figura 77. ¨Problemas de valor inicial contra problemas en la frontera.

Un problema de valores en la frontera (PVF), para ecuaciones diferenciales ordinarias, puede estar dado, por ejemplo, por una EDO de segundo orden y dos condiciones de frontera: CF1 y CF2

$$PVF \begin{bmatrix} EDO & \dfrac{d^2y}{dx^2} \\ CF1 & y(x_0) = y_0 \\ CF2 & y(x_f) = y_f \\ & y(x) = ? \quad para \; x_0 < x < x_f \end{bmatrix} \tag{24}$$

Obsérvese que la información que ahora se proporciona, considera dos puntos distintos por donde pasa la curva desconocida y, solución de la EDO; es decir, conocemos el valor de y correspondiente a dos abscisas distintas: x_0 y x_f, y queremos conocer el valor de y en el intervalo (x_0, x_f). Esto se ilustra gráficamente en la figura 78.

Desde luego, también contamos para encontrar a y con su segunda derivada, esto es $f(x, y, y')$.

Este tipo de problemas surge, por ejemplo, cuando se resuelven ecuaciones diferenciales parciales analíticamente. Así, si se tiene el problema

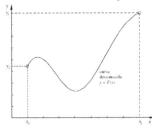

Figura 78. Problema de valores en la frontera.

193

$$\begin{cases} \dfrac{\partial T}{\partial t} = \propto \dfrac{\partial^2 T}{\partial x^2} \\ T(0,t) = 0 \\ T(L,t) = 0 \\ T(x,0) = f(x) \\ T(x,t) = ? \quad para\, 0 < x < L \;\; y \;\; t > 0 \end{cases} \qquad (25)$$

que describe la conducción de calor en una barra aislada longitudinalmente (véase figura 79); T(0, t) y T(L, t) representan la temperatura T de la barra en los extremos izquierdo y derecho, respectivamente, sostenidos constantes e iguales a cero (en general son funciones del tiempo t).

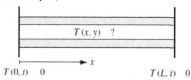

Figura 79. Barra aislada longitudinalmente con extremos sujetos a temperaturas extremas.

La aplicación del método de separación de variables a la ecuación 25 transforma el problema en un PVI y en el PVF siguiente

$$\begin{cases} \dfrac{\partial^2 \emptyset}{\partial x^2} = \lambda\emptyset \\ \emptyset(o) = 0 \\ \emptyset(L) = 0 \\ \emptyset(x) = 0 \quad para\ 0 < x < L \end{cases} \qquad (26)$$

cuya solución conjuntamente con la del PVI mencionado permitirán resolver la ecuación (25).

A continuación se describe un método para resolver problemas del tipo (24) conocido como método del "disparo", por analogía al tiro o disparo contra un blanco fijo.

Método del disparo.

Consideremos el siguiente problema:

$$\begin{cases} y''(x) = y \\ y(o) = 0 \\ y(1) = 2 \\ y(x) = ? \quad para\ 0 < x < L1 \end{cases} \qquad (27)$$

Para resolverlo podemos usar uno de los métodos de valor inicial discutidos en las secciones anteriores, para lo cual tendríamos que proponer, de consideraciones físicas o de otro tipo, una condición inicial, por ejemplo y'(0) = α₀. Siguiendo la metáfora del disparo, esto representaría una medida del ángulo que forma el canon con el piso. Contando con esta condición inicial, se puede formar a partir de la ecuación 27 el siguiente PVI:

$$\left\{\begin{array}{l} y''(x) = y \\ y(o) = 0 \\ y(1) = 2 \\ y(x) = ? \end{array}\right. \quad \text{que convertido a sistema, queda:} \quad \left\{\begin{array}{l} y' = z \\ z' = y \\ y(0) = 0 \\ z(0) = \propto_0 \\ y(1) = ? \end{array}\right.$$

Al resolver este PVI se obtiene un valor de y (1) correspondiente a α_0, o más fácilmente y $(1; \alpha0)$, que podremos comparar con el valor y (l) = 2, dado en el problema original, y así estimar la bondad de la α_0 propuesta. Con esta información podremos proponer una "mejor" α (un nuevo ángulo de disparo): $\alpha1$, con lo que se obtendría un nuevo PVI:

$$\left\{\begin{array}{l} y' = z \\ z' = y \\ y(0) = 0 \\ z(0) = \propto_1 \\ y(1) = ? \end{array}\right.$$

Al resolver obtenemos $y(1; \propto_1)$.

En estas condiciones podemos plantear una nueva aproximación de y'(0), pero considerando a $y(1; \alpha)$ como una función de α y de la cual se tienen ya dos puntos (α_0, y $(1; \alpha_0)$) y (α_1, $y(1; \alpha_1)$), como se ve en la figura 80.

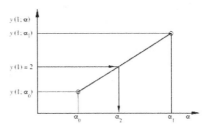

Figura 80. Interpolación lineal inversa.

Si unimos (α_0, y $(1; \alpha_0)$) y (α_1, y $(1; \alpha_1)$) con una línea recta podremos, con una interpolación (extrapolación) lineal inversa, obtener una nueva aproximación a α, α_2, dada algebraicamente por

$$\propto_2 = \propto_1 - (\propto_1 - \propto_0) \frac{y(1; \propto_1) - y(2)}{y(1; \propto_1) - y(1; \propto_0)}$$

y con ella formular PVI con y'(0) $= \propto_2$

El proceso puede continuarse usando las últimas dos alfas α_{i-1} y α_i, para la interpolación (extrapolación) lineal inversa, hasta que $| y (l; \alpha_{i+1}) - y(l) | < \varepsilon$ o hasta que se haya realizado un número máximo de iteraciones.

Ejemplo 4.8 Resolver el PVF (27) con una $\varepsilon = 10-5$ y MAXIT = 10 iteraciones, con el método del disparo.

Solución.

$x_0 = 0$, $x_f = 1$ $y_0 = 0$, $y'(0) = \alpha_0 = 1,5$ (valor inicial propuesto)

Al resolver el PVI

$$\left\{ \begin{array}{l} y' = z \\ z' = y \\ y(0) = 0 \\ z(0) = \alpha_0 = 1,5 \\ y(1) =? \end{array} \right.$$

con el método de Runge-Kutta de cuarto orden y un tamaño de paso h = 0.1, se obtiene y (1; α0) = 1,76279998. Se propone ahora un valor de α_1 = 2,5 y se resuelve nuevamente el PVI. Se obtiene así y (1; α_1) = 2,93799996. Con estos valores se interpola para obtener α_2

$$\alpha_2 = \alpha_1 - (\alpha_1 - \alpha_0) \frac{y(1; \alpha_1) - y(2)}{y(1; \alpha_1) - y(1; \alpha_0)}$$

$$= 2,5 - (2,5 - 1,5)\left(\frac{2,93799996 - 2}{2,93799996 - 1,76279998}\right) = 1,701838$$

Se resuelve el PVI con α2 = 1.701838 y se obtiene y (1; α2) = 1.99999999183644. El proceso se detiene puesto que $|y(1;\alpha 1) - y(2)| < \varepsilon$, tomándose entonces como valor "verdadero" de y'(0) a α_2 = 1,701838. Los valores de y en el intervalo [0, 1] son los que genero el método de Runge-Kutta de cuarto orden en la última iteración.

Al analizar la tabla se encuentra que, por ejemplo, las diferencias finitas son crecientes en sus diferentes órdenes, lo cual sugiere que la solución $y = F(x)$ tiene un término exponencial.

Los cálculos pueden realizarse con Octave.

x	y
0,0	0,000000
0,1	0,170467
0,2	0,342641
0,3	0,518244
0,4	0,699033
0,5	0,886819
0,6	1,083480
0,7	1,290985
0,8	1,511411
0,9	1,746963
1,0	1,999999

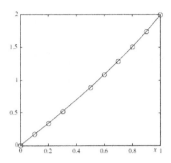

Figura 81. Solución gráfica del PVF

Ejercicios

4.1 Un tanque perfectamente agitado contiene 400 L de una salmuera en la cual están disueltos 25 kg de sal común (NaCl), en cierto momento se hace llegar al tanque un gasto de 80 L/min de una salmuera que contiene 0.5 kg de sal común por litro. Si se tiene un gasto de salida de 80 L/min, determine:

a) .¿Que cantidad de sal hay en el tanque transcurridos 10 minutos?

b) .¿Que cantidad de sal hay en el tanque transcurrido un tiempo muy grande?

4.2 Se conecta un inductor (inductancia) de 0.4 henries en serie con una resistencia de 8 ohms, un capacitor de 0.015 farads y un generador de corriente alterna, dada por la función 30 sen 5t volts para t ≥ 0 (véase figura).

a) Establezca una ecuación diferencial para la carga instantánea en el capacitor.

b) Encuentre la carga a distintos tiempos.

4.3 Un proyectil de masa m = 0.11 kg se lanza verticalmente hacia arriba con una velocidad inicial v0 = 80 m/s y se va frenando debido a la fuerza de gravedad $F_g = -mg$ y a la resistencia del aire $F_r = -kv2$, donde g = 9.8 m/s y k = 0.002 kg/m. La ecuación diferencial para la velocidad v esta dada por

$$mv' = -mg - kv^2$$

Encuentre la velocidad del proyectil a diferentes tiempos en su ascenso y el tiempo que tarda en llegar a su altura máxima.

4.4 La mayoría de los problemas que pueden modelarse con ecuaciones diferenciales, dan lugar a ecuaciones y sistemas diferenciales no lineales que normalmente no pueden resolverse con técnicas analíticas. Debido a ello, es común sobre simplificar la modelación y así obtener ecuaciones que puedan resolverse analíticamente. Uno de los ejemplos más conocidos es la ecuación de movimiento del péndulo simple, donde se desprecian los efectos de fricción y de resistencia del aire (véase figura).

Si el péndulo tiene longitud L y g es la aceleración de la gravedad, la ecuación que describe el desplazamiento angular θ del péndulo es

$$\frac{d^2\theta}{dt^2} + \frac{g}{L} sen\theta = 0$$

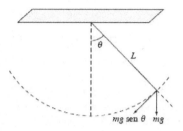

No obstante las simplificaciones, la ecuación no puede resolverse sin recurrir a funciones especiales. Por tanto, el modelo se simplifica aún más asumiendo oscilaciones de amplitud pequeña. Esto implica que pueda remplazarse senθ por θ, dándose con ello la ecuación lineal

$$\frac{d^2\theta}{dt^2} = -g\theta$$

Esta última expresión puede resolverse analíticamente con todas las restricciones de uso de la solución que se obtiene.

Por otro lado, las técnicas numéricas permiten abordar la primera ecuación sin necesidad de las funciones especiales ni de sobre simplificar el modelo. Resolver entonces el siguiente

$$PVIG \begin{cases} \dfrac{d^2\theta}{dt^2} = -\dfrac{g}{L} sen\,\theta \\ \theta(0) = \pi/6 \\ \dfrac{d\theta}{dt_{t-0}} = 0 \\ \theta(0 \le t \le 60s) =? \end{cases}$$

con L=2pies y g=32,17pies/s^2

4.5 Un problema común en ingeniería civil es el cálculo de la deflexión de una viga rectangular sujeta a carga uniforme, cuando los extremos de la viga están fijos y, por tanto, no experimentan deflexión. La ecuación diferencial que aproxima este fenómeno físico tiene la forma siguiente:

$$\frac{d^2y}{dx^2} = \frac{S}{EI}y + \frac{qx}{2EI}(x - L) \qquad (1)$$

En la ecuación, y es la deflexión de la viga a una distancia x, medida a partir del extremo izquierdo (véase figura), L la longitud, q la intensidad de la carga uniforme, S el esfuerzo o tensión en los extremos, I el momento de inercia que depende de la forma de la sección transversal de la viga y E el módulo de elasticidad.

Dado que los extremos de la viga están fijos, se tiene

$$y(0) = y(L) = 0$$

La ecuación (1), conjuntamente con estas condiciones, constituyen un problema de valores en la frontera, esto es

$$PVF \left\{ \begin{array}{ll} \dfrac{d^2y}{dx^2} = & \dfrac{S}{EI} y + \dfrac{qx}{2EI}(x - L) \\ y(0) = & 0 \\ y(L) = & 0 \\ y(x) = & ? \quad para\ 0 < x < L \end{array} \right.$$

Suponga que se tienen los siguientes datos: L=350cm, q= 1 kg/cm, E = 2 x10^6 kg/cm2, $S = 400$ kg, I = 2.5 x10^4 cm4. Encuentre la deflexión de la viga cada 10 cm, usando $\varepsilon = 10^{-8}$.

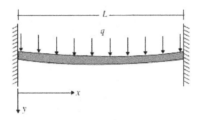

4.2 Ecuaciones Diferenciales Parciales (EDP).

Los problemas estudiados por las distintas disciplinas de la ingeniería como la aeronáutica, la eléctrica, la nuclear, transferencia de calor, etc. involucran el estudio de magnitudes que evolucionan no solamente en el tiempo, sino también en las variables espaciales (x, y, z). Por esta razón, la formación de un ingeniero no debe cubrir únicamente el campo de las ecuaciones diferenciales ordinarias, sino también el modelado de sistemas mediante ecuaciones derivadas parciales. No obstante, en muy pocas ocasiones puede obtenerse una solución analítica a estos problemas, por lo que los métodos numéricos resultan ser, como en múltiples casos complejos, la solución alternativa o única.

Una ecuación en derivadas parciales de orden n es una igualdad matemática en la que aparece una función desconocida, que depende al menos de dos variables independientes, junto a algunas de sus derivadas parciales hasta orden n respecto a dichas variables.

Una ecuación en derivadas parciales de la función $u(x_1, ; ... x_n)$ tiene la forma general

$$F\left(x_1, \ldots, x_n, u, \frac{\partial u}{\partial x_1}, \ldots, \frac{\partial u}{\partial x_n}, \frac{\partial^2 u}{\partial x_l \partial x_1}, \frac{\partial^2 u}{\partial x_l \partial x_2}, \ldots\right) = 0$$

F y sus derivadas son lineales en u si se cumple que

$$F(u + w) = F(u) + F(w)$$

y

$$F(ku) = k * F(u).$$

Las EDP se emplean en la formulación de modelos matemáticos de procesos y fenómenos de la física y otras ciencias humanas y sociales que suelen presentarse distribuidos en el espacio y el tiempo.

Se modelizan de esta forma la propagación del sonido o del calor, la electrostática, la electrodinámica, la dinámica de fluidos, la elasticidad, la mecánica cuántica, las emisiones de contaminantes, los fenómenos meteorológicos, la valoración de opciones y derivados financieros y muchos otros.

Una solución de una EDP es una función que resuelve la ecuación, o que la convierte en una identidad cuando se sustituye en la ecuación.

Excepto en casos de concepción geometría analítica sencilla, las ecuaciones en derivadas parciales son muy difíciles de resolver analíticamente. Numéricamente, sin embargo, si se pueden resolver muchos problemas de geometría complicada y muy cercana a la de los problemas reales.

Dada una función $u(x, y)$, en las EDP es muy común significar las derivadas parciales empleando subíndices (notación tensorial). Esto es:

$$u_x = \frac{\partial u(x, y)}{\partial x}$$

$$u_{xy} = \frac{\partial^2 u(x, y)}{\partial y \partial x} = \frac{\partial}{\partial x}\left(\frac{\partial u(x, y)}{\partial x}\right)$$

$$u_{xx} = \frac{\partial^2 u(x, y)}{\partial x^2}$$

Si la función u es continua en un cierto dominio y tiene derivadas parciales continuas hasta orden 2, por el teorema de Schwarz, se sabe que

$$u_{xy} = u_{yx}$$

En la física matemática se usa el operador nabla, que en coordenadas cartesianas se escribe como $\nabla = (\partial x, \partial y, \partial z)$ para las derivadas espaciales, y con un punto, $\dot{u}$, para las derivadas que tienen que ver con el tiempo.

A continuación les mostramos varios ejemplos de EDP

Una EDP lineal de primer orden: $u_x(x, y) - u_y(x, y) + 2u(x, y) = u_x - u_y + 2u = 6$.

Una EDP no lineal de primer orden: $(u_x)^2 + \left(u_y\right)^2 = 0$.

Una EDP no lineal de segundo orden: $u * u_{xy} + u_x = y$.

Algunas EDP lineales de segundo orden: Ec. de Laplace $u_{xx}(x, y) + u_{yy}(x, y) = 0$.

Ec. del calor $u_t(t, x) - u_{xx}(t, x) = 0$.

$u_{xx}(t,x) = 0.$

Ec. de ondas $u_{tt}(t,x) -$

En este estudio de las EDP nos limitaremos a estudiar la resolución numérica de las de segundo orden con dos variables independientes, con esta forma

$$Au_{xx} + Bu_{xy} + Cu_{yy} + F(u_x, u_y, u, x, y) = 0.$$

La ecuación anterior, en un punto dado (x, y), puede ser

Parabólica	si	$B^2 - 4AC = 0.$
Hiperbólica	si	$B^2 - 4AC > 0.$
Elíptica	si	$B^2 - 4AC < 0.$

La diferencia práctica de estos tipos de ecuaciones es que las parabólicas e hiperbólicas están definidas en un intervalo o región abierto. Para resolverlas se imponen condiciones de contorno a una variable —en general al tiempo— en la frontera de uno de sus extremos y se parte de él. Las elípticas tienen condiciones de contorno en toda la frontera de esa región.

Una misma EDP puede ser parabólica en un punto, e hiperbólica en otro, etc. Si en cambio A(x, y), B(x, y) y C (x, y) son constantes, entonces es elíptica, parabólica o hiperbólica completamente (véase ejercicio 4.9).

Algunos ejemplos de estas ecuaciones son:

$$\frac{\partial^2 T}{\partial x^2} + \frac{\partial^2 T}{\partial y^2} + \frac{\partial^2 T}{\partial z^2} = 0$$

$$\frac{\partial^2 U}{\partial x^2} + \frac{\partial^2 U}{\partial y^2} = f(x, y)$$

$$\frac{\partial^2 y}{\partial x^2} = \alpha \frac{\partial^2 y}{\partial t^2}$$

4.2.1. Diferencias finitas: ecuaciones elípticas.

La ecuación de Laplace se utiliza para modelar diversos problemas que tienen que ver con el potencial de una variable desconocida. Debido a su simplicidad y a su relevancia en la mayoría de las áreas de la ingeniería, usaremos una placa caliente para deducir y resolver esta EDP elíptica.

En la figura 82 se muestra un elemento sobre la cara de una placa rectangular delgada de espesor Δz. La placa está totalmente aislada excepto en sus extremos, donde la temperatura puede ajustarse a un nivel preestablecido. El aislamiento y el espesor de la placa permiten que la transferencia de calor esté limitada solamente a las dimensiones x y y. En estado estacionario, el flujo de calor hacia el elemento en una unidad de tiempo Δt debe ser igual al flujo de salida, es decir,

$$q(x)\Delta y\Delta z\Delta t + q(y)\Delta x\Delta z\Delta t = q(x+\Delta x)\Delta y\Delta z\Delta t + q(y+\Delta y)\Delta x\Delta z\Delta t \qquad (1)$$

donde $q(x)$ y $q(y)$ = los flujos de calor en x y y, respectivamente [cal/(cm^2·s)]. Dividiendo entre Δz y Δt, y reagrupando términos, se obtiene

$$[q(x) - q(x+\Delta x)]\Delta y + [q(y) - q(y+\Delta y)]\Delta x = 0$$

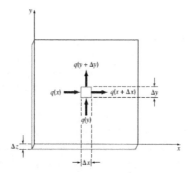

Figura 82. Placa delgada de espesor Δz.

Multiplicando el primer término por $\Delta x/\Delta x$, y el segundo por $\Delta y/\Delta y$ se obtiene

$$\frac{q(x)-q(x+\Delta x)}{\Delta x}\Delta x\Delta y + \frac{q(y)-q(y+\Delta y)}{\Delta y}\Delta y\Delta x \qquad (2)$$

Dividiendo entre Δx Δy, y tomando el límite, se llega a

$$-\frac{\partial q}{\partial x} - \frac{\partial q}{\partial y} = 0 \qquad (3)$$

La ecuación (3) es una ecuación diferencial parcial, que es una expresión de la conservación de la energía en la placa. Sin embargo, la ecuación no puede resolverse, a menos que se especifiquen los flujos de calor en los extremos de la placa. Debido a que se dan condiciones de frontera para la temperatura, la ecuación (3) debe reformularse en términos de la temperatura. La relación entre flujo y temperatura está dada por la ley de Fourier de conducción del calor, la cual se representa como

$$q_i = -k\rho C \frac{\partial T}{\partial i} \qquad (4)$$

donde q_i = flujo de calor en la dirección de la dimensión i [cal/(cm^2 · s)], k = coeficiente de difusividad térmica (cm^2/s), ρ = densidad del material (g/cm3), C = capacidad calorífica del material [cal/(g · °C)] y T = temperatura (°C), que se define como

$$T = \frac{H}{\rho C V}$$

donde H = calor (cal) y V = volumen (cm3). Algunas veces, el término que está multiplicando a la derivada parcial en la ecuación (4) se trata como un solo término,

$$k' = k\rho C \qquad (5)$$

donde k' se conoce como el coeficiente de conductividad térmica [cal/(s·cm·°C)]. En ambos casos, k y k' son parámetros que determinan qué tan bien conduce calor el material.

A la ley de Fourier algunas veces se le llama ecuación constitutiva. Esta connotación se le da porque proporciona un mecanismo que define las interacciones internas del sistema. Una inspección de la ecuación (.4) indica que la ley de Fourier especifica que el flujo de calor perpendicular al eje i es proporcional al gradiente o pendiente de la temperatura en la dirección i. El signo negativo asegura que un flujo positivo en la dirección i resulta de una pendiente negativa de alta a baja temperatura (figura83). Sustituyendo la ecuación (4) en la ecuación (3), se obtiene

$$\frac{\partial^2 T}{\partial x^2} + \frac{\partial^2 T}{\partial y^2} = 0 \tag{6}$$

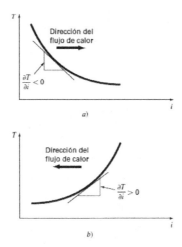

Figura 83. Representación gráfica de un gradiente de temperatura.

que es la ecuación de Laplace. Observe que en el caso donde hay fuentes o pérdidas de calor dentro del dominio bidimensional, la ecuación se puede representar como

$$\frac{\partial^2 T}{\partial x^2} + \frac{\partial^2 T}{\partial y^2} = f(x, y) \tag{7}$$

donde f(x, y) es una función que describe las fuentes o pérdidas de calor. La ecuación (7) se conoce como ecuación de *Poisson*.

Para la solución numérica de las EDP elípticas, como la ecuación de Laplace, se procede en dirección contraria a como se dedujo la ecuación (6). Recuerde que la deducción de la ecuación (6) emplea un balance alrededor de un elemento discreto para obtener una ecuación algebraica en diferencias, que caracteriza el flujo de calor para una placa. Tomando el límite, esta ecuación en diferencias se convirtió en una ecuación diferencial [ecuación (.3)].

En la solución numérica, las representaciones por diferencias finitas basadas en tratar la placa como una malla de puntos discretos (figura 84) se sustituyen por las derivadas parciales en la ecuación (6). Como se describe a continuación, la EDP se transforma en una ecuación algebraica en diferencias.

Las diferencias centrales basadas en el esquema de malla de la figura 84 son

$$\frac{\partial^2 T}{\partial x^2} = \frac{T_{i+1,j} - 2T_{i,j} + T_{i-1,j}}{\Delta x^2}$$

y

$$\frac{\partial^2 T}{\partial y^2} = \frac{T_{i+1,j} - 2T_{i,j} + T_{i-1,j}}{\Delta y^2}$$

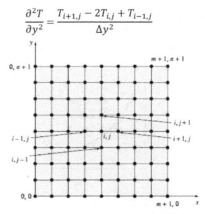

Figura 84. Malla usada para solución de diferencias finitas de las EDP elípticas.

las cuales tienen errores de $O[\Delta(x)^2]$ y $O[\Delta(y)^2]$, respectivamente. Sustituyendo estas expresiones en la ecuación (6) se obtiene

$$\frac{T_{i+1,j} - 2T_{i,j} + T_{i-1,j}}{\Delta x^2} + \frac{T_{i+1,j} - 2T_{i,j} + T_{i-1,j}}{\Delta y^2} = 0$$

En la malla cuadrada de la figura 84, $\Delta x = \Delta y$, y reagrupando términos, la ecuación se convierte en

$$T_{i+1,j} + T_{i-1,j} + T_{i,j+1} + T_{i,j-1} - 4T_{i,j} = 0 \qquad (8)$$

Esta relación, que se satisface por todos los puntos interiores de la placa, se conoce como ecuación laplaciana en diferencias.

Además, se deben especificar las condiciones de frontera en los extremos de la placa para obtener una solución única. El caso más simple es aquel donde la temperatura en la frontera es un valor fijo. Ésta se conoce como condición de frontera de Dirichlet. Tal es el caso de la figura 85, donde los extremos se mantienen a temperaturas constantes. En el caso ilustrado en la figura 85, un balance en el nodo $(1,1)$ es, de acuerdo con la ecuación (8),

$$T_{21} + T_{01} + T_{12} + T_{10} - 4T_{11} = 0 \qquad (9)$$

Sin embargo, $T_{01}=75$ y $T_{10}=0$, y, por lo tanto, la ecuación (9) se expresa como

$$-4T_{11} + T_{12} + T_{21} = -75$$

$$
\begin{array}{rrrrrrrrrr}
4T_{11} & -T_{21} & & -T_{12} & & & & & & = 75 \\
-T_{11} & +4T_{21} & -T_{31} & & -T_{22} & & & & & = 0 \\
& -T_{21} & +4T_{31} & & & -T_{32} & & & & = 50 \\
-T_{11} & & & +4T_{12} & -T_{22} & & -T_{13} & & & = 75 \\
& -T_{21} & & -T_{12} & +4T_{22} & -T_{32} & & -T_{23} & & = 0 \\
& & -T_{31} & & -T_{22} & +4T_{32} & & & -T_{33} & = 50 \\
& & & -T_{12} & & & +4T_{13} & -T_{23} & & = 175 \\
& & & & -T_{22} & & -T_{13} & +4T_{23} & -T_{33} & = 100 \\
& & & & & -T_{32} & & -T_{23} & +4T_{33} & = 150 \\
\end{array}
$$

(10)

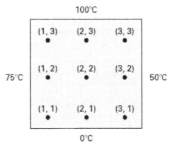

Figura 85. Placa caliente donde las temperaturas en la frontera se
mantienen a niveles constantes.

El método de Liebmann.

En la mayoría de las soluciones numéricas de la ecuación de Laplace se tienen
sistemas que son mucho más grandes que la ecuación (10). Por ejemplo, para una malla
de 10 por 10 se tienen 100 ecuaciones algebraicas lineales. En la parte tres se analizaron
técnicas de solución para estos tipos de ecuaciones.

Observe que hay un máximo de cinco incógnitas por línea en la ecuación
(29.10). Para mallas grandes se encuentra que un número significativo de los términos
será igual a cero. Cuando se aplican los métodos de eliminación con toda la matriz a
estos sistemas dispersos, se ocupa una gran cantidad de memoria de la computadora,
almacenando ceros. Por esta razón, los métodos aproximados representan un mejor
procedimiento para obtener soluciones de EDP elípticas. El método comúnmente
empleado es el de Gauss-Seidel, el cual, cuando se aplica a las EDP, también se conoce
como el método de Liebmann. Con esta técnica, la ecuación (8) se expresa como

$$T_{i,j} = \frac{T_{i+1,j}+T_{i-1,j}+T_{i,j+1}+T_{i,j-1}}{4} \qquad (11)$$

y se resuelve de manera iterativa para j = 1 hasta n e i = 1 hasta m. Como la
ecuación (8) es diagonalmente dominante, este procedimiento al final convergerá a una
solución estable. Algunas veces se utiliza la sobre relajación para acelerar la velocidad
de la convergencia, aplicando la siguiente fórmula después de cada iteración:

$$T_{i,j}^{nuevo} = \lambda T_{i,j}^{nuevo} + (1 - \lambda)T_{i,j}^{anterior} \qquad (12)$$

donde $T_{i,j}^{nuevo}$ y $T_{i,j}^{anterior}$ son los valores de $T_{i,j}$ de la actual iteración y de la
previa, respectivamente; l es un factor de ponderación que está entre 1 y 2.

Como en el método convencional de Gauss-Seidel, las iteraciones se repiten
hasta que los valores absolutos de todos los errores relativos porcentuales $(\varepsilon_a)_{i,j}$ están
por debajo de un criterio pre especificado de terminación ε_s. Dichos errores relativos
porcentuales se estiman mediante

$$|(\varepsilon_a)_{i,j}| = \left|\frac{T_{i,j}^{nuevo}-T_{i,j}^{anterior}}{T_{i,j}^{nuevo}}\right| 100\% \qquad (13)$$

Ejemplo 4.10 Con el método de Liebmann (Gauss-Seidel) calcule la temperatura
de la placa caliente de la figura 85. Emplee la sobre relajación con un valor de 1.5 para
el factor de ponderación, e itere hasta $\varepsilon_s = 1\%$.

205

Solución. La ecuación (11) en i = 1, j = 1 es

$$T_{11} = \frac{0,75 + 0 + 0}{4} = 18,75$$

y aplicando la sobre relajación se obtiene

$$T_{11} = 1,5(18,75) + (1 - 1,5) = 28,125$$

Para i=2, j=1,

$$T_{21} = \frac{0 + 28,125 + 0 + 0}{4} = 7,03125$$

$$T_{21} = 1,5(7,03125) + (1 - 1,5) = 10,54688$$

Para i=3, j=1,

$$T_{31} = \frac{50 + 10,54688 + 0 + 0}{4} = 15,13672$$

$$T_{31} = 1,5(15,13672) + (1 - 1,5) = 22,70508$$

El cálculo se repite para otros renglones:

$T_{12} = 38,67188$	$T_{22} = 18,45703$	$T_{32} = 34,18579$
$T_{12} = 80,12696$	$T_{23} = 74,46900$	$T_{33} = 96,99554$

Como todos los $T_{i,j}$ son inicialmente cero, entonces todos los ε_a para la primera iteración serán 100%.

En la segunda iteración, los resultados son:

$T_{11} = 33,51953$	$T_{21} = 25,35718$	$T_{31} = 28,60108$
$T_{12} = 57,95288$	$T_{22} = 61,63333$	$T_{32} = 71,86833$
$T_{13} = 75,21973$	$T_{23} = 87,95872$	$T_{33} = 67,68736$

El error para $T_{1,1}$ se estima como sigue [ecuación (13)]

$$\left|(\varepsilon_a)_{1,1}\right| = \left|\frac{32,51953 - 28,12500}{32,51953}\right| 100\% = 13,5\%$$

Debido a que este valor está por arriba del criterio de terminación de 1%, se continúa el cálculo. La novena iteración da como resultado

$T_{11} = 43,00061$	$T_{21} = 33,28755$	$T_{31} = 33,88506$
$T_{12} = 63,21152$	$T_{22} = 56,11238$	$T_{32} = 52,33999$
$T_{13} = 78,58718$	$T_{23} = 76,06402$	$T_{33} = 69,71050$

donde el error máximo es 0.71%.

En la figura 86 se muestran los resultados. Como se esperaba, se ha establecido un gradiente al fluir el calor de altas a bajas temperaturas.

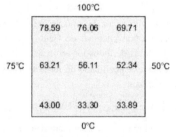

Figura 86. Distribución de temperatura en una placa caliente, sujeta a condiciones de frontera fijas.

Variables secundarias.

Como la distribución de temperatura está descrita por la ecuación de Laplace, ésta se considera la variable principal en el problema de la placa caliente. En este caso, así como en otros problemas donde se tengan EDP, las variables secundarias también pueden ser importantes. De hecho, en ciertos contextos de ingeniería, la variable secundaria puede realmente ser más importante.

En la placa caliente, una variable secundaria es el flujo de calor a través de la superficie de la placa. Esta cantidad se calcula a partir de la ley de Fourier. Las aproximaciones por diferencias finitas centradas para las primeras derivadas se sustituyen en la ecuación (4) para obtener los siguientes valores del flujo de calor en las dimensiones x y y:

$$q_x = -k' \frac{T_{i+1,j} + T_{i-1,j}}{2\Delta x} \tag{14}$$

y

$$q_x = -k' \frac{T_{i+1,j} + T_{i-1,j}}{2\Delta y} \tag{15}$$

El flujo de calor resultante se calcula a partir de estas dos cantidades mediante

$$q_n = \sqrt{q_x^2 + q_y^2} \tag{16}$$

donde la dirección de q_n está dada por

$$\theta = tan^{-1}\left(\frac{q_y}{q_x}\right) \tag{17}$$

Para $q_x > 0$ y

$$\theta = tan^{-1}\left(\frac{q_y}{q_x}\right) + \pi \tag{18}$$

para $q_x < 0$. Recuerde que el ángulo puede expresarse en grados multiplicándolo por $180°/p$. Si $q_x = 0$, q es $\pi/2$ (90°) o 3 $\pi/2$ (270°), según q_y sea positivo o negativo, respectivamente.

Ejemplo 4.11 Empleando los resultados del ejemplo 4.10 determine la distribución del flujo de calor en la placa caliente de la figura 29.4. Suponga que la placa es de 40 × 40 cm y que está hecha de aluminio [$k' = 0.49$ cal/(s · cm · °C)].

Solución. Para i = j = 1, la ecuación (14) se utiliza para calcular

$$q_x = -0.49 \frac{cal}{s \cdot cm \cdot °C} \frac{(33,29755 - 75)°C}{2(10)cm} = 1,022 \, cal/(cm^2 \cdot s)$$

Y [de la ecuación (15)]

$$q_y = -0.49 \frac{cal}{s \cdot cm \cdot °C} \frac{(63,21152 - 0)°C}{2(10)cm} = -1,549 \, cal/(cm^2 \cdot s)$$

El flujo resultante se calcula con la ecuación (16):

$$q_n = \sqrt{(1,022)^2 + (1,549)^2} = 1,856 \, cal/(cm^2 \cdot s)$$

y el ángulo de su trayectoria mediante la ecuación (17)

$$\theta = tan^{-1}\left(\frac{-1,549}{1,022}\right) = 0,98758 * \frac{180°}{\pi} = 56,584°$$

Así, en este punto, el flujo de calor está dirigido hacia abajo y a la derecha. Pueden calcularse los valores en otros puntos de la malla; los resultados se muestran en la figura 87.

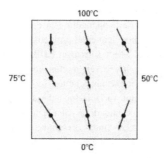

Figura 87. Flujo de calor en una placa sujeta a temperaturas fijas en las fronteras.

Condiciones en la frontera.

Condiciones con derivada en la frontera.

La condición de frontera fija o de Dirichlet analizada hasta ahora es uno de los diferentes tipos usados en las ecuaciones diferenciales parciales. Una alternativa común es el caso donde se da la derivada, que se conoce comúnmente como una condición de frontera de Neumann. En el problema de la placa caliente, esto corresponde a especificar el flujo de calor, más que la temperatura en la frontera. Un ejemplo es la situación donde el extremo está aislado. En tal caso, la derivada es cero. Esta conclusión se obtiene directamente de la ecuación (29.4), ya que aislar una frontera significa que el flujo de calor (y, en consecuencia, el gradiente) debe ser cero. Otro ejemplo sería el caso donde se pierde calor a través del extremo por mecanismos predecibles, como radiación y convección.

En la figura 88 se muestra un nodo (0, j) en el extremo izquierdo de una placa caliente. Aplicando la ecuación (8) en este punto, se obtiene

$$T_{i,j} + T_{-1,j} + T_{0,j+1} + T_{0,j-1} - 4T_{0,j} \qquad (19)$$

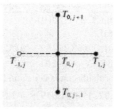

Figura 88. Nudo de frontera (0,j) en el extremo izquierdo de una placa caliente.

Observe que para esta ecuación se necesita un punto imaginario $(-1, j)$ que esté fuera de la placa. Aunque este punto exterior ficticio podría parecer que representa un problema, realmente sirve para incorporar la derivada de la condición de frontera en el problema, lo cual se logra representando la primera derivada en la dimensión x en $(0, j)$ por la diferencia dividida finita

$$\frac{\partial T}{\partial x} = \frac{T_{1,j} + T_{-1,j}}{2\Delta x}$$

de donde se puede despejar

$$T_{-1,j} = T_{1,j} - 2\Delta x \frac{\partial T}{\partial x}$$

Ahora se tiene una relación para T-1,j que incluye la derivada. Esta relación se sustituye en la ecuación (19) para obtener

$$2T_{1,j} - 2\Delta x \frac{\partial T}{\partial x} + T_{0,j+1} - T_{0,j-1} - 4T_{0,j} = 0 \qquad (20)$$

Así, hemos incorporado la derivada en la ecuación.

Es posible desarrollar relaciones similares para las condiciones de frontera con derivadas en los otros extremos. El siguiente ejemplo muestra cómo llevarlo a cabo en la placa caliente.

Ejemplo 4.12 Repita el mismo problema del ejemplo 4.10, pero con el extremo inferior aislado.

Solución. La ecuación general que caracteriza una derivada en el extremo inferior (es decir, en j = 0) en una placa caliente es

$$T_{i+1,0} + T_{i-1,0} + 2T_{i,1} - 2\Delta y \frac{\partial T}{\partial y} - 4T_{i,0} = 0$$

En el extremo aislado, la derivada es cero y la ecuación se convierte en

$$T_{i+1,0} + T_{i-1,0} + 2T_{i,1} - 4T_{i,0} = 0$$

Las ecuaciones simultáneas para la distribución de temperatura en la placa de la figura 85 con un extremo inferior aislado se escribe en forma matricial como

$$
\begin{bmatrix}
4 & -1 & & -2 & & & & & & & & \\
-1 & 4 & -1 & & -2 & & & & & & & \\
& -1 & 4 & & & -2 & & & & & & \\
-1 & & & 4 & -1 & & -1 & & & & & \\
& -1 & & -1 & 4 & -1 & & -1 & & & & \\
& & -1 & & -1 & 4 & & & -1 & & & \\
& & & -1 & & & 4 & -1 & & -1 & & \\
& & & & -1 & & -1 & 4 & -1 & & -1 & \\
& & & & & -1 & & -1 & 4 & & & -1 \\
& & & & & & -1 & & & 4 & -1 & \\
& & & & & & & -1 & & -1 & 4 & -1 \\
& & & & & & & & -1 & & -1 & 4
\end{bmatrix}
\begin{bmatrix}
T_{10} \\ T_{20} \\ T_{30} \\ T_{11} \\ T_{21} \\ T_{31} \\ T_{12} \\ T_{22} \\ T_{32} \\ T_{13} \\ T_{23} \\ T_{33}
\end{bmatrix}
=
\begin{bmatrix}
75 \\ 0 \\ 50 \\ 75 \\ 0 \\ 50 \\ 75 \\ 0 \\ 50 \\ 175 \\ 100 \\ 150
\end{bmatrix}
$$

Observe que, debido a las derivadas en las condiciones de frontera, la matriz aumentó de tamaño a un 12×12, a diferencia del sistema de 9×9 de la ecuación (10), para considerar las tres temperaturas desconocidas del extremo inferior de la placa. De estas ecuaciones se obtiene

$T_{10} = 71,91$ $T_{20} = 67,01$ $T_{30} = 59,54$

$T_{11} = 72,81$ $T_{21} = 68,31$ $T_{31} = 60,57$

$T_{12} = 76,01$ $T_{22} = 72,84$ $T_{32} = 64,42$

$T_{13} = 83,41$ $T_{23} = 82,63$ $T_{33} = 74,26$

Esos resultados y los flujos calculados (con los mismos parámetros que en el ejemplo 4.11) se muestran en la figura 29.8. Observe que, debido a que el extremo inferior está aislado, la temperatura de la placa es más alta que en la figura 89, donde la temperatura del extremo inferior se fijó en cero. Además, el flujo de calor (a diferencia de la figura 87) ahora está desviado a la derecha y se mueve paralelamente a la pared aislada.

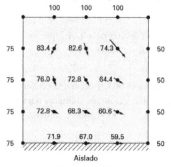

Figura 89. Temperatura y distribución de flujo en una placa caliente sujeta a condiciones de frontera fijas, excepto en un extremo inferior aislado.

Fronteras irregulares.

Aunque la placa rectangular de la figura 85 nos sirve para ilustrar los aspectos fundamentales en la solución de las EDP elípticas, muchos problemas de ingeniería no muestran esa geometría idealizada. Por ejemplo, muchos sistemas tienen fronteras irregulares (figura 90).

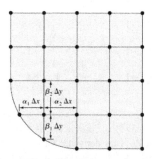

Figura 90. Malla de una placa caliente con una frontera en forma irregular.

La figura 90 es un sistema útil para ilustrar cómo se pueden tratar las fronteras no rectangulares. Como se muestra, la frontera inferior izquierda de la placa es circular. Observe que tenemos parámetros adicionales $(\alpha_1, \alpha_2, \beta_1, \beta_2)$ en cada una de las longitudes que rodean al nodo. Por supuesto que, para la placa mostrada en la figura 90, $\alpha_2 = \beta_2 = 1$. Conservaremos estos parámetros en la siguiente deducción, de tal modo que la ecuación resultante sea aplicable a cualquier frontera irregular (y no sólo a la esquina inferior izquierda de una placa caliente). Las primeras derivadas en la dimensión x se aproximan como sigue

210

$$\left(\frac{\partial T}{\partial x}\right)_{i-1,j} \cong \frac{T_{1,j}+T_{i-1,j}}{\alpha_1 \Delta x} \qquad (21)$$

y

$$\left(\frac{\partial T}{\partial x}\right)_{i,j+1} \cong \frac{T_{i+1,j}+T_{i,j}}{\alpha_2 \Delta x} \qquad (22)$$

Las segundas derivadas se obtienen a partir de estas primeras derivadas. Para la dimensión x, la segunda derivada es

$$\frac{\partial^2 T}{\partial x^2} = \frac{\partial}{\partial x}\left(\frac{\partial T}{\partial x}\right) = \frac{\left(\frac{\partial T}{\partial x}\right)_{i,j+1}-\left(\frac{\partial T}{\partial x}\right)_{i-1,j}}{\frac{\alpha_1\Delta x + \alpha_2\Delta x}{2}} \qquad (23)$$

Sustituyendo las ecuaciones (21) y (22) en la (23), obtenemos

$$\frac{\partial^2 T}{\partial x^2} = \frac{2}{\Delta x^2}\left[\frac{T_{i-1,j}-T_{i,j}}{\alpha_1(\alpha_1+\alpha_2)} + \frac{T_{i+1,j}-T_{i,j}}{\alpha_2(\alpha_1+\alpha_2)}\right]$$

Es posible desarrollar una ecuación similar en la dimensión y:

$$\frac{\partial^2 T}{\partial y^2} = \frac{2}{\Delta y^2}\left[\frac{T_{i,j-1}-T_{i,j}}{\beta_1(\beta_1+\beta_2)} + \frac{T_{i,j+1}-T_{i,j}}{\beta_2(\beta_1+\beta_2)}\right]$$

Sustituyendo estas ecuaciones en la ecuación (6), obtenemos

$$\frac{2}{\Delta x^2}\left[\frac{T_{i-1,j}-T_{i,j}}{\alpha_1(\alpha_1+\alpha_2)} + \frac{T_{i+1,j}-T_{i,j}}{\alpha_2(\alpha_1+\alpha_2)}\right] + \frac{2}{\Delta y^2}\left[\frac{T_{i,j-1}-T_{i,j}}{\beta_1(\beta_1+\beta_2)} + \frac{T_{i,j+1}-T_{i,j}}{\beta_2(\beta_1+\beta_2)}\right] = 0 \qquad (24)$$

Como se ilustra en el siguiente ejemplo, la ecuación (24) se aplica a cualquier nodo que sea adyacente a una frontera irregular de tipo Dirichlet.

Ejemplo 4.13 Repita el mismo problema del ejemplo 4.10, pero ahora el extremo inferior tendrá la forma que se ilustra en la figura 90.

Solución. En el caso de la figura 90, $\Delta x = \Delta y$, $\alpha_1 = \beta_1 = 0.732$ y $\alpha_2 = \beta_2 = 1$. Sustituyendo estos valores en la ecuación (24), se obtiene la siguiente ecuación para el nodo $(1,1)$:

$$0{,}788675(T_{01} - T_{11}) + 0{,}57735(T_{21} - T_{11}) + 0{,}788675(T_{10} - T_{11})$$
$$+ 0{,}57735(T_{12} - T_{11}) = 0$$

Agrupando términos, esta ecuación se expresa como

$$-4T_{11} + 0{,}8453T_{21} + 0{,}8453T_{12} = -1{,}1547T_{01} - -1{,}1547T_{10}$$

Las ecuaciones simultáneas de la distribución de temperatura sobre la placa de la figura 90 con una temperatura en la frontera inferior de 75, se escriben en forma matricial como

$$
\begin{bmatrix}
4 & -0{,}845 & & -0{,}845 & & & & & \\
-1 & 4 & -1 & & -1 & & & & \\
 & -1 & 4 & & & -1 & & & \\
-1 & & & 4 & -1 & & -1 & & \\
 & -1 & & -1 & 4 & -1 & & -1 & \\
 & & -1 & & -1 & 4 & & & -1 \\
 & & & -1 & & & 4 & -1 & \\
 & & & & -1 & & -1 & 4 & -1 \\
 & & & & & -1 & & -1 & 4
\end{bmatrix}
\begin{bmatrix}
T_{11} \\ T_{21} \\ T_{31} \\ T_{12} \\ T_{22} \\ T_{32} \\ T_{13} \\ T_{23} \\ T_{33}
\end{bmatrix}
=
\begin{bmatrix}
173{,}2 \\ 75 \\ 125 \\ 75 \\ 0 \\ 50 \\ 175 \\ 100 \\ 150
\end{bmatrix}
$$

De estas ecuaciones se llega a

$T_{11} = 74{,}98$ $T_{21} = 72{,}76$ $T_{31} = 66{,}07$

$T_{12} = 74{,}23$ $T_{22} = 75{,}00$ $T_{32} = 66{,}52$

$$T_{13} = 83,93 \qquad T_{23} = 83,48 \qquad T_{33} = 75,00$$

Estos resultados, junto con los flujos calculados, se muestran en la figura 91. Observe que los flujos se calculan de la misma manera que en la sección 29.2.3, excepto que $(\alpha_1 + \alpha_{21})$ y $(\beta_1 + \beta_2)$ se sustituyen por los 2 en los denominadores de las ecuaciones (14) y (15), respectivamente.

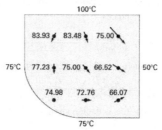

Figura 91. Distribución de la temperatura y flujo en una placa caliente con una frontera circular.

Las derivadas en las condiciones de frontera de forma irregular son más difíciles de formular. En la figura 92 se muestra un punto cercano a una frontera irregular donde se especifica la derivada normal.

La derivada normal en el nodo 3 se aproxima por el gradiente entre los nodos 1 y 7,

$$\left.\frac{\partial T}{\partial \eta}\right|_3 = \frac{T_1 - T_7}{L_{17}} \tag{25}$$

Cuando θ es menor a 45°, como se muestra, la distancia del nodo 7 al 8 es $\Delta x \tan \theta$, y se utiliza la interpolación lineal para estimar

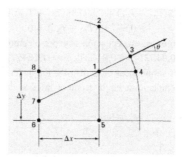

Figura 92. Frontera curvada donde se especifica el gradiente normal.

$$T_7 = T_8 + (T_6 - T_8)\frac{\Delta x \tan\theta}{\Delta y}$$

La longitud L_{17} es igual a $\Delta x/\cos \theta$. Esta longitud, junto con la aproximación para T_7, puede sustituirse en la ecuación (25) para obtener

$$T_1 = \left(\frac{\Delta x}{\cos\theta}\right)\left.\frac{\partial T}{\partial \eta}\right|_3 + T_6\frac{\Delta x \tan\theta}{\Delta y} + T_8\left(1 - \frac{\Delta x \tan\theta}{\Delta y}\right) \tag{26}$$

Tal ecuación proporciona un medio para incorporar el gradiente normal en el método de diferencias finitas. En los casos donde θ es mayor a 45°, deberá usarse una ecuación diferente. La determinación de esta fórmula se deja como ejercicio para el estudiante.

Nota. Se pide al estudiante revisar la sección 29.4 El método del volumen de control que se encuentra en la literatura 1.

4.2.2. Diferencias finitas: ecuaciones parabólicas

Un ejemplo clásico de EDP parabólica es la conocida ecuación del calor, o de la difusión,

$$u_t = \beta u_{xx} \quad para\ 0 < x < l \ \ y \ \ t > 0,$$

con las condiciones

$$u(0,t) = u(l,t) = 0, \ \ t > 0, \ \ \text{(condiciones de contorno)}$$

$$u(x,0) = f(x), \ \ 0 \le x \le l, \ \ \text{(condición inicial)}$$

Empezamos tomando un número natural m > 0 y definiendo $h = \dfrac{l}{m}$. Luego elegimos un tamaño de paso k para la variable temporal t. Los puntos de malla en este caso son (x_i, t_j), donde $x_i = ih$, para i = 0, 1, . . . ,m y $t_j = jk$, para j = 0, 1, . . .

Construimos el método de diferencias utilizando la fórmula de Taylor en t para generar la fórmula de diferencias progresivas

$$u_t\left(x_i, t_j\right) = \frac{u\left(x_i, t_{j+1}\right) - u\left(x_i, t_j\right)}{k} + O(k),$$

y la fórmula de Taylor en x para generar la fórmula de diferencias centradas

$$u_{xx}\left(x_i, t_j\right) = \frac{u\left(x_{i+1}, t_j\right) - 2u\left(x_i, t_j\right) + u\left(x_{i+1}, t_j\right)}{h^2} + O(h^2).$$

Sustituyendo estas ecuaciones en la EDP, denotando las aproximaciones de los valores $u(x_i, t_j)$ por $u_{i,j}$ y despreciando los términos de error $O(k)$ y $O(h^2)$, obtenemos la correspondiente ecuación en diferencias

$$\frac{u_{i,j+1} - u_{i,j}}{k} = \beta \frac{u_{i-1,j} - 2u_{i,j} + u_{i+1,j}}{h^2}$$

Por comodidad, tomamos $\lambda = \dfrac{\beta k}{h^2}$ en la ecuación en diferencias anterior y reordenamos los términos para obtener la ecuación en diferencias progresiva

$$u_{i,j+1} = (1 - 2\lambda)u_{i,j} + \lambda\left(u_{i-1,j} + u_{i+1,j}\right), \quad i = 1,2, \dots, m - 1, \ \ j = 0,1, \dots$$

En forma esquemática, la ecuación anterior puede verse en la figura 93. La solución en cada punto (i, j + 1) del nivel (j + 1)-ésimo de tiempo se puede expresar en términos de los valores de la solución en los puntos (i − 1, j), (i, j) y (i + 1, j) del nivel anterior de tiempo. Fijando un instante final T, elegimos un número de subintervalos temporales n y con la expresión anterior vamos calculando la solución en cada instante hasta llegar a T. Este procedimiento se conoce como método de diferencias finitas progresivas o método explícito clásico, es un método explícito (ya que todas las aproximaciones pueden hallarse directamente a partir de la información dada por las condiciones iniciales y las de contorno) y de orden $O(k + h^2)$.

Los valores de la condición inicial u(xi, 0) = f(xi), para i = 0, 1, . . . ,m, se utilizan en la ecuación en diferencias para hallar los valores de ui,1, para i = 1, 2, . . . ,m − 1. Las condiciones de contorno $u(0,t) = u(l,t) = 0$, implican que $u_{0,1} = u_{m,1} = 0$, así que podemos determinar todas las aproximaciones de la forma $u_{i,1}$. Aplicando el mismo procedimiento, una vez que se conocen todas las aproximaciones $u_{i,1}$, podemos calcular los valores $u_{i,2}, u_{i,3}, . . . , $ ui,m−1 de forma parecida.

La naturaleza explícita del método implica que la matriz (m − 1) × (m − 1) asociada es tridiagonal:

$$\begin{pmatrix} 1-2\lambda & & & & & \\ \lambda & 1-2\lambda & \lambda & & & \\ & \lambda & 1-2\lambda & \lambda & & \\ & & \ddots & \ddots & \ddots & \\ & & & \lambda & 1-2\lambda & \lambda \\ & & & & \lambda & 1-2\lambda \end{pmatrix}$$

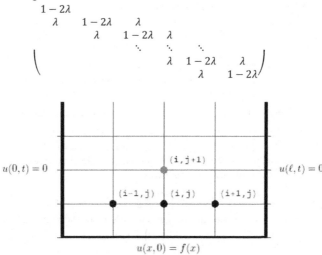

Figura 93. Forma esquemática para el método explícito clásico (ecuación del calor)

Si definimos $u^{(0)} = \left(f(x_1), f(x_2), ..., f(x_{m-1}) \right)^T$ y

$$u^{(j)} = \left(u_{1,j}, u_{2,j}, ..., u_{m-1,j} \right)^T, \text{ para cada } j=1,2,...$$

entonces la solución aproximada viene dada por

$$u^{(j)} = Au^{(j-1)}, \text{ para cada } j=1,2,...$$

De manera que $u^{(j)}$ se obtiene a partir de $u^{(j-1)}$ mediante una simple multiplicación matricial

Comentario adicional. El método explícito anterior no necesariamente produce buenos resultados.

Puede verse que el método no refleja la exactitud esperada de orden $O(k+h^2)$ para un problema concreto. Esto se debe a la condición de estabilidad del método explícito. Hay que hacer elecciones apropiadas para los tamaños de paso h y k que determinan los valores de _. Se puede demostrar, que el método explícito es estable si λ es tal que 0 < λ< ½. Esto significa que el tamaño de paso k debe cumplir que $k \le \dfrac{h^2}{2\beta}$, de manera que si esto no se cumple, puede ocurrir que los errores introducidos en una fila j, {u_{ij}}, se incrementen en alguna fila posterior {u_{ir}} para algún r > j.

Para obtener un método más estable, consideraremos un método implícito. La ecuación en diferencias finitas de este método se obtiene al discretizar la EDP en dos instantes y hacer la media. Así, si en la EDP reemplazamos $u_t(x, t)$ por una diferencia progresiva y $u_{xx}(x, t)$ por el valor medio de una diferencia centrada en los pasos de tiempo j y $j + 1$, da

$$\frac{u_{i,j+1} - u_{i,j}}{k} = \frac{\beta}{2}\left[\frac{u_{i-1,j} - 2u_{i,j} + u_{i+1,j}}{h^2} + \frac{u_{i-1,j+1} - 2u_{i,j+1} + u_{i+1,j+1}}{h^2}\right]$$

que tiene un error de orden $O(k^2 + h^2)$. Tomando de nuevo $\lambda = \frac{\beta k}{h^2}$, la ecuación en diferencias anterior se puede escribir ahora como

$$-\lambda u_{i-1,j+1} + 2(1 + \lambda)u_{i,j+1} - \lambda u_{i+1,j+1} = \lambda u_{i-1,j} + 2(1 + \lambda)u_{i,j} + \lambda u_{i+1,j}$$

para $i = 1, 2, \ldots, m - 1$ y $j = 0, 1, \ldots$ Este procedimiento se llama método de Crank-Nicolson y es incondicionalmente estable. Su forma esquemática puede verse en la figura 94.

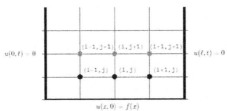

Figura 94. Forma esquemática para el método de Crank-Nicolson.

La forma matricial del método de Crank-Nicolson es

$$Au^{(j+1)} = Bu^{(j)}, \quad j = 0,1,2, \ldots$$

Donde $u^{(j)} = \left(u_{1,j}, u_{2,j}, \ldots, u_{m-1,j}\right)^T$,

$$A = \begin{pmatrix} 2(1 + \lambda) & -\lambda \\ -\lambda & 2(1 + \lambda) & -\lambda \\ & -\lambda & 2(1 + \lambda) & -\lambda \\ & & \ddots & \ddots & \ddots \\ & & & -\lambda & 2(1 + \lambda) & -\lambda \\ & & & & -\lambda & 2(1 + \lambda) \end{pmatrix},$$

$$B = \begin{pmatrix} 2(1 - \lambda) & \lambda \\ \lambda & 2(1 - \lambda) & \lambda \\ & \lambda & 2(1 - \lambda) & \lambda \\ & & \ddots & \ddots & \ddots \\ & & & \lambda & 2(1 - \lambda) & \lambda \\ & & & & \lambda & 2(1 - \lambda) \end{pmatrix}$$

Obsérvese que el término del miembro derecho de la ecuación matricial anterior es conocido, así que esta ecuación es un sistema lineal tridiagonal. La matriz tridiagonal A es definida positiva y diagonal estrictamente dominante, así que es no singular y el sistema de ecuaciones se puede entonces resolver mediante cualquier método descrito anteriormente.

Ejemplo 4.14 Consideramos la ecuación del calor

$$u_t = u_{xx} = 0, \quad 0 < x < 1, \quad t > 0,$$

con

$$u(0,t) = u(l,t) = 0, \quad t > 0, \quad \text{(condiciones de contorno)}$$
$$u(x,0) = f(x), \quad 0 \le x \le l, \quad \text{(condición inicial)}$$

Vamos a tomar h = 0.2 y k = 0.05, de manera que λ= 1.25 y m = 5. Reemplazando el valor de λ en la ecuación en diferencias, obtenemos

$$-1{,}25u_{i-1,j+1} + 4{,}5u_{i,j+1} - 1{,}25u_{i+1,j+1} = 1{,}25u_{i-1,j} - 0{,}5u_{i,j} + 1{,}25u_{i+1,j}$$

i=1,23,4.

En el primer paso de tiempo t = k, $u_{i,1}$ está dado por la solución del sistema tridiagonal

$$\begin{pmatrix} 4{,}5 & -1{,}25 & 0 & 0 \\ -1{,}25 & 4{,}5 & -1{,}25 & 0 \\ 0 & -1{,}25 & 4{,}5 & -1{,}25 \\ 0 & 0 & -1{,}25 & 4{,}5 \end{pmatrix} \begin{pmatrix} u_{1,1} \\ u_{2,1} \\ u_{3,1} \\ u_{4,1} \end{pmatrix} = \begin{pmatrix} -0{,}5u_{1,0} & +1{,}25u_{2,0} \\ 1{,}25u_{1,0} & -0{,}5u_{2,0} & +1{,}25u_{3,0} \\ 1{,}25u_{2,0} & -0{,}5u_{3,0} & +1{,}25u_{4,0} \\ 1{,}25u_{3,0} & -0{,}5u_{4,0} \end{pmatrix}$$

$$= \begin{pmatrix} 0{,}894928 \\ 1{,}448024 \\ 1{,}448024 \\ 0{,}89492 \end{pmatrix}$$

donde $u_{i,0}$ = sen(πih). La solución del sistema tridiagonal es

$$u(x_i, 0{,}05) = (0{,}36122840, 0{,}58447983, 0{,}58447983, 0{,}36122840)^T, i = 1,2,3,4$$

La solución aproximada en t = 0.5, después de 10 pasos de tiempo. La figura 95 muestra la aproximación numérica de la solución.

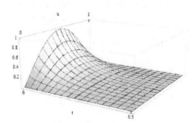

Figura 95. Representación gráfica de la solución numérica de la ecuación del calor del ejemplo.

UNIDAD 5. SISTEMAS ENERGÉTICOS

Hasta el día de hoy, la producción, el transporte y la distribución de la energía se han venido considerando en general como problemas separados; lo más que se ha hecho es estudiarlos a nivel de subsistemas o sistemas de segundo orden. En la actualidad, la escala de utilización de la energía está aumentando con gran rapidez, con la consecuencia de que la sociedad depende cada vez más de la energía. Este fuerte aumento cuantitativo surte su influjo sobre casi todos los aspectos de naturaleza cualitativa de la utilización de la energía. Recursos reservas, habilidad y medio ambiente son algunos de los términos clave que podrían caracterizar el cambio que se está operando en la naturaleza del problema de la utilización de la energía. La energía no puede considerarse ya como problema técnico y económico aislado, sino que se ha enraizado en la ecosfera y en el complejo sociedad-tecnología. Hay que dedicara las limitaciones y restricciones correspondientes la misma atención que a los problemas técnicos tradicionales, pongamos por caso una turbina de vapor, de donde resulta un alto grado de interconexión. Además, resulta tanto más patente la finalidad de surtir energía, a saber, hacer posible la supervivencia de un mundo civilizado y densamente poblado en un planeta de dimensiones finitas. Como consecuencia del citado grado de interconexión y de finitud, se cree que la energía debe considerarse como un sistema y, por este motivo, se emplea la expresión "sistemas energéticos". La producción de la energía no es más que uno de los componentes de este sistema; tienen importancia análoga la forma de operar con la energía y la integración de ésta en el complejo físico y social del mundo por lo que se refiere a la ecología, la economía, los riesgos y los recursos.[6]

A continuación podemos observar un cuadro de las fases cronológicas del problema energético, las fechas que se indican son aproximadas.

A corto plazo 1970 - 1985	A plazo medio 1980 - 1995	A largo plazo 1990 -2050?	Posteriormente
Precios de la energía	Nuevas tecnologías para la utilización del carbón	Reactores reproductores rápidos	Además
Importación de petróleo	Reactores de agua ligera en gran escala	Hidrógeno	¿Utilización en gran escala de la energía solar?
Garantía de suministro	Reactores de alta temperatura refrigerados con gas	Transporte de energía en gran escala	
Ahorro de energía	Oleoductos	Reactores de alta temperatura refrigerados con gas	
Inversión de capital	Plataformas flotantes	Complejos nucleares	
Elección de emplazamientos	Calefacción de locales mediante la energía solar	Optimación de la integración de energía	
	Prospección	Sistemas de vigilancia a escala mundial	
	Control en gran escala de la contaminación		

Modelos matemáticos de la oferta y la demanda en relación con los sistemas energéticos.

En el pasado, la fuerza propulsora del desarrollo de la tecnología energética y de la evolución de una economía energética ha sido, principalmente, la demanda de energía. Las demás consideraciones han sido de orden secundario, por lo que, en la

217

esfera de la energía, se ha podido operar con conjuntos de parámetros de un alto grado de agregación, como es el crecimiento de la demanda de energía eléctrica.

Ahora nos encontramos ante una situación que cambia constantemente. En estos momentos aparecen restricciones de carácter ecológico, que ya no puede considerarse de importancia secundaria.

Es forzoso, pues, evaluar en mayor detalle grupos menos complejos de parámetros, lo que conduce a la formulación de modelos matemáticos para la oferta y la demanda de energía.

Cabe observar tres aspectos en la elaboración de estos modelos: tanteo, optimación y predicción.

Hay diversos aspectos que tienen que tantearse mediante los modelos. Las reglamentaciones en la esfera de la energía se han establecido a veces partiendo de un panto de vista fragmentario; sólo se han tomado en consideración subsistemas o sistemas de segundo orden. La construcción de modelos debe conducir a un punto de vista más amplio: ¿qué sucede si...? Estos procedimientos deberían hacer posible la evaluación de determinadas políticas y normas. Tal puede ser concretamente el caso cuando se trate de sentar criterios de orden ambiental o económico, como se ha señalado ya. Pero probablemente también pueda plantearse así el complejo problema de la evaluación de la tecnología, y quizá de este modo sea posible establecer prioridades para las actividades de investigación y desarrollo.

La optimación debe ser uno de los objetivos de los modelos matemáticos. Aquí entran en escena la distribución más conveniente y oportuna de la oferta de combustible, la sustitución óptima de unos combustibles por otros y la aportación óptima de capital. Hasta ahora se llegaba a la función objetivo simplemente por consideraciones de orden económico de precios y costos. Importa ahora incorporar objetivos múltiples en la función objetivo, que reflejen tanto valores económicos como valores ambientales y sociales. Ello conduce al problema mucho más general de comparar tales valores.

El modelo de la demanda de energía se combina con un modelo de las diversas elasticidades parciales, para que sirva como entrada de un algoritmo de afijación de programación lineal. Se procede de igual modo con un modelo de la oferta, de su crecimiento y de las elasticidades correspondientes. El algoritmo de programación lineal afija entonces los crecimientos de la demanda a los crecimientos de la oferta para una función objetivo dada. El resultado es una estrategia energética para satisfacer el crecimiento de la demanda con las variaciones de precios correspondientes. Este enfoque del problema supone una cierta posibilidad de intercambiar los combustibles, lo que conduce al terreno de la conversión de la energía y a los correspondientes modelos relativos a la misma y, de ahí, a considerar nuevas tecnologías, así como modelos para las políticas energéticas en estudio.

Recursos energéticos
a) Combustibles fósiles.

Las cifras que se publican y se discuten en la actualidad en relación con los recursos de combustibles fósiles discrepan mucho entre sí. La razón estriba sencillamente en que es difícil definir con claridad qué debe considerarse como límite superior evidente para clasificar los yacimientos como recursos. Earl Cook: [Comunicación privada. Memoria para el Congressional Research Service. Library of Congress of the United States. En prensa.] hace observar que hay tres métodos para predecir la disponibilidad de recursos. Uno es el método económico, que se limita simplemente a extrapolar las tendencias históricas y la elasticidad de la demanda junto con las tendencias tecnológicas y llega a la sencilla conclusión de que, si se busca combustible en esas condiciones, se encontrará. Quizá esta manera de enfocar el problema fuera razonable en el pasado, cuando la producción de energía resultaba modesta a escala mundial. Ahora nos encontramos ante un orden diferente de magnitud en el problema de la energía. El segundo método es el de las analogías geológicas, que se orienta hacia el suministro y no hacia la demanda como el método económico; en el que se tienen en extrapolaciones sobre la base de consideraciones de índole geológica. El tercer método es el de la historia de la explotación de M.K. Hubbert [13], en el se tienen en cuenta la historia de la curva de producción, la curva de las reservas comprobadas y la curva del combustible descubierto por unidad de longitud perforada en la exploración.

	Contenido energético de los recursos mundiales de combustibles fósiles en unidades Q=10E18 BTU			
	Según V.E. McKelvey y D.C. Duncan		Según M. K. Hubbert	
	Conocidame nte recuperable	Por descubrir y marginal	recuperable en algún momento	%
Carbón	17,3	320	192	88,8
Petróleo crudo	1,73	23	11,1	5,2
Gas natural	1,95	20	10,1	4,7
Líquidos del gas natural	0,21	3,2		
Petróleo de arenas bituminosas	0,.23	6,3	1,7	0,8
Petróleos de esquistos	0,87	77	1,1	0,5
Total	22,5 Q	450 Q	216 Q	

b) Recursos de uranio y de torio

Las observaciones relativas a la dificultad de efectuar estimaciones válidas de los recursos de combustibles fósiles son igualmente aplicables a los recursos de que se nutren los reactores nucleares de fisión, es decir, el uranio y el torio.

Debe tenerse presente que todas las cifras manejadas en los años 60 se referían a yacimientos ya conocidos o a yacimientos que podrían descubrirse con un alto grado de certidumbre. Además, sólo se tomaban en consideración para el uranio precios de hasta 30 dólares por libra de U3Og. Para poder apreciar la cuestión hay que conocer las relaciones entre los costos del mineral por kW h y los costos a la salida de la central, para los distintos tipos de centrales eléctricas. Un aumento del precio del mineral de 10 dólares por libra a 30 dólares por libra incrementaría en unos 0,001 dólares/kW h el costo a la salida de la central en el caso de un reactor de agua ligera. Consideraciones de esta clase son las que marcaban los límites de las polémicas en los años sesenta. En el cuadro de más abajo (6) se incluyen también estimaciones basadas en precios superiores para el uranio. A un precio de 100 dólares por libra, el aumento del costo de la energía eléctrica producida con reactores de agua ligera sería de aproximadamente de 0,005 dólares/kW h, pero los recursos seguirían siendo solamente de unos pocos centenares de Q. Se trata de cantidades comparables a las de los combustibles fósiles. La energía nucleoeléctrica, si se parte de la base de las centrales nucleares actuales, no difiere de las centrales que queman combustible fósil en lo que se refiere a los recursos de combustible. La situación es cualitativamente diferente en el caso de los reactores reproductores. Su importancia a corto plazo estriba en el hecho de que los aumentos de precios de los minerales de uranio no se reflejan prácticamente en los costos a la salida de la central cuando se trata de reactores reproductores. Pueden admitirse precios de más de 500 dólares por libra de U308, con lo que resultan accesibles grandes cantidades de recursos que, además, se convierten mejor en energía por un factor de 100. En ese cuadro también podemos observar que los recursos energéticos accesibles gracias a los reactores nucleares reproductores son prácticamente ¡limitados, lo que determina la importancia a largo plazo de este tipo de reactores.

Hay que tener presente que el desarrollo de los reactores reproductores está ya muy adelantado. Su versión más avanzada es el reactor reproductor rápido de metal líquido, que ha sido desarrollado por la ex Unión Soviética, Francia, el Reino Unido y Alemania en cooperación con Bélgica y los Países Bajos, los Estados Unidos y el Japón. Los trabajos importantes de desarrollo como los correspondientes al reactor reproductor rápido han de atravesar tres umbrales:

el umbral de la viabilidad científica,

el umbral de la viabilidad industrial y

el umbral de la viabilidad comercial.

Cuadro   Recursos de uranio

en unidades $Q \equiv 10^{18}$ BTU

(De no indicarse lo contrario, las cifras están tomadas o concuerdan con las de V.E.Mc Kelvey y D.C. Duncan (12))

	Yacimientos conocidos		Yacimientos no evaluados o por descubrir		
	b) Reactor de agua ligera	c) Reactor reproductor	b) Reactor de agua ligera	c) Reactor reproductor	
hasta 10$/libra de U3O8 a)	0.7	70	d) ≈30	d) ≈3000	
hasta 100$/libra de U3O8 a)	—	—	e) $(2-10) \times 10^2$	e) $(2-10) \times 10^4$	
hasta 500$/libra de U3O8 a)	—	—	d) 5×10^4	d) 5×10^6	
Océanos g)	f) 1×10^2	f) 1×10^4	g) 3×10^3	g) 3×10^5	

a) Valores en dólares de los Estados Unidos a finales del decenio 1960-1969

b) Suponiendo un factor de conversión de 1 tonelada corta de U3O8 = 7×10^{11} BTU (1 tonelada corta = 907 kg)

c) Suponiendo un factor / de conversión de 1 tonelada corta de U3O8 = 7×10^{13} BTU

d) Según la nota d) del cuadro 4 en (14)

e) No concuerda necesariamente con (14)

f) Suponiendo un factor técnico de extracción de 3×10^{-2}

g) Se ha calculado que se podría extraer uranio del mar al precio de 25$/libra de U3O8 (15)

220

c) Recursos de litio y deuterio

Además de la fisión, también la fusión es una fuente de energía nucleoeléctrica. Lo más probable con mucho es que la fusión se base en la reacción D-T, que precisa litio como combustible además del deuterio. Resulta así que el litio es el factor limitante del suministro de combustible. De hecho, un reactor de esta clase es en realidad un reactor reproductor de fusión, porque con el litio se produce tritio de forma análoga a como se genera plutonio-239 a partir del uranio-238. Con un reactor técnico de fusión puede producirse 1 MWd/g de Li natural (7,4% de litio-6 y 92,6% de litio-7). Se trata de una cifra del mismo orden que la correspondiente al uranio o al torio en los reactores de fisión.

También en este caso se han dado a conocer cifras bajas para el litio. Esto se debe, evidentemente, a que hasta ahora no había ningún aliciente para efectuar una prospección adecuada. Pero la cantidad de litio en los océanos solamente es indicativa: $2,7 \times 10^{11}$ toneladas métricas, lo que corresponde a $2,2 \times 10^7$ Q, si fuera posible extraer todo el litio. Si de nuevo suponemos un factor de $\sim 3 \times 10^{-2}$ para la extracción, tenemos $\sim 7 \times 10^5$ Q.

Es evidente que la fusión constituiría una segunda solución para disponer de un suministro prácticamente ilimitado de energía, si es que llega alguna vez a ser técnicamente viable.

d) Fuentes geotérmicas.

El aprovechamiento de las fuentes geotérmicas para el suministro de energía en gran escala constituye un aspecto relativamente nuevo. Hasta ahora, solamente en Italia, Nueva Zelandia y los Estados Unidos han funcionado centrales eléctricas geotérmicas. La escala ha sido modesta, de escasos centenares de MW como máximo. La vida útil prevista para esta clase de centrales es del orden de escasos decenios.

Donald E. White [D.E.White: U.S. Geolog. Surv. Circ. 519, Wash. (1965).] ha calculado que la capacidad geotérmica total del mundo hasta una profundidad de 10 km es aproximadamente 4×10^{20} Ws. Sin contar ningún factor de conversión o de otra clase, esta cifra equivale a 0,4 Q, lo que evidentemente representa una cantidad despreciable de energía en el contexto de que aquí se trata.

Ahora bien, hay también otras opiniones. Recientemente, R.W. Dose [R.W. Rex: Geothermal energy, the neglected energy option, Science and Public Affairs, Bulletin of the Atomic Scientists, Octubre de 1971, Vol. X X X V I I , No. 8.] ha declarado que utilizando más a fondo los recursos geotérmicos que existen en los Estados Unidos podrían quizá explorarse fuentes con una vida superior a los 1000 años y una potencia de 105 MW. Esto supondría 3 Q en los Estados Unidos, cifra más o menos del mismo orden que los recursos de petróleo del país. No se han facilitado detalles respecto de estos cálculos.

La cuestión de si puede explotarse en gran escala la energía geotérmica es muy discutible. De momento, no es posible llegar a ninguna conclusión concreta. Incluso se ignora si la energía geotérmica puede considerarse como una posible solución para el suministro de energía en gran escala.

e) Energía de las aguas y de las mareas.

Los recursos de energía que suponen las aguas y las mareas en todo el mundo son del orden de algunas décimas de Q. Estas fuentes de energía pueden ser de interés regional, pero, decididamente, no constituyen una solución para el suministro de energía en gran escala.

f) Energía solar.

El suministro de energía solar es en sí infinito. Se trata aquí más bien de un problema de densidad de energía. La energía solar que llega a la parte superior de la atmósfera, promediada a lo largo del día y de la noche y respecto de todas las zonas de la tierra, es de 340 W/m^2. Aproximadamente el 47% alcanza la superficie terrestre, lo que significa 160 W/m^2. El valor neto de la energía infrarroja que escapa es ~ 70 W/m^2. Por lo tanto, tenemos

160 W/m^2 =   70 W/m^2 + 90 W/m^2

luz visible = radiación infrarroja   + balance térmico.

En la Fig. 97 se detalla algo más el balance energético. El balance térmico sirve, a su vez, para mantener el ciclo del agua en la atmósfera por evaporación del agua de lluvia, para calentar la tierra y la parte inferior de la atmósfera y para aportar energía a los procesos biológicos.

Por lo tanto, la consideración decisiva respecto de la recolección de energía solar en la superficie de la tierra estriba evidentemente en hasta qué punto es lícito perturbar este equilibrio energético. Se trata ciertamente de un problema de sistemas sumamente complejo, sobre el que se volverá más adelante. Una estimación simplista del valor medio mundial para la energía solar que se puede recolectar daría 20 W/m^2. Ahora bien, es de tener en cuenta que este valor puede ser considerablemente superior según las regiones, lo que, por consiguiente, es importante a esta escala regional.

Claramente, la energía solar puede constituir, en principio, una solución para el suministro de energía en gran escala.

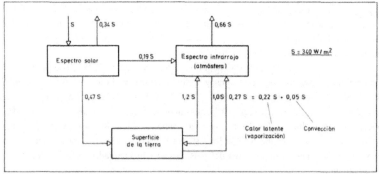

Figura 97. Distribución de la energía solar recibida.

Función del análisis de sistemas en el caso de sistemas energéticos.

Resulta ahora más fácil especificar la función del análisis de sistemas en el caso de los sistemas energéticos. Probablemente, mediante una generalización adecuada se podría llegar a comprender la naturaleza de los problemas de sistemas trascendiendo de los sistemas energéticos. La citada función se subdivide en las siguientes funciones de segundo orden:

1) Es necesario identificar y comprender todos los problemas de sistemas inherentes a las diversas soluciones posibles que se ofrecen para el suministro de energía en gran escala. Será ésta una labor permanente y a la que es probable que nunca se dé fin, al irse expandiendo más y más los sistemas energéticos. No se trata de una cuestión algorítmica, sino más bien de médula tecnológica y sociológica. Será de particular interés identificar las diversas interconexiones que adquieren importancia al aumentar el orden de magnitud de la producción de energía. Ello requiere en cierto grado un trabajo orientado hacia diversas disciplinas concretas, pero sólo en la medida en que sea necesario para identificar aquellas cuestiones encanadas hacia una disciplina determinada. A partir de ese momento, corresponderá a las distintas ramas de la ciencia seguir estudiando las cuestiones así identificadas en relación con el análisis de sistemas.

2) En el caso de los sistemas energéticos, el problema de sistemas principal parece ser el de la integración de la energía, no el de su producción. Esta integración se hace necesaria en consideración del conjunto de funciones de la tierra. Hay que integrar la energía en:•
   — la atmósfera
   — la hidrosfera
   — la ecosfera
   — la socioesfera.

3) A continuación habrá que identificar y evaluar soluciones alternativas para su puesta en práctica en gran escala. Parecen existir las siguientes soluciones para el suministro de energía en gran escala:
   — la energía de la fisión nuclear
   — la energía de la fusión nuclear
   — la energía solar
   — la energía de las fuentes geotérmicas.

4) Finalmente, será necesario minimizar los problemas de sistemas, lo que entraña serios problemas metodológicos. Ya se ha aludido repetidas veces a la comparación de peras con manzanas. Expresado más científicamente quiere decirse que se llega a un problema de metodología de objetivos múltiples y de adopción de decisiones en condiciones de incertidumbre.

Esta labor de análisis de sistemas tiene que acompañar inseparablemente a la evolución tecnológica y sociológica de los sistemas energéticos.

Sistemas Energéticos

Como ya se ha visto, la producción de grandes cantidades de energía a un cierto plazo no constituirá una restricción: se dispondrá de suficiente energía. Pero, probablemente, se plantearán otras graves restricciones. Una de ellas es la cantidad de agua de refrigeración, si las centrales se construyen en los continentes. Como ha podido apreciarse, lo que tiene límites es la densidad de energía. La carga térmica que puede

223

transmitirse a la atmósfera constituye también un límite que viene dado en función de una densidad. Lo mismo sucederá durante mucho tiempo por lo que se refiere a la carga de contaminación, aunque es posible que en algún momento se haga patente la existencia de límites absolutos. Como ejemplo podríamos quizá citar el CO_2. Una vez centrada la atención sobre el término densidad, puede apreciarse que los límites de riesgo pueden expresarse también como una densidad. Las polémicas en torno al emplazamiento de los reactores señalan en esta dirección. Por ejemplo, un aeropuerto, una fábrica química y dos centrales nucleares, ubicados todos en un mismo lugar, podrían considerarse como una acumulación excesiva de riesgos. Es decir, que procedería diluir, distribuir estos riesgos.

En la figura 98 se trata de ilustrar lo que podría significar la expresión sistemas energéticos. Las líneas de trazos representan la interpretación tradicional, y los círculos denotan restricciones. Cada restricción se refiere también a la admisibilidad y, por tanto, al aspecto sociológico de las restricciones. Dentro del marco de estas restricciones puede producirse energía. Un proceso de optimación debería conducir ahora a un ajuste de las densidades de riesgo, de energía y de contaminación. Los medios que harán esto posible son el desarrollo tecnológico, la distribución de todas las instalaciones de que se trata y el transporte de la energía y del agua a mayores distancias.

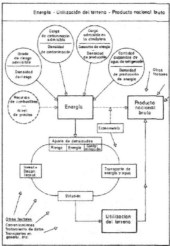

Figura 98. Relación Energía – Utilización del terreno – Producto Nacional Bruto

Cuando se trate de un enfoque de política a largo plazo, es evidente que hay que tener en cuenta otros factores, por ejemplo, aparecen también en escena las comunicaciones, el tratamiento de datos, las necesidades generales de transporte y otros elementos.

La generación de energía eléctrica consiste en transformar alguna clase de energía química, mecánica, térmica o luminosa, entre otras, en energía eléctrica. Para la generación industrial se recurre a instalaciones denominadas centrales eléctricas, que ejecutan alguna de las transformaciones citadas.

Las fuentes de energía las podemos separar en fuentes renovables, fuentes no renovables, fuentes convencionales y fuentes no convencionales.

Las fuentes convencionales, son las que producen la mayor cantidad de energía útil del país.

Las fuentes no convencionales, son las que, por falta de avance tecnológico o por sus cuantiosos gastos de extracción y aprovechamiento, no producen mucha cantidad de energía útil.

5.1 Sistemas de generación con fuentes renovables

Son las que la naturaleza las renueva con rapidez, y podemos obtener energía de forma continua.

Dentro de estas fuentes podemos encontrar energía hidráulica, mareomotriz, hidroeléctrica, eólica, biomasa.

La energía hidráulica, es la energía que se obtiene de la caída del agua desde una altura a un nivel inferior provocando el movimiento de ruedas hidráulicas o turbinas. La hidroelectricidad es un recurso natural disponible en las zonas que presentan suficiente cantidad de agua. Para su desarrollo se necesitan construir pantanos, presas, canales de derivación, y la instalación de grandes turbinas y equipamiento para producir electricidad.

En el proceso, la energía potencial, durante la caída del agua, se convierte en cinética y mueve una turbina para aprovechar esa energía. Este recurso puede obtenerse aprovechando los recursos tal y como surgen en la naturaleza, por ejemplo una garganta o catarata natural, o bien mediante la construcción de presas.

En el aprovechamiento de la energía hidráulica influyen dos factores: el caudal y la altura del salto. Para aprovechar mejor el agua, se construyen presas para regular el caudal en función de la época del año. La presa sirve también para aumentar el salto.

Otra manera de incrementar la altura del salto es derivando el agua por un canal de pendiente pequeña (menor que la del cauce del río), consiguiendo un desnivel mayor entre el canal y el cauce del río.

Cuando se quiere producir energía, parte del agua almacenada se deja salir de la presa para que mueva una turbina engranada con un generador de energía eléctrica. Así, su energía potencial se convierte en energía cinética llegando a las salas de máquinas.

El agua pasa por las turbinas a gran velocidad, provocando un movimiento de rotación que finalmente se transforma en energía eléctrica por medio de los generadores.

Las ventajas del uso de este tipo de energía son:

• Se trata de una energía limpia, pues no genera contaminación a través de desechos.

• Es una de las energías renovables más utilizada en todo el mundo.

• Su fuente de abastecimiento es estable.

• Es empleada muchas veces para completar la electricidad necesaria proporcionada por otras fuentes de energía.

• Ajustando el flujo del agua, se puede adaptar a la demanda eléctrica.

• Los embalses permiten el control del río, disminuyendo los riesgos en caso de inundaciones.

• No está sometida a las subidas y bajadas de los precios de las energías no renovables.

• Los embalses y pantanos que se crean para almacenar agua permiten otros usos, como abastecimiento de agua en casos necesarios o actividades acuáticas.

• Es posible generarla en lugares recónditos en los que haya un río con un caudal que cuente con la suficiente potencia.

Pero también presenta inconvenientes por la dificultad de hacer predicciones fiables de los caudales de los ríos, puesto que están sometidos a la variabilidad de los ciclos meteorológicos con períodos secos y húmedos y de imposible control. Los emplazamientos hidráulicos suelen estar lejos de las grandes poblaciones, por lo que es necesario transportar la energía eléctrica producida a través de costosas redes de transmisión. Otro aspecto poco favorable es el efecto negativo que puede tener la creación de un embalse sobre el entorno, con problemas de alteración de cauces, erosión, incidencias sobre poblaciones, pérdida de suelos fértiles, etc.

Estos inconvenientes, unidos a las grandes inversiones necesarias en este tipo de centrales, y a la cada vez más difícil localización de emplazamientos son los que impiden una mayor utilización de esta fuente energética. Sin embargo la energía hidráulica sigue siendo la más empleada entre las fuentes de energía renovables para la producción de energía eléctrica.

La energía mareomotriz, es la proporcionada por las mareas, la cual se aprovecha para producir electricidad. Esta es una energía muy limpia, pero plantea algunos problemas por resolver, sobre todo a la hora de construir grandes instalaciones, por el impacto visual y estructural sobre el paisaje costanero, y un efecto negativo sobre la flora y la fauna.

Al no consumir elementos fósiles ni tampoco producir gases que ayudan al efecto invernadero. Se le considera una energía limpia y renovable. Dentro de sus ventajas el ser predecible y tener un suministro seguro con potencial que no varía de forma trascendental anualmente, solo se limita a los ciclos de marea y corrientes.

La instalación de este tipo de energía se realiza en ríos profundos, desembocaduras (estuarios) de río hacia el océano y debajo de este ultimo aprovechando las corrientes marinas. Participante de este efecto son el sol, la luna y la tierra. Siendo la mas importante en esta acción la luna, por su cercanía.

Existen tres métodos de generación:

Generador de la corriente de marea: Los generadores de corriente de marea hacen uso de la energía cinética del agua en movimiento a las turbinas de la energía, de manera similar al viento (aire en movimiento) que utilizan las turbinas eólicas. Este método está ganando popularidad debido a costos más bajos y a un menor impacto ecológico en comparación con las presas de marea.

Presa de marea: Las presas de marea hacen uso de la energía potencial que existe en la diferencia de altura (o pérdida de carga) entre las mareas altas y bajas. Las presas son esencialmente los diques en todo el ancho de un estuario, y sufren los altos costes de la infraestructura civil, la escasez mundial de sitios viables y las cuestiones ambientales.

Energía mareomotriz dinámica: La energía mareomotriz dinámica es una tecnología de generación teórica que explota la interacción entre las energías cinética y potencial en las corrientes de marea. Se propone que las presas muy largas (por ejemplo: 30 a 50 km de longitud) se construyan desde las costas hacia afuera en el mar o el océano, sin encerrar un área. Se introducen por la presa diferencias de fase de mareas, lo que lleva a un diferencial de nivel de agua importante (por lo menos 2.3 metros) en aguas marinas ribereñas poco profundas con corrientes de mareas que oscilan paralelas a la costa, como las que encontramos en el Reino Unido, China y Corea. Cada represa genera energía en una escala de 6 a 17 GW.

La energía hidroeléctrica, es el aprovechamiento de la energía potencial acumulada del agua para producir electricidad, es una forma clásica de obtener energía. Aproximadamente el 20% de la electricidad usada en el mundo proviene de esta fuente. Es una energía no alternativa, porque se usa desde hace muchos años como una de las fuentes principales de electricidad. La energía hidroeléctrica que se puede obtener en una zona depende de los cauces de agua y desniveles que tenga.

Debemos destacar que las centrales hidroeléctricas se las puede clasificar en

– Central de embalse. el agua se acumula en la represa para luego caer desde la altura sobre una turbina hidráulica, haciéndola girar y produciendo electricidad con los generadores eléctricos ubicados en la sala de máquinas. Luego, se eleva su tensión para transportar la energía sin mayores pérdidas y posteriormente incorporarse a la red eléctrica. Por otro lado, el agua utilizada retoma su curso natural.

– Centrales de pasada. Este tipo de centrales aprovechan el desnivel natural del río para luego derivar el agua por un canal hasta la central en donde se mueven turbinas que pueden ser de eje vertical (si el río tiene una pendiente pronunciada) u horizontal (si la pendiente es baja), generando energía eléctrica de manera similar a las centrales de embalse. Este tipo de centrales operan de forma continua ya que no tienen capacidad para almacenar el agua.

– Centrales de bombeo o reversibles que, además de aprovechar la energía del agua, pueden consumir energía para transportar el agua hasta el embalse superior en horas de baja demanda y liberarla cuando el consumo eléctrico es elevado. Funcionan como un método de almacenamiento de energía para satisfacer la demanda energética.

Energía eólica. Los molinos de viento se han usado desde hace muchos siglos para moler grano, bombear agua, u otras tareas que necesitan energía. Actualmente, estos molinos se usan para producir electricidad, sobre todo en áreas expuestas a vientos frecuentes.

Se trata de un tipo de energía cinética producida por el efecto de las corrientes de aire. Esta energía la podemos convertir en electricidad a través de un generador eléctrico. Es una energía renovable, limpia, que no contamina y que ayuda a reemplazar la energía producida a través de los combustibles fósiles.

La energía eólica se obtiene al convertir el movimiento de las palas de un aerogenerador en energía eléctrica. Un aerogenerador es un generador eléctrico movido por una turbina accionada por el viento, sus predecesores son los molinos de viento.

Un aerogenerador lo conforman la torre; un sistema de orientación ubicado al final de la torre, en su extremo superior; un armario de acoplamiento a la red eléctrica pegado a la base de la torre; una góndola que es el armazón que cobija los componentes mecánicos del molino y que sirve de base a las palas; un eje y mando del rotor por delante de las palas; y dentro de la góndola, un freno, un multiplicador, el generador y el sistema de regulación eléctrica.

Dentro de los inconvenientes tenemos principalmente que el viento es relativamente impredecible por lo que no siempre se cumplen las previsiones de producción, especialmente en unidades temporales pequeñas; la energía no se la puede almacenar, debe ser consumida de manera inmediata cuando se produce; los grandes parques eólicos tienen un fuerte impacto paisajístico y son visibles desde largas distancias, La altura promedio de las torres/turbinas oscila entre os 50 y los 80 metros, con palas giratorias que se elevan otros 40 metros, el impacto estético en el paisaje a veces genera malestar en la población local y otro factor negativo es que los parques eólicos pueden tener un impacto negativo a la avifauna, especialmente entre las aves rapaces nocturnos, ya que las palas giratorias pueden moverse a una velocidad de 70 km/h y las aves no son capaces de reconocer visualmente las cuchillas a esta velocidad, por tanto chocan con ellas fatalmente.

Energía de biomasa, incluye la madera, plantas de crecimiento rápido, algas cultivadas, restos de animales, etc. Esta fuente de energía es procedente del sol en último lugar.

La biomasa fue la fuente energética más importante para la humanidad hasta el inicio de la revolución industrial, cuando quedó relegada a un segundo lugar por el uso masivo de combustibles fósiles. Se entiende como biomasa toda la materia orgánica susceptible de ser utilizada como fuente de energía. El origen de la energía de la biomasa puede ser tanto animal como vegetal y puede haber sido obtenida de manera natural o proceder de transformaciones artificiales que se realizan en las centrales de biomasa. Esta materia se convierte en energía al aplicarle distintos procesos químicos.

La energía de la biomasa proviene en última instancia del Sol. Los vegetales y los animales absorben y almacenan una parte de la energía solar que llega a la tierra en forma de alimento y energía. Cuando esto ocurre, también se crean subproductos que no sirven para los seres vivos ni pueden ser utilizados para fabricar alimentos, pero sí para hacer energía de ellos.

La biomasa se puede clasificar en tres grandes grupos:

Biomasa natural. Es la que se produce en la naturaleza sin la intervención humana.

Biomasa residual. Son los residuos orgánicos que provienen de las actividades de las personas (residuos sólidos urbanos (RSU) por ejemplo).

Biomasa producida. Son los cultivos energéticos, es decir, campos de cultivo donde se produce un tipo de especie concreto con la única finalidad de su aprovechamiento energético.

Existen diferentes formas para transformar la biomasa en energía aprovechable, pero son dos de las más utilizadas en la actualidad.

Métodos termoquímicos

Es la manera de utilizar el calor para transformar la biomasa. Los materiales que funcionan mejor son los de menor humedad (madera, paja, cáscaras, etc.). Se utilizan para:

Combustión. Existe cuando quemamos la biomasa con mucho aire (20-40% superior al teórico) a una temperatura entre 600 y 1.300ºC. Es el modo más básico para recuperar la energía de la biomasa, de donde salen gases calientes para producir calor y poderla utilizar en casa, en la industria y para producir electricidad.

Pirólisis. Se trata de descomponer la biomasa utilizando el calor (a unos 500ºC) sin oxígeno. A través de este proceso se obtienen gases formados por hidrógeno, óxidos de carbono e hidrocarburos, líquidos hidrocarbonatos y residuos sólidos carbonosos. Este proceso se utilizaba hace años para hacer carbón vegetal.

Gasificación. Existe cuando hay una combustión y se producen diferentes elementos químicos: monóxido de carbono (CO), dióxido de carbono (CO_2), hidrógeno (H) y metano (CH_4), en cantidades diferentes. La temperatura de la gasificación puede estar entre 700 y 1.500ºC y el oxígeno entre un 10 y un 50%. Según se utilice aire u oxígeno, se crean dos procedimientos de gasificación distintos. Por un lado, el gasógeno o "gas pobre" y por otro el gas de síntesis. Este último transformarse en combustibles líquidos (metanol y gasolinas) y de ahí su importancia. Por eso se están haciendo grandes esfuerzos que tienden a mejorar el proceso de gasificación con oxígeno.

Co-combustión. Consiste en la utilización de la biomasa como combustible de ayuda mientras se realiza la combustión de carbón en las calderas. Con este proceso se reduce el consumo de carbón y se reducen las emisiones

Métodos bioquímicos

Se llevan a cabo utilizando diferentes microorganismos que degradan las moléculas. Se utilizan para biomasa de alto contenido en humedad. Los más corrientes son:

Fermentación alcohólica. Es una técnica que consiste en la fermentación de hidratos de carbono que se encuentran en las plantas y en la que se consigue un alcohol (etanol) que se puede utilizar para la industria.

Fermentación metánica. Es la digestión anaerobia (sin oxígeno) de la biomasa, donde la materia orgánica se descompone (fermenta) y se crea el biogás.

Funcionamiento de una central de biomasa de generación eléctrica

El combustible principal de la instalación y los residuos forestales se almacenan en la central. Allí, si fuera necesario, se tratan para reducir su tamaño. Toda esta materia prima pasa después a un edificio de preparación del combustible, donde se clasifica en función de su tamaño y finalmente es almacenado.

Cuando el combustible es conducido a la caldera para su combustión, el agua de las tuberías de la caldera se convierte en vapor debido al calor.

El agua que circula por las tuberías de la caldera proviene del tanque de alimentación. Allí se precalienta mediante el intercambio de calor con los gases de combustión, aún más lentos, que salen de la propia caldera.

Del mismo modo que se hace en otras centrales térmicas convencionales, el vapor generado en la caldera va hacia la turbina de vapor que está unida al generador eléctrico donde se produce la energía eléctrica que se transportará a través de las líneas correspondientes.

El vapor de agua se convierte en líquido en el condensador y desde aquí es nuevamente enviado al tanque de alimentación cerrándose así el circuito principal agua-vapor de la central.

La biomasa puede ser usada directamente como combustible. La mitad de la población del mundo sigue dependiendo de la biomasa como principal fuente de energía. Pero tiene algunos problemas como: la deforestación, desertificación, degradación de las fuentes de agua, etc.

Energía solar. Esta procede del sol y es una fuente directa e indirecta de casi toda la energía que usamos. El aprovechamiento directo de la energía del sol se hace de diferentes maneras:

- Calentamiento directo de locales por el sol, en locales se aprovecha el sol para calentar el ambiente
- Acumulación de solar, se hace con paneles o estructuras especiales colocándolas en lugares expuestos al sol, como los tejados de las viviendas, en los que calienta algún fluido que se almacena el calor en depósitos. Se usa sobre todo para calentar agua.

La energía solar es la producida por la luz –energía fotovoltaica- o el calor del sol –termosolar- para la generación de electricidad o la producción de calor. Inagotable y renovable, pues procede del sol, se obtiene por medio de paneles y espejos.

Las células solares fotovoltaicas convierten la luz del sol directamente en electricidad por el llamado efecto fotoeléctrico, por el cual determinados materiales son capaces de absorber fotones (partículas lumínicas) y liberar electrones, generando una corriente eléctrica. Por otro lado, los colectores solares térmicos usan paneles o espejos para absorber y concentrar el calor solar, transferirlo a un fluido y conducirlo por tuberías para su aprovechamiento en edificios e instalaciones o también para la producción de electricidad (solar termoeléctrica).

La energía solar nos proporciona luz que se convierte en electricidad a través de paneles solares fotovoltaicos. Los paneles fotovoltaicos están formados por grupos de células o celdas solares que transforman la luz (fotones) en energía eléctrica (electrones). Las células solares fotovoltaicas convierten la luz del sol directamente en electricidad por el llamado efecto fotoeléctrico, por el cual determinados materiales son capaces de absorber fotones (partículas lumínicas) y liberar electrones, generando una corriente eléctrica.

La energía solar no emite gases de efecto invernadero, por lo que no contribuye al calentamiento global. De hecho, se muestra como una de las tecnologías renovables más eficientes en la lucha contra el cambio climático.

Al contrario que las fuentes tradicionales de energía como el carbón, el gas, el petróleo o la energía nuclear, cuyas reservas son finitas, la energía del sol está disponible en todo el mundo y se adapta a los ciclos naturales (por eso las denominamos renovables). Por ello son un elemento esencial de un sistema energético sostenible que permita el desarrollo presente sin poner en riesgo el de las futuras generaciones.

De todas estas ventajas, es importante destacar que la energía solar no emite sustancias tóxicas ni contaminantes del aire, que pueden ser muy perjudiciales para el medio ambiente y el ser humano. Las sustancias tóxicas pueden acidificar los ecosistemas terrestres y acuáticos, y corroer edificios. Los contaminantes de aire pueden desencadenar enfermedades del corazón, cáncer y enfermedades respiratorias como el asma. La energía solar no genera residuos ni contaminación del agua, un factor muy importante teniendo en cuenta la escasez de agua.

Hoy las renovables, concretamente la eólica y la fotovoltaica, son más baratas que las energías convencionales en buena parte del mundo. Las principales tecnologías renovables están reduciendo drásticamente sus costes, de forma que ya son plenamente competitivas con las convencionales en un número creciente de emplazamientos. Las economías de escala y la innovación están ya consiguiendo que las energías renovables lleguen a ser la solución más sostenible, no sólo ambiental sino también económicamente, para mover el mundo.

5.2 Sistemas de generación con fuentes no renovables.

Son aquellas que se encuentran en la Tierra y se agotan con su utilización, porque las cantidades son limitadas.

Dentro de esta clasificación podemos encontrar la energía nuclear, la utilización del carbón, petróleo, gas natural y electricidad en sí.

Energía nuclear. Es la fuente energética de mayor poder, aunque no es la más rentable.

La energía nuclear es aquella que se genera mediante un proceso en el que se desintegran los átomos de un material denominado uranio. La energía que libera el uranio al desintegrarse sus átomos produce calor con el que se hierve el agua que se encuentra en los reactores nucleares. Al hervir, el agua genera vapor con el que se mueven las turbinas que se encuentran dentro de los reactores, consiguiendo así producir electricidad.

La energía nuclear es aquella energía que se encuentra en el núcleo de un átomo, el cual se libera a través de reacciones nucleares. Los átomos liberan energía a través de dos procesos denominados:

• Fusión nuclear: es el proceso mediante el cual los átomos se fusionan entre sí para formar otros átomos de mayor tamaño.

• Fisión nuclear: en este caso, los átomos se separan para formar unidades más pequeñas y, así, liberar energía.

Tal como sucede con otros tipos de energía, la nuclear cuenta con algunos aspectos destacables que deberías conocer:

231

• La producción de energía nuclear implica la generación de empleos a personas en diferentes zonas del mundo.

• Las tareas relacionadas a generar energía nuclear pueden realizarse a lo largo de todo el año, sin ser interrumpidas por factores meteorológicos.

• Si es administrada correctamente, este tipo de energía ayuda a reducir las emisiones de gases contaminantes en el ambiente, como el dióxido de carbono (CO_2).

• La energía atómica favorece la inversión en el sector tecnológico y de investigación.

Usos de la energía nuclear

Este tipo de energía se utiliza, sobre todo, para generar electricidad. Sin embargo, sus usos o aplicaciones van mucho más allá, resultando útil para los siguientes sectores:

Medioambiente

Aunque para muchos la energía nuclear supone un peligro para el medio ambiente, la verdad es que su adecuado tratamiento y producción puede beneficiar a los entornos en la detección de agentes contaminantes.

Industria

En el sector industrial la energía nuclear resulta de gran utilidad para mejorar los procesos de medición, automatización y, sobre todo, en tareas de control de calidad.

Hidrología

La energía nuclear puede ser aplicada en la hidrología (entendiendo a esta como una rama científica que estudia las propiedades químicas, físicas y mecánicas del agua). En esta ciencia, la energía atómica estudia los movimientos que realiza el agua a lo largo del ciclo hidrológico.

Medicina

Sorprendentemente la energía nuclear también puede ser aplicada en la medicina. En este caso, aporta beneficios a la hora de aplicar técnicas que empleen instrumentos técnicos, como radioterapias.

Alimentación

El sector alimentario también vislumbra beneficios a través de la energía nuclear, específicamente si hablamos de alimentos ionizados, los cuales son preparados para maximizar su conservación.

Agricultura

Tal como sucede con la alimentación, la energía nuclear tiene aplicaciones de gran valor en la agricultura. En este caso, aporta beneficios en el control de plagas de las plantaciones e incluso resulta de gran utilidad para aumentar las producciones.

Arte

Por último, la energía nuclear es capaz de ayudar a conservar patrimonios históricos o culturales y, además, puede ser empleada a la hora de aplicar técnicas para definir la antigüedad de una obra.

Sus dos principales problemas son:

- Desechos radioactivos de larga vida el alto desarrollo demoledor en caso de accidente.

– El estudio de su impacto ambiental debe llevarse a cabo, analizando todo el proceso de producción de la energía nuclear.

Carbón. Es una de las principales fuentes de energía. Procede de plantas que quedaron enterradas hace 300 millones de años. Es fácil de obtener y utilizar, pero al ritmo actual que llevamos las reservas se agotarán para el 2300 aproximadamente. El carbón es el combustible fósil más abundante en el mundo.

El carbón se ha mantenido como combustible en la generación de energía para una amplia gama de usos (en industria, en generación de electricidad, etc.), aunque ya en la década de 1940 fue alcanzado por el petróleo y por el gas natural. La expansión de la energía hidroeléctrica contribuyó, asimismo, al descenso del uso del carbón en este rubro. En algunos países donde el carbón es abundante o compite en precio con los derivados del petróleo, se sigue utilizando hasta el siglo XXI, especialmente en centrales termoeléctricas.

En la actualidad, el mayor volumen de carbón se explota en China, que posee extensos mantos carboníferos en su sector centro-este. Es el primer productor mundial y buena parte lo utiliza en centrales termoeléctricas, que abastecen las grandes ciudades. Esto significa que la minería del carbón es una destacada fuente de trabajo para su población, aunque produce una contaminación atmosférica severa. India también destaca en este rubro dentro de Asia y sus minas son vitales para dar trabajo a sus habitantes.

Si bien hay grandes reservas de carbón en el mundo, el costo de extracción es cada vez más alto, especialmente en las minas subterráneas, por las labores de prevención, mecanización y también de mano de obra, con sus respectivas restricciones en bien de la salud de los trabajadores.

En las minas subterráneas de carbón, si se hacen labores donde hay gas grisú entrampado, este emana y se difunde por los túneles o galerías. Este gas es mortal y sus consecuencias se dejan sentir con rapidez. Se cuenta que en el pasado los mineros llevaban jaulas con aves, las que eran observadas constantemente, porque si morían, debían evacuar rápidamente la zona. En la actualidad, existen modernos y eficientes sensores que monitorean la calidad del aire en las minas y a los trabajadores se les somete a exámenes médicos periódicos para prevenir efectos nocivos en su salud.

Petróleo. Es un líquido formado por una mezcla de hidrocarburos. En las refinerías se separan del petróleo distintos componentes como gasolina, gasoil, fueloil y asfaltos, que son usados como combustibles. También se separan otros productos de los que se obtienen plásticos, fertilizantes, pinturas, pesticidas, medicinas y fibras sintéticas.

Es considerado un elemento fundamental en nuestra vida, debido a la gran cantidad de usos que tiene, que va desde la fabricación de plásticos y combustibles, hasta la generación de energía eléctrica.

La palabra petróleo viene del latin pretoleum que significa aceite de piedra. El petróleo natural es un aceite mineral compuesto de una mezcla de hidrocarburos líquidos, con otros elementos. Se forma en cuencas sedimentarias, debido a la degradación y transformación de la materia orgánica -restos de plantas, algas y animales- producto de la acción de microorganismos y condiciones geológicas apropiadas. Estos restos incorporaron progresivamente a los sedimentos y estuvieron sometidos durante millones de años a altas temperaturas y presiones, las que finalmente dieron origen a este recurso fósil no renovable.

Podríamos pensar erróneamente que el petróleo se acumula en yacimientos subterráneos en estado líquido, como en especies de lagunas, pero no es así. El petróleo se encuentra en rocas, pero para que se genere una reserva de petróleo crudo -en su estado natural- se deben conjugar varios factores geológicos. El primero corresponde al proceso de generación de los hidrocarburos y, posteriormente de la migración de estos hacia zonas de rocas porosas y permeables – roca reservorio, como la caliza o la arenisca- que los almacena.

Aunque el petróleo y sus productos facilitan las actividades humanas, explorarlos, producirlos, transportarlos y utilizarlos puede impactar el medio ambiente y la salud de las personas. Los efectos más grandes se producen al quemar estos combustibles, generando emisiones de:

- Dióxido de Carbono (CO_2), gas de Efecto Invernadero y principal fuente del calentamiento global.
- Dióxido de Azufre (SO_2): causante de lluvia ácida que afecta plantas, animales y provoca diferentes enfermedades respiratorias.
- Óxidos de Nitrógeno (NO_x) y Compuestos Orgánicos Volátiles (COVs): contribuyen a los niveles de ozono que son causantes de enfermedades respiratorias.
- Material particulado (MP): genera condiciones de bruma en ciudades y junto con el ozono contribuye a enfermedades respiratorias.

Al derramarse también puede contaminar recursos naturales como ríos, terrenos, y océanos.

Gas natural. Se extrae por lo general en las mismas zonas en donde se encuentra el petróleo o las bolsas de petróleo. Se encuentra en la parte superior de la bolsa petrolífera. Su uso principal es como combustible doméstico, aunque ya existen generadores que a pesar de iniciar su proceso con otros combustibles, luego trabajan en base al uso del gas como combustible. El gas natural está formado por un pequeño grupo de hidrocarburos, fundamentalmente el metano con una pequeña cantidad de propano y butano.

Es considerado como uno de los mejores combustibles por sus bajos niveles de contaminación, sus diversos usos y por presentar reservas que nos aseguran su consumo durante mucho tiempo.

El gas natural es una fuente de energía no renovable, compuesto de una mezcla de diferentes gases que reaccionan muy bien con el oxígeno mediante su combustión, siendo la segunda fuente de energía más utilizada en el planeta. Está compuesto principalmente por metano, y se obtiene a partir de la descomposición de restos orgánicos de organismos que vivieron hace millones de años en nuestro planeta, y que al quedar bajo tierra, estuvieron expuestos a altas temperaturas y presiones, al igual que el petróleo.

Si bien el gas natural se genera en el subsuelo de la Tierra, debe moverse hacia zonas donde existan rocas porosas y permeables que lo almacenen. Estas rocas son capaces de mantener el gas en su interior y a partir de ellas se puede extraer este recurso.

El gas obtenido de los yacimientos de hidrocarburos es procesado para separar el metano de otros gases, como el propano, butano e hidrocarburos más pesados. Además, como es extraído de la rocas, contiene compuestos de azufre que si no son eliminados podrían generar emisiones de gases que generan la lluvia ácida, peligroso contaminante atmosférico.

Una vez que el gas es extraído y procesado, puede ser transportado, ya sea por gasoductos o siendo convertido en gas natural licuado –enfriándolo a 160°C bajo cero–. Luego se carga en barcos para llegar a plantas de licuefacción que vuelven a transformarlo en gas y lo distribuyen a los consumidores.

El gas natural se puede usar en centrales termoeléctricas que funcionan con turbinas de ciclo abierto o de ciclo combinado; en la primeras, una gran turbina se mueve a partir del gas natural; y en la segunda, las turbinas pueden ser movilizadas por gas natural y por vapor, ubicadas de tal forma que los gases calientes que salen de la primera turbina generan vapor para mover las siguientes, haciéndolo más eficiente.

Otro uso del gas natural más cercano a nosotros es el que se transporta por cañerías para ser utilizado en nuestros hogares, ya sea para cocinar o para calentar el agua. Sin embargo, en este caso el gas natural es mezclado con compuestos que permitan detectar las fugas de gas a través del olfato, para evitar accidentes. En países como Japón está en proceso de estudio el uso del gas natural licuado como combustible, para reducir las emisiones de CO_2 al ambiente.

Electricidad. Dentro de esta clasificación entran los fenómenos físicos originados por la existencia de cargas eléctricas. Cuando una carga eléctrica se encuentra estacionaria o estática, produce fuerzas eléctricas sobre las otras cargas situadas en su misma región del espacio; cuando está en movimiento, produce además efectos magnéticos.

UNIDAD 6 ALGORITMOS GENÉTICOS PARA RESOLVER SISTEMAS ENERGÉTICOS GLOBALES.

6.1.1 Algoritmos Genéticos

Los Algoritmos Genéticos (AGs) son métodos adaptativos que pueden usarse para resolver problemas de búsqueda y optimización. Están basados en el proceso genético de los organismos vivos. A lo largo de las generaciones, las poblaciones evolucionan en la naturaleza de acorde con los principios de la selección natural y la supervivencia de los más fuertes, postulados por Darwin (1859). Por imitación de este proceso, los Algoritmos Genéticos son capaces de ir creando soluciones para problemas del mundo real. La evolución de dichas soluciones hacia valores óptimos del problema depende en buena medida de una adecuada codificación de las mismas.

En la naturaleza los individuos de una población compiten entre sí en la búsqueda de recursos tales como comida, agua y refugio. Incluso los miembros de una misma especie compiten a menudo en la búsqueda de un compañero. Aquellos individuos que tienen más _éxito en sobrevivir y en atraer compañeros tienen mayor probabilidad de generar un gran número de descendientes. Por el contrario individuos poco dotados producirán un menor número de descendientes. Esto significa que los genes de los individuos mejor adaptados se propagarán en sucesivas generaciones hacia un número de individuos creciente. La combinación de buenas características provenientes de diferentes ancestros, puede a veces producir descendientes "superindividuos", cuya adaptación es mucho mayor que la de cualquiera de sus ancestros. De esta manera, las especies evolucionan logrando unas características cada vez mejor adaptadas al entorno en el que viven.

Los Algoritmos Genéticos usan una analogía directa con el comportamiento natural. Trabajan con una población de individuos, cada uno de los cuales representa una solución factible a un problema dado. A cada individuo se le asigna un valor _o puntuación, relacionado con la bondad de dicha solución. En la naturaleza esto equivaldría al grado de efectividad de un organismo para competir por unos determinados recursos. Cuanto mayor sea la adaptación de un individuo al problema, mayor será la probabilidad de que el mismo sea seleccionado para reproducirse, cruzando su material genético con otro individuo seleccionado de igual forma. Este cruce producirá nuevos individuos - descendientes de los anteriores - los cuales comparten algunas de las características de sus padres. Cuanto menor sea la adaptación de un individuo, menor será la probabilidad de que dicho individuo sea seleccionado para la reproducción, y por tanto de que su material genético se propague en sucesivas generaciones.

De esta manera se produce una nueva población de posibles soluciones, la cual reemplaza a la anterior y verifica la interesante propiedad de que contiene una mayor proporción de buenas características en comparación con la población anterior. Así a lo largo de las generaciones las buenas características se propagan a través de la población. Favoreciendo el cruce de los individuos mejor adaptados, van siendo exploradas las áreas más prometedoras del espacio de búsqueda. Si el Algoritmo Genético ha sido bien diseñado, la población convergerá hacia una solución óptima del problema.

El poder de los Algoritmos Genéticos proviene del hecho de que se trata de una técnica robusta, y pueden tratar con éxito una gran variedad de problemas provenientes de diferentes áreas, incluyendo aquellos en los que otros métodos encuentran dificultades. Si bien no se garantiza que el Algoritmo Genético encuentre la solución óptima del problema, existe evidencia empírica de que se encuentran soluciones de un nivel aceptable, en un tiempo competitivo con el resto de algoritmos de optimización combinatoria. En el caso de que existan técnicas especializadas para resolver un determinado problema, lo más probable es que superen al Algoritmo Genético, tanto en rapidez como en eficacia. El gran campo de aplicación de los Algoritmos Genéticos se relaciona con aquellos problemas para los cuales no existen técnicas especializadas. Incluso en el caso en que dichas técnicas existan, y funcionen bien, pueden efectuarse mejoras de las mismas hibridándolas con los Algoritmos Genéticos.

6.1.1 Algoritmo genético simple.

El Algoritmo Genético Simple, también denominado Canónico, se representa en la figura 99. Como se verá a continuación, se necesita una codificación o representación del problema, que resulte adecuada al mismo. Además se requiere una función de ajuste o adaptación al problema, la cual asigna un número real a cada posible solución codificada. Durante la ejecución del algoritmo, los padres deben ser seleccionados para la reproducción, a continuación dichos padres seleccionados se cruzarán generando dos hijos, sobre cada uno de los cuales actuará un operador de mutación. El resultado de la combinación de las anteriores funciones será un conjunto de individuos (posibles soluciones al problema), los cuales en la evolución del Algoritmo Genético formarán parte de la siguiente población.

```
BEGIN /* Algoritmo Genetico Simple */
    Generar una poblacion inicial.
    Computar la funcion de evaluacion de cada individuo.
    WHILE NOT Terminado DO
    BEGIN /* Producir nueva generacion */
        FOR Tamaño poblacion/2 DO
        BEGIN /*Ciclo Reproductivo */
            Seleccionar dos individuos de la anterior generacion,
            para el cruce (probabilidad de seleccion proporcional
            a la funcion de evaluacion del individuo).
            Cruzar con cierta probabilidad los dos
            individuos obteniendo dos descendientes.
            Mutar los dos descendientes con cierta probabilidad.
            Computar la funcion de evaluacion de los dos
            descendientes mutados.
            Insertar los dos descendientes mutados en la nueva generacion.
        END
        IF  la poblacion ha convergido THEN
            Terminado := TRUE
    END
END
```

Figura 99. Pseudocódigo del Algoritmo Genético Simple.

6.1.1.1 Codificación

Se supone que los individuos (posibles soluciones del problema), pueden representarse como un conjunto de parámetros (que denominaremos genes), los cuales agrupados forman una ristra de valores (a menudo referida como cromosoma). Si bien el alfabeto utilizado para representar los individuos no debe necesariamente estar constituido por el {0; 1}, buena parte de la teoría en la que se fundamentan los Algoritmos Genéticos utiliza dicho alfabeto.

La función de adaptación debe ser diseñada para cada problema de manera específica. Dado un cromosoma particular, la función de adaptación le asigna un número real, que se supone refleja el nivel de adaptación al problema del individuo representado por el cromosoma.

La selección de padres se efectúa al azar usando un procedimiento que favorezca a los individuos mejor adaptados, ya que a cada individuo se le asigna una probabilidad de ser seleccionado que es proporcional a su función de adaptación.

Una vez seleccionados dos padres, sus cromosomas se combinan, utilizando habitualmente los operadores de cruce y mutación.

El operador de cruce, coge dos padres seleccionados y corta sus ristras de cromosomas en una posición escogida al azar, para producir dos subristras iniciales y dos subristras finales. Después se intercambian las subristras finales, produciéndose dos nuevos cromosomas completos (véase figura 100). Ambos descendientes heredan genes de cada uno de los padres. Este operador se conoce como operador de cruce basado en un punto.

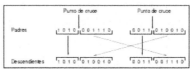

Figura 100. Operador de cruce basado en un punto.

Habitualmente el operador de cruce se aplica de manera aleatoria, normalmente con probabilidad comprendida entre 0,5 y 1,0. En caso de aplicar el operador de cruce, la descendencia se obtiene al duplicar los padres.

El operador de mutación se aplica a cada hijo de manera individual, y consiste en la alteración aleatoria de cada gen componente del cromosoma. La Figura 101 muestra la mutación del quinto gen del cromosoma. El operador de mutación asegura que ningún punto del espacio de búsqueda tenga probabilidad cero de ser examinado y es de vital importancia para asegurar la convergencia de los Algoritmos Genéticos.

Figura 101. Operador de mutación.

Si el Algoritmo Genético ha sido correctamente implementado, la población evolucionará a lo largo de las generaciones sucesivas de tal manera que la adaptación media extendida a todos los individuos de la población, así como la adaptación del mejor individuo se irán incrementando hacia el óptimo global. El concepto de convergencia está relacionado con la progresión hacia la uniformidad: un gen ha convergido cuando al menos el 95 % de los individuos e la población comparten el mismo valor para dicho gen. Se dice que la población converge cuando todos los genes han convergido. Se puede generalizar dicha definición al caso en que al menos un _% de los individuos de la población hayan convergido.

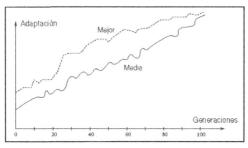

Figura 102. Adaptación media y mejor adaptación en un Algoritmo Genético simple.

La Figura 102 muestra como varía la adaptación media y la mejor adaptación en un Algoritmo Genético Simple típico. A medida que el número de generaciones aumenta, es más probable que la adaptación media se aproxime a la del mejor individuo. Ejemplo. Encontrar el máximo de la función $f(x) = x^2$ sobre los enteros $\{1, 2, ...,32\}$. Evidentemente para lograr dicho óptimo, bastaría actuar por búsqueda exhaustiva, dada la baja cardinalidad del espacio búsqueda. Consultando el pseudocódigo de la figura 99, vemos que el primer paso a efectuar consiste en determinar el tamaño de la población inicial, para a continuación obtener dicha población al azar y computar la función de evaluación de cada uno de sus individuos.

Suponiendo que el alfabeto utilizado para codificar los individuos esté constituido por $\{0,1\}$, necesitaremos ristras de longitud 5 para representar los 32 puntos del espacio de búsqueda.

En la Tabla de más abajo, hemos representado los 4 individuos que constituyen la población inicial, junto con su función de adaptación al problema, así como la probabilidad de que cada uno de dichos individuos sea seleccionado - según el modelo de ruleta sesgada - para emparejarse.

	Población inicial (fenotipos)	x valor genotipo	$f(x)$ valor (función adaptación)	$f(x)/\sum f(x)$ (probabilidad selección)	Probabilidad de selección acumulada
1	01101	13	169	0.14	0.14
2	11000	24	576	0.49	0.63
3	01000	8	64	0.06	0.69
4	10011	19	361	0.31	1.00
Suma			1170		
Media			293		
Mejor			576		

Población inicial de la simulación efectuada a mano correspondiente al Algoritmo Genético Simple.

El siguiente paso consiste en la selección de 2 parejas de individuos. Para ello es suficiente, con obtener 4 números reales provenientes de una distribución de probabilidad uniforme en el intervalo [0; 1], y compararlos con la última columna de la tabla. Así por ejemplo, supongamos que dichos 4 números hayan sido: 0.58; 0.84; 0.11

y 0.43. Esto significa que los individuos seleccionados para el cruce han sido: el individuo 2 junto con el individuo 4, así como el individuo 1 junto con el individuo 2. Para seguir necesitamos determinar la probabilidad de cruce, pc. Supongamos que se fije en pc = 0:8. Valiéndonos al igual que antes de, 2 en este caso, números provenientes de la distribución uniforme, determinaremos si los emparejamientos anteriores se llevan a cabo. Admitamos, por ejemplo, que los dos números extraídos sean menores que 0.8, decidiéndose por tanto efectuar el cruce entre las dos parejas. Para ello escogeremos un número al azar entre 1 y l - l (siendo l la longitud de la ristra utilizada para representar el individuo). Nótese que la restricción impuesta al escoger el número entre 1 y l - l, y no l, se realiza con la finalidad de que los descendientes no coincidan con los padres.

Supongamos, tal y como se indica en la siguiente tabla, que los puntos de cruce resulten ser 2 y 3. De esta manera obtendríamos los 4 descendientes descritos en la tercera columna de la tabla. A continuación siguiendo el pseudocódigo, mutaríamos con una probabilidad, p_m, cercana a cero, cada uno de los bit de las cuatro ristras de individuos. En este caso suponemos que el único bit mutado corresponde al primer gen del tercer individuo. En las dos _ultimas columnas se pueden consultar los valores de los individuos, así como las funciones de adaptación correspondientes. Como puede observarse, tanto el mejor individuo como la función de adaptación media han mejorado sustancialmente al compararlos con los resultados de la tabla anterior.

Emparejamiento de los individuos seleccionados	Punto de cruce	Descen- dientes	Nueva población descendientes mutados	x valor genotipo	$f(x)$ función adaptación
11000	2	11011	11011	27	729
10011	2	10000	10000	16	256
01101	3	01100	11100	28	784
11000	3	11101	11101	29	841
Suma					2610
Media					652.5
Mejor					841

Población en el tiempo 1, proveniente de efectuar los operadores de cruce y mutación sobre los individuos expresados en la tabla anterior, los cuales constituyen la población en el tiempo 0.

6.1.2 Algoritmos Genéticos Paralelos.

Veremos tres maneras diferentes de explotar el paralelismo de los Algoritmos Genéticos, por medio de los denominados modelos de islas.

La idea básica consiste en dividir la población total en varias subpoblaciones en cada una de las cuales se lleva a cabo un Algoritmo Genético. Cada cierto número de generaciones, se efectúa un intercambio de información entre las subpoblaciones, proceso que se denomina emigración. La introducción de la emigración hace que los modelos de islas sean capaces de explotar las diferencias entre las diversas subpoblaciones, obteniéndose de esta manera una fuente de diversidad genética. Cada sub populación es una "isla", definiéndose un procedimiento por medio del cual se mueve el material genético de una \isla" a otra. La determinación de la tasa de migración, es un asunto de capital importancia, ya que de ella puede depender la convergencia prematura de la búsqueda.

Se pueden distinguir diferentes modelos de islas en función de la comunicación entre las subpoblaciones. Algunas comunicaciones típicas son las siguientes:

1. Comunicación en estrella en la cual existe una subpoblación que es seleccionada como maestra (aquella que tiene mejor media en el valor de la función objetivo), siendo las demás consideradas como esclavas. Todas las subpoblaciones esclavas mandan sus h_1 mejores individuos ($h_1 \geq 1$) a la subpoblación maestra la cual a su vez manda sus h_2 mejores individuos ($h_2 \geq 1$) a cada una de las subpoblaciones esclavas. Véase figura 103.

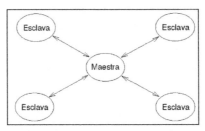

Figura 103. Algoritmo Genético Paralelo. Comunicación en estrella.

2. Comunicación en red, en la cual no existe una jerarquía entre las subpoblaciones, mandando todas y cada una de ellas sus h_3 ($h_3 \geq 1$) mejores individuos al resto de las subpoblaciones. Véase figura 104.

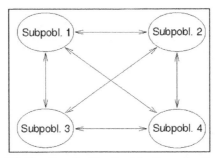

Figura 104. Algoritmo Genético Paralelo. Comunicación en red.

3. Comunicación en anillo, en la cual cada subpoblación envía sus h_4 mejores individuos ($h_4 \geq 1$), a una población vecina, efectuándose la migración en un único sentido de flujo. Véase figura 105.

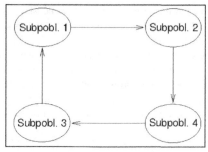

Figura 105. Algoritmo Genético Paralelo. Comunicación en anillo.

Evaluación de Algoritmos Genéticos

Las tres medidas de evaluación se conocen como:

- Evaluación *on-line*
- Evaluación *off-line*
- Evaluación basada en el mejor

Si denotamos por $v_i(t)$ la función objetivo del i-ésimo individuo (i = 1, ...,λ) en la t-ésima población, la evaluación on-line, después de T iteraciones, se denotará por $v^{on-line}(T)$, y se define como

$$v^{on-line}(T) = \frac{\sum_{t=1}^{T}\sum_{i=1}^{\lambda}v_i(t)}{\lambda T}$$

Es decir, la evaluación *on-line* mide el comportamiento de todas las ristras generadas hasta el tiempo T.

La evaluación *off-line* se refiere al comportamiento del Algoritmo Genético en su proceso de convergencia hacia el óptimo. Así tendremos que si denotamos por $v^*(t)$ al mejor valor de la función objetivo obtenido hasta el tiempo t (incluyendo dicho tiempo), y si $v^{off-line}(T)$ denota la evaluación *off-line* después de T generaciones, tenemos que

$$v^{off-line}(T) = \frac{\sum_{t=1}^{T}v^*(t)}{T}$$

La definición de evaluación *basada en el mejor* trata de evaluar el Algoritmo Genético por medio del mejor valor de la función de evaluación encontrado en la evolución. Se trata por tanto de la medida de evaluación usual al tratar de estudiar el comportamiento de cualquier técnica heurística.

6.1.3 Operadores Genéticos en el problema del agente viajero.

El problema del agente viajero, también denominado TSP (Travelling Salesman Problem), consiste en -dada una colección de ciudades- determinar la gira de mínimo costo, visitando cada ciudad exactamente una vez y volviendo al punto de partida.

Más precisamente, dado un número entero $n \geq 3$ y dada una matriz $C = (c_{ij}) \in M(n,n)$, con elementos c_{ij} enteros no negativos, se trata de encontrar la permutación cíclica π de los enteros de 1 a n que minimiza $\sum_{i=1}^{n}c_{i\pi(i)}$.

242

Se pueden encontrar ejemplos de problemas para el TSP, en algunos casos con su solución, en una librería disponible vía ftp, tecleando lo que sigue:

ftp s_.santafe.edu

Name (sfi.santafe.edu: foobar): anonymous

Password: < e-mail address >

ftp> cd pub/EC/etc/data/TSP

ftp> type binary

ftp> get tsplib-1.2.tar.gz

La librería fue compilada por Reinelt (G. Reinelt (1991). TSPLIB - A Traveling Salesman Library, ORSA Journal on Computing, 3(4), 376-384).

A continuación veremos distintas representaciones, así como diferentes operadores de cruce y mutación, que han sido utilizados para resolver el TSP por medio de Algoritmos Genéticos.

6.1.3.1 Representación basada en la trayectoria.

La representación basada en la trayectoria es la representación más natural de una gira. En ella, una gira se representa como una lista de n ciudades. Si la ciudad i es el j-_ésimo elemento de la lista, la ciudad i es la j-ésima ciudad a visitar. Así por ejemplo, la gira 3 - 2 - 4 - 1 - 7 - 5 - 8 - 6 se representará como

$$(3\ 2\ 4\ 1\ 7\ 5\ 8\ 6).$$

Debido a que los operadores clásicos no funcionan con esta representación, se han definido otros operadores de cruce y mutación, algunos de los cuales se describen a continuación. Resultados experimentales con dichos operadores de cruce y mutación pueden consultarse en P. Larrañaga, C. Kuijpers, R. Murga, I. Inza, S. Dizdarevich (1999) Evolutionary algorithms for the travelling salesman problem: A review of representations and operators. ArtificialvIntelligence Review, 13, 129-170.

Operadores de cruce
Operador de cruce basado en una correspondencia parcial (PMX)
El PMX lo introdujeron Goldberg y Lingle (D. E. Goldberg, Jr. R. Lingle (1985). Alleles, loci and the traveling salesman problem, en Proceedings of the First International Conference on Genetic Algorithms and Their Applications, 154-159.). En él, una parte de la ristra representando a uno de los padres, se hace corresponder con una parte, de igual tamaño, de la ristra del otro padre, intercambiándose la información restante.

Por ejemplo si consideramos los dos padres siguientes:

$$(12345678)\ y$$
$$(37516824),$$

el operador PMX crea las giras descendientes de la siguiente manera. En primer lugar, selecciona con probabilidad uniforme dos puntos de corte a lo largo de las ristras que representan las giras padres. Supongamos que el primer punto de corte se selecciona entre el tercer y el cuarto elemento de la gira, y el segundo entre el sexto y el séptimo elemento:

$$(123|456|78)\ y$$

(375|168|24).

Se considera que existe una correspondencia biunívoca entre los elementos que forman parte de las subristras comprendidas entre los puntos de corte. En nuestro ejemplo la correspondencia establecida es la siguiente: $4 \leftrightarrow 1$, $5 \leftrightarrow 6$ y $6 \leftrightarrow 8$. A continuación la subristra del primer padre se copia en el segundo hijo. De forma análoga, la subristra del segundo padre se copia en el primer hijo, obteniéndose:

descendiente 1: $(x\,x\,x\ |1\,6\,8|\ x\,x)$ y

descendiente 2: $(x\,x\,x\ |4\,5\,6|\ x\,x)$.

En el siguiente paso el descendiente i-ésimo (i=1,2) se rellena copiando los elementos del i-ésimo padre. En el caso de que una ciudad esté ya presente en el descendiente, se reemplaza teniendo en cuenta la correspondencia anterior. Por ejemplo el primer elemento del descendiente 1 será un 1 al igual que el primer elemento del primer padre. Sin embargo, al existir un 1 en el descendiente 1 y teniendo en cuenta la correspondencia $1 \leftrightarrow 4$, se escoge la ciudad 4 como primer elemento del descendiente 1. El segundo, tercer y séptimo elementos del descendiente 1 pueden escogerse del primer padre. Sin embargo, el último elemento del descendiente 1 deberá ser un 8, ciudad ya presente. Teniendo en cuenta las correspondencias $8 \leftrightarrow 6$, y $6 \leftrightarrow 5$, se escoge en su lugar un 5. De ahí que

descendiente 1: $(4\,2\,3|1\,6\,8|7\,5)$.

En forma análoga, se obtiene:

descendiente 2: $(3\,7\,8|4\,5\,6|2\,1)$.

Operador de cruce basado en ciclos(CX)

El operador CX (I.M. Oliver, D.J. Smith, J.R.C. Holland (1987). A study of permutation crossover operators on the TSP, en Genetic Algorithms and Their Applications: Proceedings of the Second International Conference, 224-230.) crea un descendiente a partir de los padres, de tal manera que cada posición se ocupa por el correspondiente elemento de uno de los padres. Por ejemplo, considerando los padres

$(1\,2\,3\,4\,5\,6\,7\,8)$ y

$(2\,4\,6\,8\,7\,5\,3\,1)$;

escogemos el primer elemento del descendiente bien del primer elemento del primer padre o del primer elemento del segundo padre. Por tanto, el primer elemento del descendiente debe ser un 1 o un 2. Supongamos que escogemos el 1. Por el momento, el descendiente tendr_a la siguiente forma:

$(1^{*}\,^{*}\,^{*}\,^{*}\,^{*}\,^{*}\,^{*})$.

A continuación debemos de considerar el último elemento del descendiente. Ya que dicho elemento debe ser escogido de uno de los padres, tan sólo puede tratarse de un 8 o un 1. Al haber sido seleccionado el 1 con anterioridad, se escoge el 8, con lo cual el descendiente estará constituido por

$(1\,^{*}\,^{*}\,^{*}\,^{*}\,^{*}\,^{*}\,8)$.

De forma análoga encontramos que el segundo y cuarto elemento del descendiente deben de ser seleccionados del primer padre, lo cual resulta

$(1\,2\,^{*}\,4\,^{*}\,^{*}\,^{*}\,8)$.

Una vez concluido ese ciclo, consideramos a continuación el tercer elemento del descendiente. Dicho elemento puede ser escogido de cualquiera de los padres.

Supongamos que lo seleccionamos del segundo padre. Esto implica que los elementos quinto, sexto y séptimo del descendiente deben de escogerse del segundo padre, ya que constituyen un ciclo. De ahí que se obtenga el siguiente descendiente

(1 2 6 4 7 5 3 8).

Operador de cruce basado en el orden (OX1)

El operador OX1 propuesto por Davis (L. Davis (1985). Applying adaptive algorithms to epistatic domains, en Proceedings of the International Joint Conference on Artificial Intelligence, 162-164), construye descendientes escogiendo una subgira de un padre y preservando el orden relativo de las ciudades del otro padre.

Por ejemplo, considerando las dos giras padres anteriores:

(1 2 3 4 5 6 7 8) y

(2 4 6 8 7 5 3 1),

y suponiendo que se escoge un primer punto de corte entre el segundo y el tercer elemento y un segundo punto entre el quinto y el sexto elemento, se tiene

(1 2 | 3 4 5| 6 7 8) y

(2 4 |6 8 7| 5 3 1).

Los descendientes se crean de la siguiente manera. En primer lugar, las subgiras comprendidas entre los puntos de corte se copian en los descendientes, obteniéndose

(∗ ∗ | 3 4 5| ∗ ∗ ∗) y

(∗ ∗ |6 8 7| ∗ ∗ ∗).

A continuación, comenzando por el segundo punto de corte de uno de los padres, el resto de las ciudades se copian en el orden en el que aparecen en el otro padre, omitiéndose las ciudades ya presentes. Cuando se llega al final de la ristra de la gira padre, se continúa en su primera posición.

En nuestro ejemplo, esto da origen a los siguientes hijos:

(8 7 |3 4 5| 1 2 6) y

(4 5 |6 8 7|1 2 3).

Operador de cruce basado en la combinación de arcos(ER)

Este operador desarrollado por Whitley y col. (1991), Whitley y Starkweather (1990), utiliza una "conexión de arcos", la cual proporciona para cada ciudad los arcos de los padres que comienzan o finalizan en ella. Por ejemplo, si consideramos las giras:

(1 2 3 4 5 6) y

(2 4 3 1 5 6);

la "conexión de arcos" correspondiente puede consultarse en la tabla siguiente. El operador ER funciona de acorde con el siguiente logaritmo:

ciudad	Ciudades conectadas
1	2, 6, 3, 5
2	1, 3, 4, 6
3	2, 4, 1
4	3, 5, 2
5	4, 6, 1
6	1, 5, 2

1. Escoger la ciudad inicial de una de las dos giras padres. Esta selección puede realizarse al azar o de acorde con el criterio expuesto en el paso 4. La ciudad seleccionada se denominará "ciudad de referencia".

2. Quitar todas las ocurrencias de la "ciudad de referencia" de la parte derecha de la tabla de "conexión de arcos" correspondiente.

3. Si la "ciudad de referencia" tiene entradas en la lista de arcos se irá al paso 4, en caso contrario al paso 5.

4. Determinar la ciudad que perteneciendo a la lista de ciudades conectadas con la "ciudad de referencia" tenga el menor número de entradas en su lista de arcos. Dicha ciudad se convierte en la nueva "ciudad de referencia". Los empates se dilucidan al azar. Ir al paso 2.

5. Si no quedan ciudades por visitar, parar el algoritmo. En otro caso, escoger al azar una ciudad no visitada e ir al paso 2.

Para el ejemplo anterior, obtenemos:

- La primera gira descendiente se inicializa con una de las dos ciudades iniciales de sus giras padres. Las ciudades iniciales 1 y 2 ambas tienen 4 arcos; escogemos al azar la ciudad 2.
- _ La lista de ciudades para la ciudad 2 indica que los candidatos para convertirse en la siguiente "ciudad de referencia" son las ciudades 1, 3, 4 y 6. Las ciudades 3, 4 y 6 tienen todas 2 arcos: los tres iniciales menos la conexión con la ciudad 2. La ciudad 1 tiene tres arcos y por tanto no se tiene en cuenta. Supongamos que se escoge al azar la ciudad 3.
- La ciudad 3 está conectada con la ciudad 1 y con la ciudad 4. Se escoge la ciudad 4 ya que es la que menos arcos tiene.
- La ciudad 4 tan sólo tiene un arco, a la ciudad 5, la cual se escoge a continuación como nueva "ciudad de referencia".
- La ciudad 5 tiene arcos a las ciudades 1 y 6, las cuales tienen ambas tan sólo 1 arco. Escogemos al azar la ciudad 1.
- _ La ciudad 1 debe ir a la ciudad 6.

La gira resultante es

$$(2\ 3\ 4\ 5\ 1\ 6),$$

la cual ha sido creada totalmente utilizando arcos tomados de las dos giras padres.

Operadores de Mutación

Operador de mutación basado en el desplazamiento (DM)

El operador DM comienza seleccionando una subristra al azar. Dicha subristra se extrae de la gira, y se inserta en un lugar aleatorio.

Por ejemplo, si consideramos la gira representada por

$$(1\ 2\ 3\ 4\ 5\ 6\ 7\ 8),$$

y suponemos que se selecciona la subristra (3 4 5), después de quitar dicha subristra tenemos

$$(1\ 2\ 6\ 7\ 8).$$

Supongamos que aleatoriamente seleccionamos la ciudad 7 para insertar a partir de ella la subgira extraída. Esto producirá la gira:

(1 2 6 7 3 4 5 8).

Operador de mutación basado en cambios (EM)

El operador EM selecciona al azar dos ciudades en la gira y las cambia. Por ejemplo, si consideremos la gira representada por

(1 2 3 4 5 6 7 8),

y suponemos que seleccionamos al azar la tercera y la quinta ciudad. El resultado del operador EM sobre la gira anterior será

(1 2 5 4 3 6 7 8).

Operador de mutación basado en la inserción(ISM)

El operador ISM escoge aleatoriamente una ciudad en la gira, para a continuación extraer dicha ciudad de la gira, e insertarla en un lugar seleccionado al azar.

Por ejemplo, si consideramos de nuevo la gira

(1 2 3 4 5 6 7 8),

y suponiendo que se seleccione la ciudad 4, para colocarla a continuación de la ciudad 7, el resultado será

(1 2 3 5 6 7 4 8).

Operador de mutación basado en la inversión simple (SIM)

El operador SIM selecciona aleatoriamente dos puntos de corte en la ristra, para a continuación revertir la subristra comprendida entre ambos.

Por ejemplo, si consideramos la gira

(1 2 3 4 5 6 7 8),

y suponemos que el primer punto de corte se escoge entre la segunda y tercera ciudad, y el segundo punto de corte se escoge entre la quinta y la sexta ciudad, la gira resultante será

(1 2 5 4 3 6 7 8).

Operador de mutación basado en la inversión (IVM)

El operador IVM es similar al operador DM. Se selecciona al azar una subgira, para a continuación y una vez extraída la misma, insertarla en orden contrario en una posición seleccionada aleatoriamente.

Por ejemplo, si consideramos la gira

(1 2 3 4 5 6 7 8),

y se supone que se escoge la subgira (3 4 5), para insertarla a continuación de la ciudad 7, obtendríamos

(1 2 6 7 5 4 3 8).

Operador de mutación basado en el cambio (SM)

Este operador de mutación, introducido por Syswerda, selecciona una subgira al azar y a
continuación cambia el orden de las ciudades de la misma.

Por ejemplo, considerando la gira

(1 2 3 4 5 6 7 8),

y suponiendo que se escoge la subgira (4 5 6 7) podríamos obtener como resultado

$$(1\ 2\ 3\ 5\ 6\ 7\ 4\ 8).$$

Representación binaria

En una representación binaria de un TSP con n ciudades, cada ciudad se codifica como una subristra de $[log2\ n]$ bits, donde $[log2\ n]$ denota la suma entre la parte entera del logaritmo en base 2 de n y la unidad. Una gira de n ciudades, se representará por medio de una ristra de $n[log2\ n]$ bits.

Por ejemplo, en un TSP de 6 ciudades, las ciudades se representan por medio de subristras de 3 bits (véase la tabla más abajo). Siguiendo la representación binaria definida en la tabla, la gira 1-2-3-4-5-6 se representa por medio de

i	Ciudad i	i	Ciudad i
1	000	4	011
2	001	5	100
3	010	6	101

$$(000\ 001\ 010\ 011\ 100\ 101).$$

Para mostrar la problemática que surge al aplicar el operador de cruce basado en un punto, se consideran las dos giras siguientes:

$$(000\ 001\ 010\ 011\ 100\ 101)\ y$$
$$(101\ 100\ 011\ 010\ 001\ 000),$$

Suponiendo que el punto de cruce escogido al azar se encuentre entre el noveno y el décimo bit, tendríamos:

$$(000\ 001\ 010\ j\ 011\ 100\ 101)\ y$$
$$(101\ 100\ 011\ j\ 010\ 001\ 000).$$

La combinación de las distintas partes da como resultado

$$(000\ 001\ 010\ 010\ 001\ 000)\ y$$
$$(101\ 100\ 011\ 011\ 100\ 101).$$

Ninguna de las ristras anteriores representan giras legales.

La mutación clásica

Al aplicar el operador de mutación, cada bit tiene una probabilidad de ser alterado cercana a cero.

Por ejemplo, si consideramos de nuevo la ristra

$$(000\ 001\ 010\ 011\ 100\ 101),$$

y suponemos que se mutan el primer y segundo bit, obtenemos como resultado la ristra:

$$(110\ 001\ 010\ 011\ 100\ 101),$$

la cual no representa una gira.

Representación matricial

En esta sección se introducen dos aproximaciones al problema usando representaciones matriciales binarias.

248

Fox y McMahon (1987) representan una gira como una matriz en la cual el elemento (i, j) de la misma vale 1, si y sólo si, en la gira la ciudad i se visita con anterioridad a la j. En caso contrario dicho elemento valdrá 0.

Una manera de definir el cruce es por medio de un operador que construye un descendiente, O, a partir de dos padres, P1 y P2, de la manera siguiente. En primer lugar, $\forall i; j \in \{1, 2, \ldots, n\}$, siendo n el número de ciudades, se define

$$oij_{ij} := \begin{cases} 1 \ si \ p_{1;ij} = p_{2;ij} = 1 \\ 0 \ en \ otro \ caso \end{cases};$$

A continuación, algunos 1-s que tan sólo aparecen en uno de los padres se añaden al descendiente, para finalmente completarse la matriz de manera que el resultado sea una gira legal.

Por ejemplo, las giras padres 2 - 3 - 1 - 4 y 2 - 4 - 1 - 3 que se representan por medio de las matrices:

$$\begin{pmatrix} 0 & 0 & 0 & 1 \\ 1 & 0 & 1 & 1 \\ 1 & 0 & 0 & 1 \\ 0 & 0 & 0 & 0 \end{pmatrix} y \begin{pmatrix} 0 & 0 & 1 & 0 \\ 1 & 0 & 1 & 1 \\ 0 & 0 & 0 & 0 \\ 1 & 0 & 1 & 0 \end{pmatrix},$$

Después de la primera fase dan como resultado

$$\begin{pmatrix} 0 & 0 & 0 & 0 \\ 1 & 0 & 1 & 1 \\ 0 & 0 & 0 & 0 \\ 0 & 0 & 0 & 0 \end{pmatrix}$$

Esta matriz puede completarse de 6 maneras diferentes, ya que la única restricción en la gira descendiente es que comienza en la ciudad 2. Una posible gira descendiente es: 2 - 1 - 4 - 3, la cual se representa por medio de:

$$\begin{pmatrix} 0 & 0 & 1 & 1 \\ 1 & 0 & 1 & 1 \\ 0 & 0 & 0 & 0 \\ 0 & 0 & 1 & 0 \end{pmatrix}$$

Seniw (1991) define otra representación en la cual el elemento (i; j) de la matriz vale 1, si y sólo si, en la gira la ciudad j se visita inmediatamente después de la ciudad i. Esto implica que una gira legal se representa por medio de una matriz en la cual en cada fila y cada columna existe exactamente un 1. Sin embargo, tal y como se verá en el ejemplo siguiente, una matriz que contiene exactamente un 1 en cada fila y en cada columna no representa necesariamente un gira legal.

Así por ejemplo, si consideramos las matrices

$$
\begin{pmatrix} 0 & 0 & 0 & 1 \\ 0 & 0 & 1 & 0 \\ 1 & 0 & 0 & 0 \\ 0 & 1 & 0 & 0 \end{pmatrix} \text{ y } \begin{pmatrix} 0 & 0 & 1 & 0 \\ 1 & 0 & 0 & 0 \\ 0 & 0 & 0 & 1 \\ 0 & 0 & 1 & 0 \end{pmatrix}
$$

la primera de ellas representa la gira 2 - 3 - 1 - 4, mientras que la segunda está representando el conjunto de subgiras $\{1-2\}$, $\{3-4\}$.

Además, los operadores de cruce y mutación definidos por Seniw (1991) no garantizan que el descendiente sea una gira legal, de ahí que necesiten operadores de reparación que transformen dichos descendientes en giras legales.

Representación ordinal

En la representación ordinal -Grefenstette y col. (1985)- una gira se representa como una lista, T, de longitud n, denotando n el número de ciudades. El i-ésimo elemento de la lista T, es un número entero comprendido entre 1 y $n - i + 1$. Existe tambi_en una lista ordenada de ciudades, L_0, que sirve como punto de referencia inicial, y que posteriormente se actualiza.

Así por ejemplo, sea la lista ordenada de ciudades:

$$L_0 = (1\ 2\ 3\ 4\ 5\ 6\ 7\ 8):$$

Sea la gira 1 - 5 - 3 - 2 - 8 - 4 - 7 - 6. Su representación ordinal consiste en la ristra:

$$T = (1\ 4\ 2\ 1\ 4\ 1\ 2\ 1)$$

la cual se interpreta de la siguiente manera:

- El primer número de T es el 1. Esto significa que para conseguir la primera ciudad de la gira, se debe de coger el primer elemento de la lista L_0 y a continuación quitarlo de dicha lista. La gira parcial es: 1, y la lista ordenada de ciudades actualizada será:

$$L_1 = (2\ 3\ 4\ 5\ 6\ 7\ 8):$$

- El segundo elemento de T es el 4. Para conseguir la segunda ciudad de la gira, debemos de escoger el cuarto elemento de la lista L_1, que es un 5. A continuación quitamos el 5 de la lista L1. La gira parcial es: 1 - 5, y la lista ordenada de ciudades actualizada será:

$$L_2 = (2\ 3\ 4\ 6\ 7\ 8):$$

Si continuamos de manera análoga hasta que quitemos todos los elementos de la lista ordenada de ciudades, obtenemos la gira 1 - 5 - 3 - 2 - 8 - 4 - 7 - 6.

La ventaja de la representación ordinal es que el operador de cruce basado en un punto funciona.

6.2 Algoritmos genéticos para resolver sistemas energéticos globales[7]

La investigación sobre la optimización de sistemas energéticos (SE), se ha acentuado últimamente en las metodologías de resolución para obtener buenos diseños por encima de la formulación de modelos cercanos a la realidad, debido a que la complejidad de los modelos reales requieren de un gran esfuerzo computacional y matemático.

La implementación de algoritmos genéticos (AG), como método computacional ha sido una salida clave para que se pueda tener información valiosa en los diseños de los sistemas de energía. La versatilidad de los AG, hace que estos no solo sean capaces de evaluar puntos óptimos de las variables internas del SE, sino que permiten adicionar variables externas con el fin de correlacionar información al modelo sobre las repercusiones al medio ambiente, teniendo en cuenta los intereses del evaluador o tomador de decisiones. La rectificación muestra mejoramientos de un orden por debajo del 5%, pero a nivel energético es un logro importante debido a que se reducen los recursos por combustible.

Nomenclatura a utilizarse:

A	Objetivo tecnológico [US$	Z	Costo de los equipos del sistema energético[US$]
B	Constante de la ecuación de inversión		*Símbolos griegos*
c	Costo exergético unitario del combustible [US$/Kw]	ε	Eficiencia exergética [adimensional]
C	Costo exergetico [US$/Kw]	τ	Tiempo de operación del sistema energético en un año [h]
E	Flujo de exergía [Kw]		Subíndices
m	masa [kg] y constante de la ecuación de inversión		Recurso (combustible)
n	Constante de la euación de inversión	F	
		i	Número de combustibles de los alrededores
P	Precio exergético unitario dela exergía [US$/Kw]	j	Número de equipos del sistema energético
C	Poder calorífico del combustible [kJ/kg]	k	Equipo o sistema a evaluar
R	Ingresos [US$]	T	Total
U	Utilidades [US$]	o	Sistema convencional
w	Pesos [adimensionales]	OPT	Óptimo
X	Composición de combustible en la mezcla [adimensionales]	P	Producto (energía útil o exergía)
Y	Fracción en peso de cenizas del combustible [adimensionales]	zn	Cenizas

Los desarrollos teóricos de optimización de sistemas energéticos en los últimos años están demarcados en la exergo economía, teniendo en cuenta que los análisis relacionados con los costos económicos de generación exergética, son más apropiados para un caso real que los obtenidos de un simple análisis energético. Hasta ahora, se han implementado herramientas de optimización en los sistemas de generación de energía (SE), a partir de conceptos que provienen de la termodinámica y la economía; sin embargo, consideramos que el análisis multiobjetivo (MO) puede complementar la optimización, dado que permite incluir variables del entorno a un sistema energético complejo.

La aplicación de los algoritmos genéticos para optimizar sistemas energéticos globales, requiere de un modelo matemático que satisfaga las condiciones energéticas del sistema y su entorno, por lo tanto, se estima que hay tres funciones objetivos que necesariamente se deben utilizar para aproximarse a la realidad. Las funciones objetivo, se pueden explicar a partir del análisis de un sistema energético, como el representado mediante la Figura 106.

Figura 106 . Diagrama de un sistema de energético – CGAM.

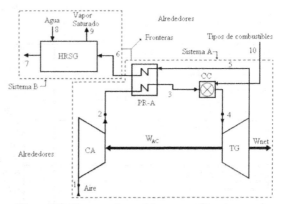

Figura 106. Diagrama de un sistema energético.

La Figura 106 muestra un sistema energético donde se establece claramente las fronteras, demarcada por líneas punteadas la cual separa el sistema de los alrededores. El interés principal generalmente se enfocaba a optimizar el sistema únicamente, bajo esa premisa, los alrededores no implicaban ninguna injerencia importante dentro del sistema (aislamiento termoeconómico). Sin embargo, en la realidad los alrededores son importantes porque de este depende la calidad del recurso y sobre el cual se emiten todos los residuos generados por el sistema.

Si el combustible es de buena calidad se supone que tendrá un valor mayor que aquellos de mala calidad, a su vez, los combustibles de mala calidad, generarán mayor cantidad de residuos al medio ambiente o los alrededores. De la misma manera, si la tecnología es de buena calidad, tendrá mayor costo pero requerirá de menor cantidad de combustible para producir energía útil.

Descripción de los objetivos

Se plantearán tres objetivos para modelar el sistema global, estos son termoeconómico, tecnológico y ambiental.

En este análisis, se conservan los criterios de minimización del costo exergético unitario, pero se incluye el precio exergético unitario del producto en el mercado de energía. La inclusión del precio en el modelo tiene como finalidad determinar el comportamiento de las variables de diseño del modelo en casos de ingresos fijos altos y/o bajos, pero también se puede utilizar en un futuro para ingresos variables o inciertos.

Los ingresos se representan con la Ecuación 1, donde se muestran dos parámetros principales. Uno es el precio exergético unitario del producto y el otro es la exergía generada en un tiempo τ.

$$R_k = p_{P,k} * E_{P,k}{}^{-\tau} \qquad (1)$$

Como la eficiencia exergética es el cociente entre la exergía del producto y la exergía del recurso (combustible) o lo que es lo mismo $\dot{E}P = \varepsilon\dot{E}_P$, la Ecuación 1, se puede escribir como sigue:

$$R_k = p_{P,k} * \varepsilon * E_{P,k}{}^{-\tau} \qquad (2)$$

de donde,

$$E_F = m_T * \sum_{i=1}^{n} PC_i * X_i \qquad (3)$$

En la Ecuación 3, i es la cantidad de combustibles que intervienen en la alimentación del sistema. La Ecuación 2 para maximizar, depende de la eficiencia exergética y el precio del producto, siempre que la exergía del recurso se mantenga fija, es decir, que para alcanzar valores altos de los ingresos es necesario que la eficiencia sea alta y/o que el precio también lo sea. Sin embargo, se ha comprobado que si la eficiencia es alta, los costos por compra de equipos también son altos, con lo que se aprecia un aumento en los ingresos a costa de un mayor costo por compra de los equipos por reducción del combustible. Esto sugiere que se acoja una función objetivo que integral, que incluya los ingresos y los costos totales, la cual queda representada adecuadamente con la Ecuación 4, ecuación de utilidad u *objetivo termoeconómico*.

$$u_k = \left(p_{P,k} * \varepsilon_k * m_T * \tau * \sum_{i=1}^{n} PC_i X_i\right) - C_T \qquad (4)$$

Donde los costos totales están formados por el costo de los combustibles y el costo de los j equipos, tal como se muestra en la Ecuación 5.

$$C_T = C_F + \sum_{j=1}^{r} Z_j \qquad (5)$$

En la Ecuación 5, C_F se puede representar en función de costos de los combustibles que participan en el escenario del sistema térmico, esto es:

$$C_F = m_T * \left(\sum_{i=1}^{n} C_{F,i} * PC_{F,i} * X_i\right) \qquad (6)$$

Con la maximización de las utilidades, se garantiza que se minimicen los costos, tal como ha sido el interés fundamental de la optimización de los sistemas energéticos a través de los años. La maximización de las condiciones de diseño o eficiencia del sistema en estudio, se puede reforzar con la diferencia entre dos sistemas evaluados simultáneamente, empleando la ecuación de inversión introducida en los noventa.

$$Z_k = B_k * \left(\frac{\varepsilon_k}{1-\varepsilon_k}\right)^{n_k} * E_k^{m_k} \qquad (7)$$

Con lo que se obtiene la Ecuación 8 o función *objetivo tecnológico*, la cual interpreta la diferencia entre los costos de inversión del sistema estudiado y los costos de inversión de un sistema con las mismas condiciones físicas pero con eficiencia exergética menor.

$$-A_k = \left(m_T - m_{T,o}\right) * \left(\sum_{i=1}^{n} C_{F,i} * PC_{F,i} * X_i\right) * \tau + \left[B_k * \left(\frac{\varepsilon_k}{1-\varepsilon_k}\right)^{n_k} * E_k^{m_k} - \right.$$

$$\left. B_{k,0} * \left(\frac{\varepsilon_{k,0}}{1-\varepsilon_{k,0}}\right)^{n_{k,0}} * E_{k,0}^{m_{k,0}} \right] \qquad (8)$$

Finalmente, otro aspecto importante es incluir en el modelo los residuos físicos generados por la generación de exergía, por lo tanto se tiene en cuenta la minimización de cenizas producto de la combustión de carbón, a través de la Ecuación 9 u *objetivo ambiental*.

$$m_{zn} = m_T * \tau * [\sum_{i=1}^{n} Y_i * X_i] \tag{9}$$

El signo negativo en el objetivo tecnológico, indica que los valores de costos totales para el equipo o sistema de menor tecnología, son supuestamente mayores al evaluado, de esta manera se puede reflejar un ahorro positivo en los resultados; sin embargo, en la evaluación utilizando datos del trabajo planteado por Sahoo (P. K. Sahoo, "Exergoeconomic Analysis and Optimization of a Cogeneration System Using Evolutionary Programming," Applied thermal engineering. 2007. pp) integrado con el gasificador, de mejor eficiencia exegética que el sistema de cogeneración, en ocasiones no reflejaba este comportamiento supuesto. El objetivo ambiental, corresponde a la masa total de residuos, generados durante las horas en un año de operación.

La presencia de múltiples objetivos en un problema, además de requerir de un método de resolución no convencional, da lugar a un grupo de soluciones óptimas conocidas ampliamente como soluciones óptimas de Pareto. Los métodos evolutivos como la programación evolutiva, las estrategias evolutivas y los algoritmos genéticos (AG) son los más utilizados para estos casos. En lo particular empleamos AG, con el que se construye el grupo de soluciones óptimas a partir de la asignación de pesos de importancia para cada función objetivo. En la Figura 107, se muestra el diagrama de flujo del algoritmo genético por pesos, en el que se identifican cada paso requerido para que se alcance la optimización para el caso particular de este trabajo.

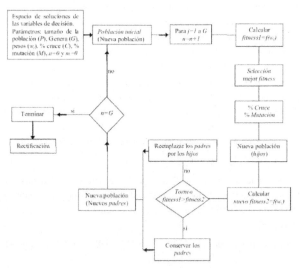

Figura 107. Diagrama de flujo del AG con fitness en función de pesos de importancia.

En los algoritmos genéticos los individuos se escogen por torneo, en el que gana el que tenga mejor aptitud (fitness) frente a los criterios del evaluador, con lo que la optimización va evolucionando hacia mejores valores en las próximas generaciones. Antes de la evaluación del fitness, se estima un porcentaje pequeño de mutación con el que hay un probable cambio de alguna característica del individuo.

En este caso, el fitness está constituido por la suma ponderada de los objetivos a los cuales se les asigna un peso según la preferencia del evaluador, tal como se representa en la Ecuación 10.

$$Fitness = U * \omega_1 + A * \omega_2 + m_{zn} * \omega_3 \qquad (10)$$

Donde $\omega_1 + \omega_2 + \omega_3 = 1$, es la suma de los pesos asignados a cada objetivo.

Para estimar los mejores valores de las funciones objetivo, se deben tener en cuenta los valores requeridos por las Ecuaciones de la 1 hasta la 9. Las necesidades de energía útil es de 50 MW (ĖP), los costos, el tiempo de operación es de 8000 horas durante un año, las calidades de los combustibles se relacionan en la Tabla 1 y las constantes B, n y m en la Tabla 2.

La Tabla 1 muestra que los costos de los carbones colombianos están relacionados inversamente con el contenido de cenizas y directamente con el poder calorífico. Esto permite deducir que el objetivo termoeconómico y el medio ambiental son indirectamente proporcionales, si se tiene en cuenta la calidad y el costo de los combustibles. Sin embargo, al entrar en la evaluación el costo de los equipos la relación de estos objetivos puede cambiar.

Lugar de origen	PC (kJ/kg)	Cenizas (%)	Costo 2008 U$/1000 kg
Antioquia y Caldas	28482.75	9.12	37.19
Valle del Cauca	22436.64	30.40	28.30
Boyacá	28011.32	11.55	26.42
Cundinamarca	27408.44	10.19	26.80
Cesar	18759.25	5.28	46.73
Guajira (Cerrejón)	28833.62	8.30	47.18
Córdoba	25328.72	17.00	25.73
Santander	30260.67	16.35	44.88

Tabla 1. Precio y calidades de los carbones colombianos según su procedencia.

Al evaluar las constantes B, n y m; tanto para el sistema energético como para el sistema convencional, utilizando mínimos cuadrados se obtuvieron valores que se relacionan en la Tabla 2.

Parámetro	B	Bo	m	mo	n	no
Valor	19.2E3	180	0.47	1.06	0.29	0.32
Referencia	[1, 4]		[1, 4, 5]		[1, 4, 5]	

Tabla 2. Parámetros requeridos por los objetivos del problema.

Una vez completo los parámetros y necesidades de las ecuaciones y los objetivos, se realiza la optimización intentando maximizar el objetivo termoeconómico y el tecnológico, pero minimizar el ambiental, para nueve combinaciones de pesos. Los resultados de la optimización se muestran en la Figura 108.

La Figura 108, obtenida de la optimización aplicando los pasos del diagrama de algoritmos genéticos (AG) de la Figura 107 y aplicando la ecuación 7, muestra la influencia de pesos de importancia para elegir un óptimo cuando se tienen varios objetivos. Lo más relevante que muestra esta figura, es la influencia del objetivo ambiental en los otros objetivos y la predominancia del objetivo tecnológico. Cuando se le asigna un peso alto al objetivo ambiental, se observa que los objetivos termoeconómico y tecnológico se afectan, en algunos casos considerablemente. Los objetivos se pueden identificar en la Figura 108, con las iniciales de cada uno de ellos (objetivo termoeconómico – Te, objetivo tecnológico – T y objetivo ambiental – A).

Cuando el objetivo ambiental se le da un peso de 50, el objetivo global no supera el 80%; la curva más alta se obtiene cuando el objetivo tecnológico se le asigna un valor de 40. Si observamos las curvas cuando el objetivo tecnológico tiene peso 50, se obtienen los valores globales más alto, lo que indica que este objetivo predomina sobre los otros. El mejor valor se muestra cuando los pesos son de 25 para el objetivo termoeconómico, 50 para el tecnológico y 25 para el ambiental, donde se obtiene valores medios para cada objetivo. Se nota en algunos casos de la Figura 108, que solo con 50 generaciones se alcanza el óptimo, pero en otros esta cantidad de generaciones no es suficiente y se requieren las 200 generaciones.

Las variables de decisión son las cantidades requeridas de cada combustible y la eficiencia del sistema global, el cual se puede rectificar adicionando o restando un delta de la eficiencia para analizar el comportamiento del fitness.

$$Rectificación = \varepsilon_{OPT} \pm \Delta\varepsilon \qquad (11)$$

Con la Ecuación 11 se busca mejorar el fitness, de manera que si al sumar delta de la eficiencia a la eficiencia óptima el fitness mejora, la eficiencia se rectifica, en caso contrario, se resta el delta de la eficiencia. En caso que no mejore la eficiencia al sumar o al restar el delta de eficiencia, entonces se deja la eficiencia óptima como la de mejor valor para el fitness. En este caso se mejoró al incrementar la eficiencia en un 4.5%.

Los métodos heurísticos para optimizar sistemas energéticos complejos, son una herramienta eficaz para obtener buenas aproximaciones y óptimos globales, algo que no se consigue con métodos de optimización convencionales. Además, los algoritmos genéticos permiten incluir gran cantidad de variables de decisión para optimizar sistemas energéticos, incluyendo variables importantes del entorno que muestran otra perspectiva de los modelos de optimización.

Se pudo establecer que a pesar que la aplicación de los algoritmos genéticos son una buena fortaleza, estos no alcanzan los posibles mejores valores, es necesario hacer una rectificación de las variables de decisión para obtener dichos valores a través de la suma o resta de deltas para reemplazar los valores iniciales de estas variables, similar al método de Runge-Kutta.

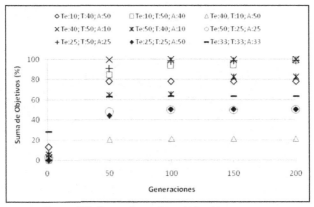

Figura 109. Generaciones de optimización con pesos.

UNIDAD 7 PARADIGMAS AMBIENTALES Y DESARROLLO SUSTENTABLE.

7.1 Paradigmas ambientales.

Al paradigma se lo puede describir como un patrón analítico general, una manera general de ver el Mundo, o una orientación general, compartida por una comunidad de eruditos dedicados a las investigaciones en un campo particular de especialización dentro de las ciencias.

Paradigma ambiental es el escenario donde se realizan las interrelaciones entre personas y con el medio ambiente.

El paradigma ambiental produce una modificación epistemológica. Es un meta valor, ya que condiciona el modus operandi de los demás modos argumentativos. El paradigma ambiental, reconoce como sujeto a la naturaleza. Señala que el derecho se ha construido a partir del individuo y por lo tanto es "antropocéntrico", de manera que hay que cambiar esa visión, evolucionando hacia concepciones "geocéntricas", que tengan por sujeto a la naturaleza.

Sostiene un nuevo escenario de conflictos, entre bienes pertenecientes a la esfera colectiva (ambiente) e individuales, dando preeminencia a los primeros.

Los derechos individuales tienen una función ambiental. El derecho de dominio encuentra una limitación en la tutela del ambiente, ya que no es sustentable la permanencia de un modelo dominial que no lo tenga en cuenta. También el consumo debe ser adecuado a paradigmas sustentables en materia ambiental.

Se basa en una concepción "holística", es decir que todo tiene una interrelación que debe ser respetada, tanto en la naturaleza, como en el derecho mismo. Ello es diferente de la unilateralidad que ha caracterizado al pensamiento occidental que se enfoca habitualmente en el análisis de una cuestión, prescindiendo del contexto.

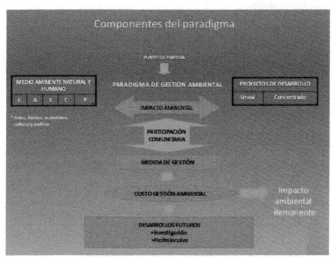

Los Paradigmas Ambientales son de cierta manera un conflicto entre desarrollo y ambiente introduciendo un nuevo principio ético. En el conflicto entre empresa y sociedad plantea la internacionalización de los costos ambientales por parte de la empresa; crea nuevos bienes jurídicos. El ambiente como macro bien y los micro bienes ambientales son nuevos bienes jurídicos tutelados. Crea nuevos sujetos, como "las generaciones futuras", y nuevos instrumentos, como mecanismos de mercado, la etiqueta verde, la auditoría ambiental, el estudio de impacto ambiental. Introducen principios jurídicos estructurantes, en el sentido de que influyen sobre el sistema jurídico, reestructurándolo. Tal es el caso de los principios de prevención, precaución, congruencia, etcétera. Por último crean un nuevo escenario de conflictos entre el ambiente, ubicado en la esfera social, y los derechos individuales, generando un modo de interrelación diferente y una lógica distinta de solución del conflicto.

A pesar del cuestionamiento y llamado de atención de muchos ecólogos, era un pensamiento generalizado hasta más allá de mitad del siglo XX:

- Que los recursos naturales eran infinitos, o por lo menos, se decía que poseían altas tasas de reproducción, por lo que resultaban casi infinitos.
- Que no habría cambios irreversibles en los ecosistemas rurales de forma tal que llegaran a comprometer su producción, como por ejemplo: el agotamiento de los suelos que lleva a la desertificación, o el uso indiscriminado de pesticidas que produce la contaminación de suelos y de los cursos de agua. Era también un pensamiento generalizado, salvo para los técnicos involucrados en la problemática ecológica, que todo cambio en los

ecosistemas –como consecuencia de un manejo que pudiera ocasionar problemas en la utilización de los recursos naturales básicos (como el aire, el agua, el suelo) o en la explotación ecológicamente inadecuada de los recursos productivos (bosques, plantaciones, cultivos)– podría ser siempre reversible, es decir, que nunca habría condiciones de no retorno para un ecosistema dado.

• Que la degradación ambiental no produciría fenómenos globales, como el efecto invernadero, que tiene consecuencias sobre el cambio climático global, ni el debilitamiento de la capa de ozono –por la creciente utilización de productos, como los clorofluorocarbonos (CFC) y otros (presentes por ejemplo en los aerosoles y en los aparatos de aire acondicionado)– que causa efectos no deseados para la salud humana, como el cáncer de piel y alteraciones al sistema inmunológico, entre otros.

Para algunos, el crecimiento de la población mundial no comprometía la base de sustentación, el crecimiento económico estaba garantizado en el tiempo, y se pensaba que el progreso se produciría bajo distintas concepciones del desarrollo; todo ello con poca o nula consideración de los límites ambientales.

Hasta 1960, y bajo el paradigma de la modernización, el desarrollo quedó muy asociado al desarrollo tecnológico (tecnodesarrollo), con la concepción de que los problemas ambientales a nivel regional o global –cuando eran tomados en consideración– podrían superarse.

Esta concepción sobre la tecnología como fuente principal para superar los problemas ambientales fue fuertemente cuestionada por los argumentos contenidos en Los límites del crecimiento,2 un documento elaborado por un grupo de intelectuales del Instituto Tecnológico de Massachussets (MIT).

En la década de 1970, el paradigma de la modernización queda inmerso en crecientes críticas que pueden sintetizarse como sigue: "a pesar del crecimiento sustantivo alcanzado por algunos países, este modelo de desarrolló 'fracasó' en brindar respuestas a la eliminación de la pobreza masiva en los países del Sur y la contaminación y degradación ambiental en el Norte".

La mayoría de las problemáticas ambientales que hoy día enfrentamos tienen su origen en la actividad humana, es decir son antropogénicos. Por sólo citar un ejemplo muy prominente, hoy existe consenso entre la comunidad científica, que el denominado cambio climático, se debe en su mayor parte a la emisión de gases de efecto invernadero (GEIs) producto de actividades humanas (industriales e individuales). Como la causa más importante tiene su origen en el comportamiento humano, es tarea de la Psicología Ambiental investigar los aspectos claves que intervienen en la "conducta sustentable".

Uno de los acercamientos más conocidos y más utilizados en Psicología Ambiental para este fin es la escala Nuevo Paradigma Ambiental (New Environmental Paradigm, NEP, Dunlap & Van Liere 2000). La escala, creada en su primera versión en 1978 y actualizada en el año 2000, mide las creencias básicas (en el sentido de fundamentales) respecto a la relación que establecen los seres humanos con el ambiente. Evalúa las creencias más generales respecto a cómo las personas se vinculan con el ambiente (y a cuál es el lugar del ser humano en la trama eco sistémica) y, en este sentido, puede considerarse una "visión del mundo" o un paradigma. Esta visión general de la relación persona-ambiente es mediadora de creencias, valores y actitudes hacia problemáticas ambientales más específicas.

La escala asume el supuesto de que los seres humanos nos relacionamos con la naturaleza desde uno de dos paradigmas contrapuestos: desde una serie de creencias que reflejan la adhesión a un paradigma antropocéntrico, hoy dominante, que emergió y se desarrolló durante la modernidad (por ej. , que los seres humanos son independientes y superiores al resto de los organismos vivientes) o desde un nuevo paradigma ambiental, que emergió, en las sociedades occidentales, en la segunda década del siglo pasado (por ej., que los seres humanos deben considerarse parte de los sistemas naturales y, por lo tanto, están comprendidos en sus constricciones y leyes de funcionamiento). Estos paradigmas contrapuestos incluyen una serie de creencias básicas respecto a la habilidad humana para alterar (con éxito) el balance de la naturaleza, la existencia o no de límites al crecimiento y el derecho de los seres humanos a colocarse por encima del resto de las especies. En este sentido, el NEP presenta dos polos extremos a los que se puede adherir: un polo llamado antropocentrismo y otro polo llamado ecocentrismo que reflejan creencias vinculadas al paradigma social dominantes y al nuevo paradigma ambiental, respectivamente.

Un grupo con alta tendencia a presentar las dos variables (creencias pro-ambientales y conductas sustentables) son los ambientalistas que participan en ONG´s (Organizaciones no gubernamentales) o en asambleas locales, defendiendo el derecho a un ambiente sano. Para comprender mejor los determinantes de una conducta sustentable, comparamos dos grupos de población: miembros activos de asociaciones ambientalistas y otros que no participaban en organizaciones de este tipo.

Hace más de tres décadas recién en los foros y congresos internacionales se comenzó hablar sobre el medio ambiente y el deterioro que está sufriendo la tierra producto de nuestros hábitos de consumo, ante esta realidad primero los activistas ecológicos y luego los gobiernos se comprometieron en impulsar la educación ambiental, al considerar la importancia de tener ciudadanos comprometidos con el cuidado del ambiente quienes deben dejar de lado la indiferencia , la pasividad y su irresponsabilidad en la contaminación del planeta, este paradigma nos toca enfrentar a todos nosotros.

El ambientalismo es una disciplina joven de la que cabe esperar evoluciones raudas.

Nació, o por lo menos dio un gran salto adelante, a comienzos de los años 60 cuando Rachel Carson publicó Silent Spring (Primavera silenciosa), primero en tres ediciones consecutivas de The New Yorker y luego en forma de libro. Al primer ambientalismo lo movía la indignación por el maltrato del medioambiente, lo que desembocó en políticas puntuales como la prohibición del DDT en la agricultura. La segunda bestia negra que enardecía a los ecologistas era la energía nuclear, a la que asociaban con la bomba atómica. Venía el Armagedón. Nos habíamos entregado al dios del progreso y este pérfido personaje nos llevaba vendados al abismo. La disciplina nació, pues, indignada y con una vocación micro.

El ambientalismo tradicional decantó una serie de paradigmas que rigen sus reacciones. Según ellos, se supone que: 1) El consumo de recursos no renovables va a un ritmo insostenible. Casi todos se agotarán pronto. 2) El crecimiento económico es perjudicial para el planeta y, por ende, debe restringirse o detenerse. 3) Las ciudades son el cáncer del medioambiente. Hay que limitar su crecimiento y, en lo posible, regresar al campo. 4) Es preferible la agricultura artesanal y orgánica, cercana a los centros de consumo, en vez hacer peligrosos experimentos agroindustriales con OGM. 5) El uso de la naturaleza debe ser sostenible. Los biocombustibles, en particular, son benéficos. 6) Es conveniente imitar los usos de las sociedades primitivas, considerados preferibles a los modernos.

Esta suma de paradigmas que parecía tan pulcra —aunque aterradora— a nivel micro empezó, sin embargo, a mostrar dramáticas limitaciones a nivel macro. Para seguir con el orden: 1) El consumo de muchos recursos no renovables ha disminuido su ritmo de crecimiento. Tan solo la demanda de energía mantiene el suyo. 2) Sin crecimiento económico, un país pobre no tiene cómo salir de la pobreza. 3) En las ciudades bajan el crecimiento demográfico y el consumo de energía per cápita, dos variables claves. 4) Alimentar a la creciente población del planeta con una agricultura artesanal y orgánica acabaría con la mayoría de los bosques primarios que aún existen. 5) Producir una cantidad apreciable de la energía global con biocombustibles también arrasaría con cientos de millones de hectáreas de bosques. 6) Un estudio más detallado muestra que muchas sociedades primitivas eran ambientalmente destructivas.

Paradigmas del valor del medio ambiente y de los Ecosistemas.

De acuerdo con Farber y otros (Farber, S. C.; Costanza, R.; Wilson, M.A. (2002) Economic and ecological concepts for valuing ecosystem services. Ecological Economics 41 (2002) Pp.375-392) los «sistemas de valor» constituyen un conjunto de normas y preceptos que guían la acción y el juicio de las personas. Hacen referencia a los marcos normativos y morales que utilizan las personas para establecer una escala de importancia y de urgencia a sus creencias y acciones. El hecho de que los sistemas de valor establezcan la manera en que las personas asignan derechos a ciertas cosas y actividades hace que implícitamente se tengan en consideración acciones y objetivos prácticos.

El término «valor» se utiliza para determinar la contribución de una acción u objeto a la consecución de metas u objetivos particulares del individuo. El valor de una determinada acción u objeto está estrechamente relacionado con el sistema de valor del individuo, dado que este último determina la importancia relativa de una acción u objeto en comparación con otros.

Existen dos tendencias que es la del valor utilitarista y del no utilitarista.

En el utilitarista, la noción básica del valor que guía al pensamiento económico es antropocéntrica o instrumental (en el sentido de que sirve a una finalidad específica del hombre.

El paradigma utilitario antropocéntrico expresa una concepción económica del valor de los servicios de los ecosistemas. La teoría de la utilidad en su génesis no contempla la valoración de los bienes y servicios del ecosistema. Posteriormente, trata de utilizarse su instrumental para poder determinar el valor de los mismos ante la preocupación y la necesidad de información que manifiestan distintos sectores de la sociedad frente la problemática ambiental.

El paradigma utilitario parte del hecho de que los seres humanos perciben utilidad de los servicios del ecosistema de manera directa e indirecta sea en el presente o en el futuro. Así se podría plantear que el paradigma utilitarista antropocéntrico hace hincapié en aspectos asociados a la demanda de servicios ambientales.

El paradigma de valor utilitarista antropocéntrico generalmente clasifica a los bienes y servicios del ecosistema de acuerdo a como éstos son utilizados. Es representado como el área debajo de la curva de demanda. Los bienes y servicios ambientales pueden poseer un valor desigual para diversos individuos y grupos de personas.

El no utilitarista incluye las concepciones de valor sociocultural, ecológico e intrínseco del ambiente.

La valoración social se orienta en establecer si los servicios ecosistémicos son o no esenciales para la ciudadanía, y es complementaria a la valoración económica ya que implica la aplicación de otro método de valoración no-monetario. En esta modalidad la valoración de los bienes y de los servicios ambientales debe resultar de un proceso de discusión pública abierta, en el que los miembros de estos grupos no consideren únicamente su bienestar sino el de la comunidad en general.

La valoración ambiental implica analizar aspectos socio-ambientales que pueden serle útiles al Derecho Ambiental para avanzar sobre la conservación del ambiente en general, pero en especial para poder detectar en qué nivel de desarrollo se encuentra el mismo.

Entre los paradigmas de valor no utilitarios, el enfoque de valor intrínseco puede considerarse como aquél que más se contrapone al enfoque de valor utilitario. El valor intrínseco responde a los preceptos de la «ética de la tierra», cuyo referente más importante es Aldo Leopold13, considerando a la naturaleza no humana como poseedora de un valor intrínseco, y por tanto, gozando de derechos morales y naturales. Por consiguiente, de acuerdo a este paradigma, el medio ambiente cuenta con un valor per sé, es decir, que no precisa que nada ni nadie le otorgue valor.

Según la perspectiva de valor sociocultural de los ecosistemas, las personas valoran los elementos que componen el medio ambiente que los rodea sobre la base de visiones del mundo y concepciones de la naturaleza y de la sociedad que son de carácter ético, religioso, cultural y filosófico. Estos valores se expresan a través de la designación de especies o sitios sagrados y el desarrollo de reglas sociales asociadas al uso del ecosistema.

Para muchas personas, la identidad sociocultural está, en parte, constituida por los ecosistemas en los que viven y de los que dependen – y éstos no sólo inciden en la determinación del lugar en el que viven sino también en quiénes son. En otras palabras, los ecosistemas están ligados a la identidad de la comunidad que los habita. En este sentido, según este paradigma puede entenderse que el valor sociocultural de los ecosistemas va más allá de la satisfacción de preferencias individuales.

La característica común de los modelos de valor ecológico es que los mismos no prestan atención al bienestar y a las necesidades humanas. Por consiguiente, de acuerdo a este enfoque los servicios de los ecosistemas constituyen un producto de la naturaleza, independientemente de su relación con el hombre.

Asimismo, la ecología presta especial atención a los procesos que generan variabilidad y novedad, es decir, la diversidad genética y los procesos resultantes de la evolución y el cambio en especies y en ecosistemas. La importancia que se le da a la diversidad genética radica en que ésta constituye el determinante principal de la resiliencia – capacidad de los sistemas de recuperarse de daños y perturbaciones - de los ecosistemas. La clave de la resiliencia es la existencia de una variedad de especies que interactúan dando como resultado una reserva de formas genéticas que brindan la capacidad de adaptarse a condiciones cambiantes.

Colby (Colby, M.E.(1991). La administración ambiental en el desarrollo: Evolución de los paradigmas. El Trimestre Económico, LVIII (3), 231:589-615) distingue cinco paradigmas básicos de la relación entre la problemática ambiental y la del desarrollo, que cubrirían desde la economía neoclásica hasta posiciones ecologistas extremas: i) la Economía de Frontera; ii) la Protección Ambiental; iii) la Administración de los Recursos; iv) el Ecodesarrollo; v) la Ecología Profunda.

De estas cinco, las tres primeras estarían incluidas en el paradigma antropocéntrico, la cuarta podría denominarse «ecocéntrica» y la última, es definida como «biocéntrica».

Todos estos paradigmas parten de distintos supuestos acerca de la naturaleza, del hombre y de las interacciones entre ellos. Asimismo, todos señalan cuestiones distintas sobre la base de diferente tipo de evidencia, imperativos dominantes, amenazas (dificultades para el desarrollo económico) y presentan diversas técnicas para modelar la realidad, y por tanto, sugieren distintas soluciones y estrategias de intervención.

La «Economía de Frontera» puede describirse como fuertemente antropocéntrica, considerando como «progreso» a un crecimiento económico infinito; y al hambre, a la pobreza y a la enfermedad como desastres naturales. Este paradigma contempla a los recursos naturales como bienes gratuitos de libre acceso, cuyas posibilidades de explotación son infinitas. A su vez, considera al medio ambiente como un vertedero de capacidad inagotable para los subproductos del consumo en sus diversas manifestaciones, representados en forma de diversos tipos de contaminación y de degradación ambiental.

La Economía de Frontera concibe al proceso económico como un sistema cerrado en el que se presenta una relación circular entre la producción y el consumo. A partir de las ventas de bienes y servicios que realizan las empresas, se remuneran los factores de producción (tierra, trabajo y capital) y estas remuneraciones son invertidas en el consumo de esos mismos bienes y servicios. Todo este proceso transcurre sin tener en consideración el medio ambiente donde se desarrollan estas actividades.

En el otro extremo de la «Economía de Frontera» se ubica el paradigma de la «Ecología Profunda» – que no debe confundirse con la disciplina de la ecología – presentando sistemas de valor plenamente contrapuestos. El surgimiento de este paradigma puede interpretarse como una reacción frente al paradigma predominante de la «Economía de Frontera». Esta perspectiva sintetiza posturas filosóficas antiguas y otras nuevas, sobre la relación del hombre y la naturaleza, poniendo énfasis en cuestiones éticas, espirituales y sociales, que han sido minimizadas por la concepción económica dominante del mundo.

Entre los temas básicos de abordaje de este paradigma se encuentran: la «igualdad intrínseca de las especies», la necesidad de reducciones sustanciales de la población humana, la autonomía biorregional (la disminución de las dependencias e intercambios económicos, tecnológicos y culturales dentro de regiones enteras con características ecológicas comunes), la promoción de la diversidad biológica y cultural; la planificación descentralizada con utilización de varios sistemas de valores; las economías no orientadas al crecimiento; bajos niveles de utilización de tecnologías actuales (abogando por el retorno a prácticas y tecnologías indígenas) y el mayor uso de los sistemas locales de administración y de tecnología.

El paradigma de «la Protección Ambiental» surge en los años sesenta como consecuencia del debilitamiento del paradigma de «la Economía de Frontera» y es asociado, especialmente, a la trascendencia del libro de Rachel Carson, Primavera Silenciosa, en el cual se informa acerca de los efectos nocivos de los agroquímicos sobre la vida silvestre. La publicación de este libro es considerada por muchos un hito que marca el despertar de la conciencia respecto a cuestiones medioambientales en el mundo.

El paradigma de la «Protección Ambiental» tiene también una marcada orientación antropocéntrica, haciendo hincapié en la evaluación de los trade-off entre la conservación del medio ambiente y el crecimiento económico. A partir de esta visión se reconocen los impactos de la contaminación en la salud y se manifiesta preocupación por las especies en peligro de extinción. La respuesta a estos problemas se hace sobre la base de una estrategia reactiva-defensiva atribuyéndole cierto carácter legítimo a la ecología como una externalidad económica, aún basándose en el modelo económico neoclásico del sistema económico cerrado. Este hecho también es conocido como «agenda negativa» dado que institucionalizaba una visión que se centraba en el control de daños a partir de la reparación o la restricción de la actividad perniciosa, en lugar de concentrarse en modificar ciertas modalidades de desarrollo. Las tecnologías y estrategias de gestión ambiental promovidas son: las tecnologías conocidas como «final de cañería» (end of the pipe) para tratar o reducir emisiones contaminantes y la instalación de plantas de tratamiento manteniendo los mismos procesos de producción. Se aprueba la regulación del mercado a través de la imposición de ciertas prohibiciones y/o umbrales de contaminación. Estos umbrales de contaminación se definen basándose en criterios de aceptabilidad económica de corto plazo, en lugar de lo identificado como necesario para mantener el equilibrio del ecosistema.

Bajo este paradigma se crean organismos de gobierno encargados de la protección ambiental, de la definición de umbrales y de las tareas de limpieza y de saneamiento en aquellos casos en que los anteriores son superados. Asimismo, en algunos casos varias parcelas de propiedad comunal – en el sentido de que no existe una asignación formal de derechos de propiedad - son convertidas a propiedad estatal como áreas de conservación, parques nacionales y/o reservas silvestres.

El surgimiento del paradigma de «Administración de los Recursos» está íntimamente ligado a la publicación del Informe del Club de Roma, (Meadows, D.H;

Ronders, J.; Behrens, W. (1972): The Limits to Growth: A report for the Club Rome's project on the Predicament of Mankind. Universe Books. New York). Por otra parte, la administración de los recursos es el tema básico de informes de gran trascendencia como: Our Common Future (WECD, 1987), de la Comisión Brundtland y la publicación anual del Worldwatch Institute, llamada State of the World.

El paradigma de «Administración de los Recursos» considera a la sustentabilidad – término que se difunde ampliamente precisamente a partir del Informe Brundtland - como una restricción necesaria al crecimiento económico. Su orientación es antropocéntrica moderada, abogando por un enfoque de eficiencia global que intenta «economizar la ecología». En cierta forma puede entenderse a este paradigma como una extensión natural de la teoría económica neoclásica en términos teóricos y prácticos. Todavía se tiene en cuenta al mandato neoclásico de que la meta primordial del desarrollo es el crecimiento económico, pero en este caso la sustentabilidad actúa como una restricción para lograr el objetivo de crecimiento «verde». La idea principal radica en considerar todos los tipos de capital (incluyendo al capital natural) y de recursos (biofísicos, humanos, de infraestructura y monetarios) en: el cálculo de las Cuentas Nacionales y de la productividad, el diseño de políticas de desarrollo y la planificación de la inversión.

Se reconoce más ampliamente la interdependencia vital que existe con respecto al medio ambiente y los múltiples valores de diversos recursos, como por ejemplo: la fertilidad del suelo, la productividad agrícola, la regulación del clima, etc. Según este paradigma, las reducciones del consumo per cápita (mediante un incremento de la eficiencia) y la estabilización del crecimiento demográfico son esenciales para el logro de la sustentabilidad. Empero, a diferencia de las interpretaciones aún prevalecientes en el paradigma de la Protección Ambiental de que la preocupación por el medio ambiente atentaba contra el desarrollo, se considera que el desarrollo sustentable depende estrechamente de la conservación del mismo.

Entre las tecnologías y estrategias de manejo que defiende este paradigma se destacan: la evaluación de impactos y el manejo de riesgos, la reducción de la contaminación, la eficiencia en el uso de energía y la estabilización de la población. Con relación a los recursos naturales renovables, se aconseja su conservación y su restauración ecológica. En cuanto a las metodologías analíticas, de modelación y de planificación, se hace hincapié en un análisis de tipo biofísico-económico, incluyendo al capital natural en la maximización de beneficios y realizando un monitoreo regular de la salud de los ecosistemas. Desde esta perspectiva, se estudia la estrecha vinculación que existe entre pobreza, población y medio ambiente. Su programa básico aún depende del principio del «contaminador paga».

El paradigma del «Ecodesarrollo» que plantea un enfoque ecocéntrico de la relación entre el hombre y la naturaleza, cuyo principal referente, particularmente en América Latina, es Ignacy Sachs30. Este paradigma surge en la década del setenta y trata de reestructurar la relación entre la sociedad y la naturaleza en un juego de suma positiva, mediante la reorganización de las actividades humanas con el objeto de tornarlas sinérgicas con los procesos y los servicios de los ecosistemas, «en oposición a la simbiosis sencilla de regreso a la naturaleza defendida por los ecologistas profundos»

El ecodesarrollo extiende las fronteras del modelo de «Administración de Recursos». Se sustituye el sistema económico cerrado por un modelo abierto de «economía biofísica», es decir, una economía abierta en términos termodinámicos (flujos de energía) insertada en un determinado ecosistema. El modelo funciona de la siguiente manera: los recursos biofísicos (energéticos, materiales y ciclos ecológicos) fluyen del ecosistema a la economía, y los recursos energéticos degradados y otros subproductos son devueltos al ecosistema.

A partir de este nuevo paradigma se reemplaza el «principio del contaminador paga» por la idea de que la prevención de la contaminación puede ser rentable. En este sentido, este modelo busca someter los mecanismos del desarrollo a las necesidades de la población total y no de la producción erigida como un fin en sí mismo, reconociendo a la dimensión ecológica y buscando la armonía entre el hombre y la naturaleza. En concordancia con este punto, se entiende que el ecodesarrollo plantea una reacción contra las soluciones universales y las fórmulas maestras, dándole validez a las soluciones originales a las que arriben las distintas sociedades. Así, el ecodesarrollo se sitúa en una posición equidistante entre la búsqueda de la conservación de la naturaleza y la postura «economicista» que busca la ganancia de corto plazo a través de la apropiación de los recursos naturales y de la degradación del medio ambiente.

El ecodesarrollo plantea que entre los cambios de actitud que debe llevar a cabo la sociedad moderna, es primordial abandonar la idea de que la gente tiene derecho a hacer cualquier cosa que haya hecho en el pasado, es decir, hacer siempre lo mismo. Por consiguiente, se propone una «ecologización» gradual de los sistemas impositivos, elevando los impuestos a las actividades contaminantes y degradantes al mismo tiempo que se disminuyen los impuestos aplicables a otras actividades que deben promoverse (trabajo, ahorro, inversión, reciclaje de los recursos, protección del medio ambiente, etc.).

En todos los casos debe tenerse en cuenta tres aspectos aplicables a las evaluaciones:
- Tiene que ser científicamente verosímil.
- Tiene que ser legitimada políticamente.
- Tiene que ser útil para la comunidad.

7.2 Desarrollo sustentable

El concepto desarrollo sustentable es el resultado de una acción concertada de las naciones para impulsar un modelo de desarrollo económico mundial compatible con la conservación del medio ambiente y con la equidad social.

Lo que entendemos por desarrollo sustentable no sólo debe abarcar el concepto amplio de *desarrollo respetuoso con el medio ambiente* sino también centrarse en el *desarrollo socialmente justo*.

El concepto de desarrollado sustentable tiene el objetivo de homogeneidad y coherencia entre el crecimiento económico y material de la población y la explotación de los recursos naturales evitando comprometer la vida en el planeta, sea de los seres humano como de la naturaleza y biodiversidad en la Tierra.

Las expresiones de modelo de desarrollo sostenible es lo mismo que el desarrollo sustentable o desarrollo perdurable.

Sus antecedentes se remontan a los años 50 del siglo XX, cuando germinan preocupaciones en torno a los daños al medio ambiente causados por la segunda guerra mundial. Sin embargo, es hasta 1987 cuando la Comisión Mundial del Medio Ambiente y del Desarrollo (CMMAD) de las Naciones Unidas, presidida por la Dra. Gro Harlem Brundtland, presenta el informe "Nuestro Futuro Común", conocido también como "Informe Brundtland", en el que se difunde y acuña la definición más conocida sobre el desarrollo sustentable:

"Desarrollo sustentable es el desarrollo que satisface las necesidades del presente sin comprometer la capacidad de las generaciones futuras para satisfacer sus propias necesidades". (CMMAD, 1987:24)

El desarrollo sustentable se ha constituido un "manifiesto político", es decir, se ha elevado como una poderosa proclama que se dirige a ciudadanos, organizaciones civiles, empresas y gobiernos para impulsar acciones, principios éticos y nuevas instituciones orientadas a un objetivo común: la sustentabilidad.

En concordancia con lo anterior, el desarrollo sustentable se afirma sobre tres ejes analíticos:

1. Un desarrollo que tome en cuenta la satisfacción de las necesidades de las generaciones presentes
2. Un desarrollo respetuoso del medio ambiente
3. Un desarrollo que no sacrifique los derechos de las generaciones futuras.

Tomando en consideración la primera tesis, o sea la tesis intrageneracional se refiere a que se requiere de la participación política para crear nuevas instituciones al compás de cambios culturales que permitan reducir la exclusión social, esto es, que reorganicen la vida cotidiana y la reproducción social. Para ello se requiere abordar aspectos como:

a) El patrón demográfico. La reducción de la mortalidad y los grandes contingentes de población que se están integrando a la sociedad de consumo, entre otros aspectos, han ocasionado un crecimiento exponencial en la demanda de alimentos, que deriva en una crisis alimentaria en algunas partes del mundo; es por esto que se requiere actuar sobre el patrón demográfico, por ejemplo, introduciendo una regulación voluntaria de los nacimientos que nos lleve a una gradual estabilización de la población.

b) b. La equidad social. La solidaridad intrageneracional es otro aspecto elemental en el desarrollo sustentable. Para esto se requiere redefinir políticas y metas para lograr una mayor equidad en la distribución del ingreso y reducir así las brechas entre países desarrollados y en desarrollo. Para alcanzar la equidad es necesario que haya crecimiento económico pero que éste genere empleos; que sea más equitativo, es decir, que los frutos del trabajo beneficien a todos y no sólo a unos cuantos; que incluya las voces de las comunidades a través de la democratización; que sea un crecimiento que afiance la identidad cultural; un crecimiento que cuide los recursos naturales y el medio ambiente para avanzar hacia un futuro más certero.

c) c. Nuevas políticas para nuevas instituciones. La reforma política es una condición necesaria para el desarrollo sustentable y a través de ella reducir la desigualdad social y evitar la destrucción del medio ambiente, promoviendo decisiones políticas integrales que cuando, por ejemplo, traten aspectos económicos no dejen de lado el impacto social o ambiental que esa política tendría. Asimismo, la reforma institucional requiere modificar los procesos de cooperación internacional y de la gobernabilidad mundial.

d) d. Una nueva cultura civilizatoria. La evolución histórica se ha visto insostenible en lo relativo a la situación ambiental, económica y social. Las transformaciones necesitan llegar a lo más profundo del ser mediante un cambio civilizatorio, de valores, de redefinición de prioridades, de opciones sustanciales que coloquen lo material en su justa dimensión para que el ser humano se realice plenamente y en armonía con su entorno natural y con la comunidad a la que pertenece.

La premisa central que sostiene la segunda tesis implica que el desarrollo no debe degradar el medio ambiente biofísico ni agotar los recursos naturales. Esta premisa es la que le ha dado sentido a toda la concertación internacional desde la Cumbre de Estocolmo en 1972, que pasa por el informe "Nuestro Futuro Común" en 1987, pero sobre todo con un sentido estratégico a partir de la Cumbre de Río en 1992, promoviendo la reflexión sobre cómo compatibilizar las necesidades y aspiraciones de las sociedades humanas, con el mantenimiento de la integridad de los sistemas naturales. Además, se reconoce que el deterioro ambiental de las actividades humanas no es un fenómeno homogéneo, sino que depende de los estilos de desarrollo, el modo de vida y las condiciones del entorno.

Dentro de la tercera y última tesis propuesta, si bien es difícil definir cuáles podrían ser las necesidades básicas de las generaciones no nacidas, qué deberán satisfacer y cómo lo harán, la justicia intergeneracional es una condición ligada tanto a la equidad social como a la conservación del medio ambiente en el momento actual. En otras palabras, la pobreza no puede aumentar ahora ya que los pobres no pueden ser más pobres en el futuro y los sectores y países ricos deben necesariamente reducir sus niveles de vida y de consumo a fin de no hipotecar el presente y el futuro del planeta. Asimismo, mantener a largo plazo la integridad del ecosistema planetario es también un requisito de la sustentabilidad de las generaciones presentes.

De esta manera, la noción de desarrollo, centrada principalmente en el crecimiento material progresivo, ha sido desafiada por una visión más amplia, compleja y holística –donde lo cuantitativo está subsumido en lo cualitativo– que articula el cuidado del medio ambiente, así como la integridad de los ecosistemas, las relaciones sociales solidarias orientadas hacia la equidad y los entornos institucionales de la política para el ejercicio de la gobernanza democrática, ejes constitutivos de la visión holística del desarrollo sustentable.

En efecto, desde esta perspectiva, el concepto desarrollo sustentable emerge como una propuesta conceptual holística que articula al menos cinco dimensiones: la económica, la ambiental, la social, la política y la cultural. Dentro de estas dimensiones se abarcan temas como la equidad, las oportunidades de empleo, el acceso a bienes de producción, los impactos ambientales, el gasto social, la igualdad de género, el buen gobierno, una sociedad civil activa en términos de participación social, entre otros, considerándose tanto aspectos cuantitativos como cualitativos del desarrollo.

Teoría	Caracterización del desarrollo sostenible
Neoclásica-equilibrio	Bienestar no decreciente (antropocéntrico); crecimiento sostenible basado en tecnología y substitución; optimiza las externalidades ambientales; mantiene el acervo agregado de capital natural y económico; los objetivos individuales prevalecen sobre las metas sociales; la política se aplica cuando los objetivos individuales entran en conflicto; la política de largo plazo se basa en soluciones de mercado.
Neoaustríaca-temporal	Secuencia teleológica de adaptación consciente y orientada al logro de las metas; previene los patrones irreversibles; mantiene el nivel de organización (negentropía) del sistema económico; optimiza los procesos dinámicos de extracción, producción, consumo, reciclaje y tratamiento de desechos.
Ecológico-evolutiva	Mantiene la resiliencia de los sistemas naturales, contemplando márgenes para fluctuaciones y ciclos (destrucción periódica); aprende de la incertidumbre de los procesos naturales; no dominio de las cadenas alimentarias por los seres humanos; fomento de la diversidad genética/biótica/ecosistémica; flujo equilibrado de nutrientes en los ecosistemas.
Tecnológico-evolutiva	Mantiene la capacidad de adaptación co-evolutiva en términos de conocimientos y tecnología para reaccionar a la incertidumbre; fomenta la diversidad económica de actores, sectores y tecnologías.
Físico-económica	Restringe los flujos de materiales y energía hacia y desde la economía; metabolismo industrial basado en política de cadena materiales-producto: integración de tratamiento de desechos, mitigación, reciclado, y desarrollo de productos.
Biofísico-energética	Estado estacionario con transflujo de materiales y energía mínimo; mantiene el acervo físico y biológico y la biodiversidad; transición a sistemas energéticos que producen un mínimo de efectos contaminantes.
Sistémico-ecológica	Control de los efectos humanos directos e indirectos sobre los ecosistemas; equilibrio entre los insumos y productos materiales de los sistemas humanos; minimización de los factores de perturbación de los ecosistemas, tanto locales como globales.
Ingeniería ecológica	Integración de las ventajas humanas y de la calidad y funciones ambientales mediante el manejo de los ecosistemas; diseño y mejoramiento de las soluciones ingenieriles en la frontera entre la economía, la tecnología y los ecosistemas; aprovechamiento de la resiliencia, la auto-organización, la autorregulación y las funciones de los sistemas naturales para fines humanos.
Ecología humana	Permanencia dentro de la capacidad de carga (crecimiento logístico); escala limitada de la economía y la población; consumo orientado a la satisfacción de las necesidades básicas; ocupación de un lugar modesto en la red alimentaria del ecosistema y la biosfera; tiene siempre en cuenta los efectos multiplicadores de la acción humana en el tiempo y el espacio.
Socio biológica	Conservación del sistema cultural y social de interacciones con los ecosistemas; respeto por la naturaleza integrado en la cultura; importancia de la supervivencia del grupo.
Histórico-institucional	Igual atención a los intereses de la naturaleza, los sectores y las generaciones futuras; integración de los arreglos institucionales en las políticas económicas y ambientales; creación de apoyo institucional de largo plazo a los intereses de la naturaleza; soluciones holísticas y no parciales, basadas en una jerarquía de valores.
Ético-utópica	Nuevos sistemas individuales de valor (respeto por la naturaleza y las generaciones futuras, satisfacción de las necesidades básicas) y nuevos objetivos sociales (estado estacionario); atención equilibrada a la eficiencia, distribución y escala; fomento de actividades en pequeña escala y control de los efectos secundarios ("lo pequeño es hermoso"); política de largo plazo basada en valores cambiantes y estimulante del comportamiento ciudadano (altruista) en contraposición al comportamiento individualista

Fuente: Bergh, van den, y C.J.M. Jeroen (1996), "Sustainable Development and Management", *Ecological Economics and Sustainable Development: Theory, Methods and Applications*, pp. 53-79, Edward Elgar Publishing Cheltenham, Reino Unido.

El Desarrollo Sustentable y los Objetivos de Desarrollo Sostenible (ODS)

En la conferencia de las Naciones Unidas sobre el Medio Humano que tuvo lugar en Estocolmo Suecia en 1972 fue la primera vez que participaron representantes de diversos países de todo mundo para analizar y discutir la problemática ambiental a nivel global, dando como resultado entre otros, la creación de la Comisión Mundial sobre Medio Ambiente y Desarrollo que fue la encargada de redactar, en la década de los años ochenta del siglo pasado, el famoso "Informe Brundtland" de 1987, que dio origen al concepto de desarrollo sustentable:

"El desarrollo sustentable es el desarrollo que satisface las necesidades del presente sin comprometer la capacidad de las generaciones futuras para satisfacer sus propias necesidades". (CMMAD, 1987:24).

Este concepto tuvo diversos antecedentes como la amenaza de la destrucción ecológica, la extinción de especies, el aumento de la contaminación, el cambio climático y los daños a la capa de ozono, claras evidencias que mostraban que el modelo de desarrollo distaba de ser el adecuado, por lo que el concepto de desarrollo sustentable, surgió como una alternativa para mejorar el sentido equitativo y justo del desarrollo, sin provocar el deterioro del medio ambiente.

De tal forma que el desarrollo sustentable plantea la satisfacción continua de las necesidades presentes y futuras, alcanzar un equilibrio e interacción entre los aspectos, social, económico y ambiental que permita una distribución igualitaria de recursos y el acceso de oportunidades para las comunidades más vulnerables.

Este equilibrio conlleva a un crecimiento económico con estrategias productivas que apoyen el progreso social y respeten el medio ambiente, lo cual exige la adopción de políticas locales y globales orientadas hacia la sustentabilidad, así como la participación activa de la comunidad, organizaciones sociales, instituciones educativas, económicas y políticas en los procesos de diálogo y toma de decisiones respecto al presente y futuro de las comunidades locales, regionales y nacionales.

Además implica un cambio en la educación, nuevas formas de pensar y actuar y la aplicación de nuevos modelos con una visión holística, que promuevan el cuidado del medio ambiente, el bienestar social y una mejor calidad de vida de las personas.

A partir del surgimiento del concepto del desarrollo sustentable, se han puesto en marcha distintas iniciativas que permitan lograr el objetivo de reorientar el actual modelo de desarrollo dentro de las cuales destacan por su importancia:

Los Objetivos de Desarrollo del Milenio (ODM) de las Naciones Unidas, que surgieron como resultado de la Cumbre del Milenio de las Naciones Unidas celebrada en septiembre del año 2000 en Nueva York.

Un total de ocho objetivos de desarrollo internacional que 192 miembros de las Naciones Unidas y una serie de organizaciones internacionales acordaron alcanzar para el año 2015 con el fin de reducir la pobreza extrema, reducir las tasas de mortalidad infantil, luchar contra epidemias de enfermedades, como el VIH/SIDA, y fomentar una alianza mundial para el desarrollo.

Al concluir el período de vigencia de los ODM, en septiembre de 2015 la Asamblea General de las Naciones Unidas aprobó la Agenda 2030 para el Desarrollo Sustentable, después de un amplio proceso participativo, en el que formaron parte representantes de estado miembros de las Naciones Unidas, sociedad civil, sector privado y la academia.

La Agenda 2030 comprende 17 Objetivos del Desarrollo Sustentable (ODS) estructurados en 169 metas, la descripción de los ODS tiene como eje central a las personas, el planeta, la prosperidad, la participación colectiva y la paz con el propósito de poner fin a la pobreza, luchar contra la desigualdad, la injusticia, y garantizar la protección del medio ambiente y sus recursos naturales.

La Agenda 2030 es universal y transformadora un plan de acción ambicioso para redirigir al mundo hacía un futuro sostenible, retoma los Objetivos del Desarrollo del Milenio (ODM) y es una oportunidad para desarrollar nuevos procedimientos e intensificar esfuerzos que logren incidir en el cumplimiento de las metas y aspiraciones planteadas por la comunidad internacional.

El cumplimiento de los ODS requiere el fortalecimiento de vínculos y el involucramiento de los diversos actores: sociedad civil, gobiernos, sector privado, y sector educativo para generar y la formular políticas públicas, y estrategias que permitan actuar con urgencia en la implementación de la Agenda 2030 y el logro de los ODS.

En lo que respecta a la educación superior, las instituciones académicas tienen un papel fundamental como promotoras del desarrollo sustentable, ya que son responsables de implementar y desarrollar procesos para enfrentar los desafíos actuales que aquejan a la sociedad.

De tal forma que funciones como la docencia, y la investigación son punto clave para lograr una transición hacia un futuro más sustentable, así como la incorporación de estrategias y programas educativos para el desarrollo de competencias y saberes que permitan la formación de profesionales agentes de cambio, generaciones más conscientes ante la problemática ambiental que sean capaces de abordar aspectos relacionados el cumplimiento de los ODS.

Podemos identificar que el desarrollo sostenible o sustentable se basa en desarrollar estrategias sobre tres factores: sociedad, economía y medio ambiente.

La sustentabilidad en la sociedad, es el momento en que nos enfocamos ante los aspectos sociales del crecimiento sostenible, miramos los temas que afectan a la gente y la sociedad civil, de manera directa y que o bien asisten o bien dañan el proceso de progresar la *calidad de vida*. Con especial atención en la responsabilidad social y el urbanismo sustentabl*e*.

De forma general, cuando nos enfocamos en la dirección de una economía y su futuro desde una perspectiva equilibrada, miramos el sistema que determina de qué manera se distribuyen los recursos limitados y su capacidad de utilizarlos, al mismo tiempo se examina qué opciones se emplean a todos los niveles y quién lo necesita desde el ámbito de los recursos económicos.

Cuando hablamos del factor de medio ambiente examinamos y determinamos los recursos naturales, tanto renovables como no renovables, que en definitiva componen nuestros alrededores – hábitats – y nos ayudan a sostener y mejorar nuestras vidas y la del entorno natural donde se habita.

En la tabla podemos ver los factores de sustentabilidad que se desarrollan según sectores:

Económico	Para disponer de los recursos necesarios para darle persistencia al proceso.
Ecológico	Para proteger la base de recursos naturales mirando hacia el futuro y cautelando, sin dejar de utilizarlos, los recursos genéticos, agua y suelo.
Energético	Investigando, diseñando y utilizando tecnologías que consuman igual o menos energía que las que producen, fundamentales en el caso de desarrollo rural.
Social	Para que los modelos de desarrollo y los recursos derivados del mismo beneficien por igual a toda la humanidad, es decir, equidad.
Cultural	Favoreciendo la diversidad y especificidad de las manifestaciones locales, regionales, nacionales e internacionales.
Científica	Mediante el apoyo irrestricto a la investigación en ciencia pura tanto como en la aplicada y tecnológica.

Entre los principios del desarrollo sustentable con base en la Declaración de Río de Janeiro de 1992, pueden resumirse de la siguiente manera:

- *El ser humano como centro:* la supervivencia y calidad de vida de los seres humanos es el centro de interés del desarrollo sustentable.
- *Principio de equidad para la erradicación de la pobreza:* implica distribuir equitativamente los recursos para satisfacer necesidades básicas (alimentos, vestido y vivienda) y brindar igualdad de oportunidades.
- *Principio de solidaridad con las generaciones futuras:* el desarrollo sustentable toma en cuenta el compromiso con el bienestar de las generaciones por venir.
- *Preservación de los recursos naturales y del medio ambiente:* la preservación del medio ambiente y los recursos que proveen son condición fundamental para la calidad de vida y la supervivencia.
- *Responsabilidad común pero diferenciada:* todos somos corresponsables de cuidar el ambiente según el grado en que lo afectamos.
- *Responsabilidad del Estado:* los Estados deben poner límites a la sobreexplotación ambiental y desalentar el consumo indiscriminado.
- *Cooperación internacional:* los Estados deben cooperar entre sí compartiendo conocimiento para la protección del medio ambiente y el alcance del desarrollo sustentable. Asimismo, la comunidad internacional deberá ayudar a garantizar el desarrollo sustentable de los países periféricos.

Como ejemplo de desarrollo sustentable podemos indicar:

- *Uso de energías limpias o alternativas.* La energía eólica, solar, geotérmica, entre otras, constituyen fuentes de energía que generan un impacto menor en el ambiente que las plantas hidroeléctricas.
- *Sustitución de combustibles fósiles por biocombustibles.* Los combustibles fósiles generan grandes emisiones de CO_2, lo que repercute en el calentamiento global. Además, su forma de obtención es muy invasiva y el tiempo de recuperación de los combustibles fósiles es tan alto que se considera un recurso no renovable y, por ende, podría agotarse.
- *Reciclaje.* El reciclaje supone el aprovechamiento de los materiales que ya han sido manufacturados. Es una forma de contener y reducir la contaminación por producción de basura.
- *Reducción de la agricultura intensiva.* Supone hacer un uso adecuado de la agricultura que no agote la capacidad del suelo para aportar nutrientes.
- *Reforestación.* Es repoblar un terreno con plantas y árboles cuando los mismos han sido intervenidos para la obtención de recursos.
- *Reducción del consumo energético.* Cuanto menos energía consumimos, se reducen los niveles de producción energética, lo que supone menor impacto ambiental y más ahorro económico.
- *Desarrollo de ciudades sostenibles y edificios sostenibles,* como el edificio The Edge, Amsterdam y la Torre BBVA Bancomer, de Ciudad de México.

La sostenibilidad es un atributo de los sistemas abiertos a interacciones con su mundo externo. No es un estado fijo de constancia, sino la preservación dinámica de la identidad esencial del sistema en medio de cambios permanentes. Un número reducido de atributos genéricos pueden representar las bases de la sostenibilidad.

El desarrollo sostenible no es una propiedad sino un proceso de cambio direccional, mediante el cual el sistema mejora de manera sostenible a través del tiempo.

UNIDAD 8. ENERGIA Y AMBIENTE.

Las noticias ambientales son parte de nuestra vida diaria, constantemente escuchamos hablar sobre el deterioro que nuestro entorno está sufriendo, el cambio climático, la deforestación de nuestros bosques y la pérdida de la biodiversidad son cada vez más evidentes razón por la cual, se ha acrecentado el desarrollo de técnicas, medidas y políticas ambientales en las que la participación de la sociedad se hace presente.

Vale la pena mencionar que las señales del paso de la humanidad sobre la faz de la tierra no son algo nuevo, en el curso de la historia podemos encontrar restos arquitectónicos de diferentes civilizaciones no obstante, es a partir de la segunda mitad del siglo XVIII que estas alteraciones se fueron incrementando debido a la modificación que sufrió el sistema económico internacional con la aparición de la máquina de vapor lo cual generó la primera Revolución Industrial.

Como resultado de éste proceso se modificó la producción, los niveles de consumo y la división internacional del trabajo si bien es cierto que el desarrollo ha significado el incremento de la esperanza y calidad de vida para millones de seres humanos gracias a los avances científicos y tecnológicos, no existe duda alguna de que también se ha traducido en la causa de guerras, grandes diferencias de países y sus poblaciones, la sobreexplotación de los recursos ambientales y con ello la pérdida de biodiversidad y la degradación ambiental.

A pesar de que el nivel del desarrollo actual se ha alcanzado gracias a una economía basada en los combustibles fósiles (petróleo, gas, carbón, etc.) su producción, uso y transporte ha generado una serie de problemas; en primer lugar tenemos conflictos bélicos que en la mayoría de los casos se derivan de la lucha por el control de estos recursos entre los que podemos destacar la Guerra del Golfo Pérsico, en 1989, cuyo móvil fue la existencia de grandes yacimientos de petróleo en la región de Kuwait, lo cual movió el interés de las grandes potencias por controlar el territorio.

Asimismo, su uso genera grandes desigualdades entre los Estados debido a que algunos tienen mayores capacidades de desarrollo si poseen este tipo de recursos o la capacidad económica suficiente para proveerse ya que mientras regiones como Europa gastan millones de euros en satisfacer las necesidades energéticas de su población países de África encuentran esta carencia como uno de los motivos que les impide lograr su desarrollo.

A pesar de lo anterior, los Estados se han empeñado en priorizar el empleo de este tipo de fuentes debido a que su costo es relativamente bajo y porque se creía que eran inagotables no obstante, diversos estudios científicos demuestran que las reservas existentes de petróleo se agotarán en un plazo no superior a 50 años frente a ello los sectores público y privado se han empeñado en encontrar soluciones a mediano plazo para lograr hacer frente al encarecimiento y la escasez de hidrocarburos.

Vale mencionar que la década de los años setenta, fue el inicio de una sociedad preocupada por iniciar movimientos en favor del cuidado del entorno; en un principio sólo se estableció una visión segmentada y meramente naturalista de manera que no se reconocía la importancia de las interacciones que el tema posee, así que se realizaron estudios a partir de la ecología, es decir basados en una relación meramente biológica sin tomar en cuenta al ser humano y su interacción con el entorno.

La Conferencia Sobre el Medio Humano llevada a cabo en Estocolmo el mes de junio de 1972 en la cual la comunidad internacional resaltó la relación entre medio ambiente y los derechos humanos; fijó las bases de la equidad intergeneracional (antecedente directo del concepto de desarrollo sustentable); el peso que significa el crecimiento demográfico; la necesidad de cooperación en la materia además de resaltar la necesidad de que los estados consideren su responsabilidad de no causar daños a terceros al momento de ejercer su derecho a explotar los recursos que poseen y las bases para el establecimiento del Programa de Naciones Unidas sobre Medio Ambiente (PNUMA) el 15 de diciembre de ese mismo año.

La reforma se lleva a cabo con la presentación del Informe Brundtland en la cual aparece por primera vez el concepto de desarrollo sustentable es decir, aquel "que satisface las necesidades de la generación presente sin comprometer la capacidad de las generaciones futuras para satisfacer sus propias necesidades, encerrando en sí mismo el concepto de necesidades, en particular las aquellas de carácter primario de los pobres (que deben contar con prioridad preponderante), y el concepto de limitaciones impuestas por la capacidad del medio ambiente para satisfacer las necesidades presentes y futuras".

En este sentido la política ambiental nacional e internacional deber centrarse en evitar desde el principio el deterioro ambiental a partir de identificar las causas y llevar a cabo las acciones preventivas a fin de evitar consecuencias que a la larga resultarían más costosas7. Entonces, es necesario el estudio minucioso de las actividades que provocan la degradación, así como las técnicas y medidas necesarias para el aprovechamiento y gestión adecuada de los recursos naturales.

8.1 Crisis ambiental y desarrollo energético.

Uno de los temas que mayor proyección tiene en el debate político global y en el nuevo orden mundial emergente es la interacción entre la problemática ambiental y la problemática energética. Si bien la tendencia tradicional ha sido analizarlas por separado, como si cada una de ellas respondiera a lógicas diferentes, lo cierto es que ambas son variables de una misma ecuación político-estratégica cuya solución es en extremo compleja y que, además, se proyecta determinante para las relaciones de poder en el presente siglo.

Como muy bien ha señalado Osvaldo Sunkel, la energía no es un recurso más, por el contrario, tiene un carácter estratégico único, dado que se pueden sustituir las fuentes energéticas, pero el fluido energético es insustituible, es imprescindible en cualquier proceso de transformación o producción. Por lo tanto, la energía siempre ha jugado un papel crítico en el proceso económico de cualquier sociedad.

Más aún, la producción de energía y el estado del medio ambiente están íntima e indisolublemente relacionados, dado que cualquier sociedad humana es un fenómeno que ocurre en el espacio y en el tiempo, y la característica espacial hace referencia a la dependencia que tiene ésta del medio natural o geográfico para la posibilidad de su existencia y evolución. En este sentido, el ser humano recurre a la naturaleza en busca de fuentes de energía a fin de aumentar su capacidad de uso del espacio natural, siempre en busca de recursos para su subsistencia. De aquí entonces, el simple hecho de existir de la sociedad humana implica la permanente transformación de la naturaleza. Por este motivo, se afirma que "ninguna civilización ha sido ecológicamente inocente".

Por lo tanto, cuando vivimos en una época histórica señalada con la impronta de la crisis ambiental global, donde el cambio climático es una de sus variables, la ecuación energía-medio ambiente adquiere una centralidad determinante para el destino de la humanidad. Y dado que no vivimos en un mundo políticamente homogéneo, sino que, por el contrario, la asimetría de poder entre las diversas comunidades que lo componen es su característica, en este proceso de búsqueda de soluciones a la ecuación energía-medio ambiente, que será crecientemente determinante para las relaciones nacionales e internacionales, no se pueden descartar también considerables niveles de tensión y conflicto.

Por ejemplo, si tan solo nos retrotraemos a las dos últimas décadas, para nadie es un misterio la creciente presencia en la agenda pública mundial del tema del cambio climático o "calentamiento global", ya que hay un claro consenso científico de que si la temperatura media del planeta aumenta sobre los 2°C en los próximos años, las consecuencias serán catastróficas para un sector importante de la humanidad. 3 Y si bien nadie discute que es un fenómeno global por excelencia, y en donde se requiere de la colaboración y cooperación del conjunto de la comunidad internacional para una solución justa y razonable a todos, esta no se ve tan fácil de alcanzar.

Basta recordar las expectativas y posterior frustración que generó la Cumbre sobre Cambio Climático realizada en Copenhague en diciembre de 2009, donde los países intentaron vanamente alcanzar un acuerdo vinculante que reemplace y supere al también frustrante Protocolo de Kioto firmado en 1997 y que expira el año 2012. En Copenhague, la potencia más rica, desarrollada e industrializada, y también más emisora de CO_2 del planeta, los EE.UU., negoció un principio de acuerdo con cuatro grandes países emergentes y también fuertes emisores de CO2: China, India, Brasil y Sudáfrica. Sin embargo, se trató de una negociación a puertas cerradas y sin la intervención del resto de países que participaban de la Cumbre y que, además, son parte de la Conferencia de las Naciones Unidas sobre el Clima (cop), lo que generó gran malestar e implicó poner en jaque al espíritu multilateralista y democrático que inspira a la Organización de las Naciones Unidas ¿Si finalmente fue esta conversación a puertas cerradas lo que permitió dejar una vía abierta a las futuras negociaciones para alcanzar un acuerdo global vinculante que supere al protocolo de Kioto, significa entonces que los únicos acuerdos viables serán aquellos alcanzados entre "poderosos"?

Lo cierto es que lo ocurrido en Copenhague 2009, no fue algo menor. Por el contrario, refleja de muy buena manera la extrema complejidad por la que atraviesan las relaciones internacionales al comenzar el siglo xxi, cuando se trata de concordar acciones globales que involucran a todos o casi todos los actores del sistema internacional como es el caso del cambio climático. Complejidad que presenta momentos de alta tensión y que pueden aumentar en el futuro mediato, particularmente en esta ecuación energía y medio ambiente.

El aumento anormalmente acelerado de la temperatura media del planeta, se debe a la concentración de los gases efecto invernadero (GEI) en al atmósfera, que se producen por acción antropogénica, particularmente el dióxido de carbono (CO_2). Y su causa fundamental son las fuentes fósiles (carbón, gas y petróleo) de la matriz energética sobre la cual se ha edificado la Civilización Industrial. Sin embargo, este uso intensivo y extensivo de las fuentes fósiles para la producción de energía fue el que permitió que un sector minoritario de la humanidad, que denominamos Primer Mundo, haya alcanzado un altísimo nivel de vida para su población. Vale decir, el alto nivel de riqueza y desarrollo del Primer Mundo tiene directa relación con el "calentamiento global". Ellos son los mayores consumidores de energía per cápita y, por tanto, los mayores emisores de CO_2 a la atmósfera.

Pero este tema es aún más complejo, dado que todos los países en vías de desarrollo buscan alcanzar estándares de vida para sus pueblos similares a los del Primer Mundo, para lo cual imitan, de una u otra forma, el camino recorrido por los que ya son desarrollados, contribuyendo así, a la concentración de los GEI en la atmósfera. Y, si bien se están realizando esfuerzos por modificar la matriz energética global, ésta muestra una extrema dependencia de las fuentes fósiles, particularmente del petróleo, al punto que no pocos autores señalan que vivimos en una "civilización del petróleo". Por lo tanto, en los actuales tiempos de globalización, el desarrollo y crecimiento económico se sustenta en una matriz energética fósil, donde el petróleo y sus derivados sostienen una creciente demanda de energía, ya sea para superar la pobreza y el subdesarrollo (la mayoría), o para mantener y/o aumentar el alto nivel de vida alcanzado (los menos).

De hecho, para los principales especialistas en geopolítica mundial esta situación es la que está causando los más serios conflictos bélicos en la actualidad como es, por ejemplo, la situación de Afganistán y la ocupación de Irak por parte de los EE.UU. Y el ejemplo más reciente respecto de la incertidumbre que genera para los países consumidores las consecuencias de la inestabilidad política de los principales países productores lo tenemos en los acontecimientos de marzo del 2011 en Libia, donde la guerra civil, nuevamente "disparó" al alza el precio internacional del crudo, así como puso una   gran incertidumbre sobre la posibilidad que los países europeos (principalmente), puedan seguir contando de manera segura con el suministro que proviene de ese país.

Igualmente, este tema de la seguridad energética se complementa con la discusión respecto de si el petróleo se está agotando o no, así como de la demanda de alta tecnología para la explotación de nuevas fuentes de hidrocarburos, dado que en ambos casos la tendencia sería a su encarecimiento progresivo.

Finalmente, todo este panorama sobre seguridad energética se vuelve aún más complejo si se agrega el tema del "calentamiento global". Esto es así porque, si bien el carbón existe en abundancia, es relativamente barato y podría suplir al petróleo y al gas, es el más contaminante de todos los combustibles fósiles respecto de la emisión de CO_2, por lo tanto la expansión de su uso es visto como un fenómeno crecientemente inaceptable frente a la problemática del cambio climático.

De esta forma, la escasez de hidrocarburos, la inseguridad en su abastecimiento, el alza de precios, el aumento sostenido de la demanda energética mundial y aceleramiento del cambio climático son las variables que hace en extremo compleja la ecuación energía y medio ambiente, junto con proyectar un escenario político internacional que se puede tornar muy conflictivo. el "stress energético" a raíz de la crisis de producción del petróleo, unido al "stress ambiental", con problemas como la deforestación, la falta de agua y el crecimiento demográfico, además del "stress del Cambio Climático", entre otras tensiones globales, se están transformando en una amenaza catastrófica para el orden mundial.

8.2 Superación de energías fósiles.

Si bien hay conciencia sobre la necesidad de contar con fuentes energéticas "limpias" (no emisoras de GEI particularmente CO2), así como "seguras" en cuanto a la disponibilidad de ellas, el tema no es fácil. Cuando entramos a analizar las posibilidades de su rápida y efectiva sustitución, encontramos serias dificultades.

Por una parte, existe la energía hidráulica, pero el agua no se reparte de manera uniforme por el territorio, además esta fuente se ve enfrentada al tema de las sequías, por lo que es sabido de su intermitencia en el abastecimiento.

Por otra parte, si bien es cierto el enorme desarrollo que están teniendo las nuevas energías renovables no convencionales (ernc), como la mareomotriz, eólica, geotérmica, solar, entre otras, éstas aún son poco competitivas y eficientes como para pensar en desplazar definitivamente a las energías fósiles. Además, algunas de ellas, como los biocombustibles, enfrentan voces señalando que generarían un problema peor del que buscan solucionar (deforestación para cultivos afines, menos tierras disponible para producción de alimentos, mayor consumo de agua, etc.).

Igualmente, existe la alternativa de la energía nuclear, que es particularmente significativa en el contexto del cambio climático, ya que no son pocos los especialistas que consideran que es la única alternativa realista para reemplazar a los combustibles fósiles y/o hacer la transición desde la actual dependencia del petróleo hasta llegar a matrices energéticas inocuas en materia de GEI. Sin embargo, esta fuente energética enfrenta serias críticas, ya que el combustible del que se alimenta es extraordinariamente radioactivo y perdurable en el tiempo. Esto hace que el almacenamiento de sus residuos (combustible usado) sea un tema no menor, así como siempre exista la posibilidad de que sus plantas de producción sufran un accidente ya sea por causas humanas, como el ocurrido en Chernobil, Ucrania 1986, o por causas naturales, como el más reciente ocurrido en Fukushima, Japón, tras el terremoto y posterior tsunami que azotó a ese país zona el 11 de marzo de 2011.

Contrariamente a lo esperado se deberá tomar en cuenta las posibles implicaciones al entorno que pudiera poseer por lo que habrá de realizarse estudios de impacto ambiental para hacer la correcta evaluación ya que aún tienen escasas repercusiones ya sea en el momento de la construcción o debido su mantenimiento e inclusive el uso, por ejemplo en el caso de la energía hidráulica a gran escala el daño ambiental que significa el estancamiento del agua lo cual tiene una incidencia directa tanto en el hábitat como en las actividades económicas que se generaban a partir de los recursos con los que las áreas cercanas contaban.

No se trata de realizar instalaciones a gran escala sin ninguna consideración de las consecuencias venideras, aun cuando pareciera que frente a los graves problemas ecológicos que estamos viviendo se deberá de ejercer cualquier camino que permita la disminución de las emisiones contaminantes, es necesario estudiar detalladamente las consecuencias de la tecnología que se está poniendo en marcha a fin de lograr un desarrollo sostenido pues debemos recordar que todas las acciones tienen un impacto en el ambiente por más pequeño que este sea.

En la tabla siguiente podemos observar varias energías alternativas, con sus ventajas y desventajas.

Usos de la energía	Ventajas	Desventajas
Solar Electrificación, calefacción, usos higiénicos y sanitarios en hoteles, hospitales y viviendas; cogeneración eléctrica (granjas solares); sistemas de riego. Deshidratación de alimentos; cocinas solares Desalinización solar Edificios ecológicos o inteligentes; refrigeración portátil para transporte de medicinas y vacunas	No genera emisiones contaminantes No requiere ocupación de espacio adicional, pues se puede instalar en tejados o integrarla en edificios. Permite reducir la dependencia energética exterior y lograr los compromisos del Protocolo de Kyoto, evita costos de mantenimiento y transporte. Llega tanto a zonas de difícil acceso como áreas urbanas. Promueve la generación de empleo.	Solar fotovoltaica: costo inicial elevado Energía solar intermitente Materia prima (silicio) puede ser insuficiente.
Eólica Bombeo de agua y riego Generación de electricidad a pequeña y gran escala Acondicionamiento y refrigeración de almacenes y productos agrícolas Calentamiento de agua Empleo de aerogeneradores para la navegación Desalinización de agua de mar	Inagotabilidad y bajo costo Facilidad de transporte y manipulación Impacto ambiental reducido Genera fuentes de empleo Contribuye a la cohesión económica y social de las regiones Cada kwh producido con energía eólica tiene 26 veces menos impactos que el producido con lignito, 21 veces menos que el producido con petróleo, 10 veces menos que el producido con energía nuclear y 5 veces menos que el producido por gas. (fuente: Estudio ciemat/idae/ appa).	Las máquinas eólicas ocupan un espacio considerable de terreno Ruido Afectan a las poblaciones de aves Intermitencia

Hidráulica		
Bombeo de agua; sistemas de riego. Generación de electricidad	Es la única que permite absorber la energía sobrante. Nula emisión de gases atmosféricos Grado de eficiencia hasta de un 90% Costos de producción bajos requiere de instalaciones sencillas Este tipo de plantas pueden ser utilizadas para la producción de hidrogeno	Cambios en el ecosistema
De las mareas		
Generación de electricidad	Emisiones atmosféricas nulas Representa una opción para el abastecimiento energético de las regiones costeras Recurso constante	Corrosión de los materiales por el contacto continuo con el agua salada Elevados costos de instalación Producción eléctrica limitada
Geotérmica		
Calefacción de viviendas Generación de electricidad Usos agrícolas e industriales Balnearios y piscinas climatizadas	Mínima cantidad de emisiones contaminantes Permite el abastecimiento seguro y sostenible de la región El tiempo de construcción de las plantas es relativamente corto Es posible disminuir sus efectos en el ambiente si se realizan estudios adecuados del impacto ambiental Ocupa un espacio reducido comparado con centrales térmicas convencionales.	Contaminación por ruido Alteraciones físicas de los ecosistemas Contaminación del aire Baja eficiencia de sus plantas
Biomasa		
Generación de calor y electricidad Combustibles (bioetanol, biodiesel)	Disminuyen la cantidad de desechos sólidos Generación de empleos. Contribuye a la producción de hidrógeno Balance neutro en emisiones de co2 (principal responsable del efecto invernadero). Disminuye la dependencia externa del abastecimiento de combustibles. Permite la generación de empleos, principalmente en el sector agrícola	Problemas de abastecimiento alimentario a futuro. Elevados niveles de inversión.

8.3 Los desafíos del desarrollo y de la integración de América Latina.

Una de las características más sobresalientes del actual escenario internacional, es la rapidez con que se suceden los cambios y avances tecnológicos; en suma, la velocidad del conocimiento. Lo anterior, produce en las personas y los correspondientes procesos de toma de decisiones gran incertidumbre, al no poder adaptarnos rápidamente a la velocidad del cambio por una parte y a la gran cantidad de información por otra. Sin embargo, si quisiéramos visualizar qué factores van a desempeñar un rol clave en el futuro inmediato en el escenario internacional, podríamos mencionar, al menos, los siguientes: población, pobreza y conflicto, energía, ecosistema, urbanización, tecnología y administración del conocimiento.

La pobreza continúa siendo una de las principales vulnerabilidades del sistema internacional; bajo la pobreza se generan condiciones para la eclosión de fenómenos violentos y conflictos en general. En Latinoamérica y el Caribe, los pobres son un 33,2% de la población, (182.000.000 de personas). De ellos, un tercio, o sea el 12,6%, (más de 60.000.000) viven en pobreza extrema.

Respecto de la energía, Latinoamérica posee el 8,9% de las reservas globales del mundo en materia de petróleo y gas. La administración del ecosistema continúa siendo débil, existiendo en la región latinoamericana un bajo nivel de normas y cumplimiento de ellas. El fenómeno de la urbanización es una de las salientes más relevantes de la región, en la cual existen ya tres mega-ciudades con más de 10 millones de habitantes: Ciudad de México, São Paulo y Buenos Aires.

En tecnología y administración del conocimiento, el mundo avanza a un ritmo anteriormente descrito, sin embargo la región esta lejos de dicha tendencia, tanto por las cifras en investigación y desarrollo, como por número de patentes anuales. Con todo, la humanidad ha sido capaz de generar, en total, mayor riqueza y energía que la capacidad de crecimiento humano; la mala noticia es que ello, además, ha significado mayores niveles de contaminación. El siguiente cuadro refleja lo anteriormente expuesto:

	800	2000	Factor
Population (billion)		6	x6
GDP PPP (Trillon 1990 $)	0.5	36	~x70
Primary Energy (EJ)	2	440	~x35
CO2 Emissions (GtC)	0.3	6.4	~x20

Factores de crecimiento. Últimos 200 años.

El verdadero desafío para el fututo inmediato de la región estará dado por responder a la satisfacción de las necesidades más urgentes de la población sabiendo que ella tendrá un aumento sustantivo y que, a la fecha, las cifras de pobreza representan una de las mayores vulnerabilidades.

La energía y el medio ambiente no necesariamente deben ser catalogados como problemas del ámbito de la seguridad, más bien ellos pertenecen a la esfera del desarrollo y el bienestar respectivamente. Más aún, cuando en la nueva matriz energética, el elemento clave es la tecnología capaz de dar solución a dicha necesidad. En otras palabras, la Edad de Piedra no se acabó por la falta de piedras, sino por la capacidad creadora del hombre para utilizar otros medios, a través de su ingenio y evolucionar hacia otro recurso estratégico.

La región sí posee dificultades para la necesaria integración en materia de energía, ya que ella se continúa utilizando como un medio de negociación y presión, contrario a la cooperación e integración regional. Si a lo anterior, sumamos una integración en infraestructura inconclusa, lo que tenemos son mayores dificultades para avanzar en los procesos de cooperación. Un aspecto que se encuentra siendo acrecentado, cada vez con mayor fuerza, será que el medio ambiente tendrá mayor gravitación en los aspectos militares tanto a nivel local como internacional. El agua bien puede convertirse en el recurso estratégico del siglo xxi. La región la posee en abundancia y ello debe ser estudiado, a objeto de prever, tanto su explotación como consecuencias y potencialidad de conflicto.

Tabla 1. Objetivos de Desarrollo del Milenio en América Latina

Objetivo	Meta clave	1990	Último año disponible	Países que superaron la meta
Erradicar la pobreza extrema y el hambre	Reducir a la mitad el porcentaje de población con menos de 1,25 dólares al día	12,6	4,6 (2011)	12
Asegurar la enseñanza primaria universal	Para 2015, todos los niños y niñas deberían acabar el ciclo completo de primaria (medido por tasa de escolarización)	83,0	93,6 (2015)	2
Promover la igualdad de género	Eliminar las desigualdades entre los sexos en todos los niveles de enseñanza para 2015	Ratio entre niñas y niños en primaria (0,98), secundaria (1,07) y terciaria (1,29) al nivel necesario		15 en primaria y 16 en secundaria y terciaria
Reducir la mortalidad de los niños menores de cinco años	Reducir en dos terceras partes, entre 1990 y 2015, la mortalidad de los niños menores de cinco años (por 1.000 niños nacidos)	54	18 (2015)	5
Mejorar la salud materna	Reducir, entre 1990 y 2015, la mortalidad materna en tres cuartas partes (por cada 100.000 nacidos vivos)	130	77 (2015)	0
Combatir varias enfermedades	Haber detenido y comenzado a reducir, para el año 2015, la incidencia del paludismo y otras enfermedades graves	Descenso sólo leve de las muertes por SIDA. Reducción de la prevalencia de la tuberculosis en un 57%. Reducción en un 64% del número de enfermos con malaria		
Garantizar la sostenibilidad del medio ambiente	Incorporar los principios del desarrollo sostenible en las políticas y los programas nacionales e invertir la pérdida de recursos del medio ambiente	Emisión de gases de efecto invernadero superior a la media mundial. Reducción del 9% en la proporción cubierta por bosques		
	Reducir a la mitad, para el año 2015, el porcentaje de personas sin acceso a servicios básicos de saneamiento (porcentaje de población que no utiliza instalaciones de saneamiento mejoradas)	33	17 (2015)	11
Fomentar una alianza mundial para el desarrollo	En colaboración con el sector privado, dar acceso a los beneficios de las nuevas tecnologías, en particular los de las tecnologías de la información y de las comunicaciones (usuarios de Internet por cada 100 habitantes)	3,9 (2000)	50,1 (2014)	

Notas: (1) Cuando el último año disponible es 2015, se trata de una proyección; (2) el número de países incluido en el análisis es de 17, todos los de habla hispana y portuguesa en América Latina y el Caribe con la excepción de Cuba; (3) la consecución del objetivo de enseñanza supone una tasa de matriculación superior al 98% sólo lograda por Uruguay y Ecuador; (4) para el objetivo medioambiental incluimos dos metas porque son de carácter muy distinto y el comportamiento regional ha sido casi opuesto; y (5) la mayor parte de metas del objetivo 8 son de carácter mundial y, por tanto, menos útiles para este documento.

Fuente: elaboración propia con datos de CEPAL (2015).

UNIDAD 9. INSTITUCIONALIDAD AMBIENTAL NACIONAL E INTERNACIONAL.
9.1 Institucionalidad ambiental.

En cuanto a la institucionalidad ambiental el Ecuador en los últimos años ha tenido un gran cambio, pasando de una dependencia de segundo rango adscrita al Ministerio de Agricultura relacionada con el manejo de la Áreas Protegidas y Vida Silvestre (INEFAN) hacia 1992, para consolidarse de principios de 1997 como un Ministerio autónomo, que si bien ha tenido debilidades sistémicas, comienza a ser identificado como un actor clave respecto a la protección de los recursos naturales y en particular frente al cambio climático.

Existe un nivel de descentralización del Estado, pues en la Constitución del Ecuador en su artículo 238 indica que "Los gobiernos autónomos descentralizados gozarán de autonomía política, administrativa y financiera, y se regirán por los principios de solidaridad, subsidiariedad, equidad interterritorial, integración y participación ciudadana. En ningún caso el ejercicio de la autonomía permitirá la secesión del territorio nacional". No obstante la descentralización de las competencias ambientales es un proceso lento, que solo ha favorecido a los municipios más grandes con capacidad de gestión propia.

Para enfrentar de forma coordinada las estrategias de mitigación y adaptación al cambio climático, se deberá tener una estrecha colaboración y fortalecer a los

282

municipios y gobiernos provinciales pequeños que tienen competencias sobre la conservación y creación de áreas naturales protegidas así como también sobre la generación de alternativas de generación eléctrica en base al tratamiento de residuos sólidos estrategia que se perfila como una de las alternativas en la lucha contra el cambio climático a nivel local.

El Ministerio de Ambiente, Agua y Transición Ecológica, es el ente estatal encargado de diseñar las políticas ambientales y coordinar las estrategias, los proyectos y programas para el cuidado de los ecosistemas y el aprovechamiento sostenible de los recursos naturales. Que propone y define las normas para conseguir la calidad ambiental adecuada, con un desarrollo basado en la conservación y el uso apropiado de la biodiversidad y de los recursos con los que cuenta nuestro país.

El ambiente, se ha convertido en un tópico obligatorio dentro del campo de acción de los Estados, por ello, en Ecuador, desde la Constitución de 1979 ya se establecía en su artículo 19 el derecho a vivir en un ambiente libre de contaminación, asimismo, añadía como deber del estado velar porque ese derecho no fuese afectado y además, consagraba que se debía tutelar la protección de la naturaleza, remitiéndose a una ley específica, con la finalidad que esta estableciera las restricciones a los derechos o libertades con la finalidad de proteger el medio ambiente.

Por su parte, en la Constitución Política de 1998, se amplió el catálogo de artículos referidos al ambiente y sus recursos, dentro de los cuales se destacaba la sección específica para el ambiente en el Título III, denominado de los Derechos, Garantías y Deberes, Capítulo V, de los Derechos Colectivos, Sección II, del Medio Ambiente, en la cual se establecía la Protección Ambiental, específicamente en los artículos 86 y 87, referidos a la tipificación de infracciones, sanciones administrativas, civiles y penales, por acciones u omisiones en contra de las normas de protección al medio ambiente. Igualmente, el artículo 90, prohibía el ingreso de residuos nucleares y desechos tóxicos al territorio nacional, así como el artículo 91, el cual otorgaba la titularidad de acción a cualquier persona natural o jurídica, en aras de materializar la protección al medio ambiente.

Asimismo, la Constitución de 1998 en su artículo 240, establecía especial protección a las provincias de la región amazónica en cuanto a su preservación ecológica, con la finalidad de mantener la biodiversidad para su desarrollo sustentable.

En la Constitución de 2008, aparecen novísimos cambios en cuanto al ambiente se refiere, siendo de los más importantes el otorgamiento de personalidad jurídica a la naturaleza, convirtiéndola en sujeto de derecho y por tanto titular de los mismos, carácter que únicamente había sido reconocidos a los seres humanos y personas jurídicas, excluyéndose a otros entes, tales como la naturaleza.

Así mismo dentro de la Constitución del Ecuador del 2008, en su artículo 395 indica que "La Constitución reconoce los siguientes principios ambientales:

1. El Estado garantizará un modelo sustentable de desarrollo, ambientalmente equilibrado y respetuoso de la diversidad cultural, que conserve la biodiversidad y la capacidad de regeneración natural de los ecosistemas, y asegure la satisfacción de las necesidades de las generaciones presentes y futuras.

2. Las políticas de gestión ambiental se aplicarán de manera transversal y serán de obligatorio cumplimiento por parte del Estado en todos sus niveles y por todas las personas naturales o jurídicas en el territorio nacional.

3. El Estado garantizará la participación activa y permanente de las personas, comunidades, pueblos y nacionalidades afectadas, en la planificación, ejecución y control de toda actividad que genere impactos ambientales.

4. En caso de duda sobre el alcance de las disposiciones legales en materia ambiental, éstas se aplicarán en el sentido más favorable a la protección de la naturaleza.

El Derecho Ambiental se centra en la cuestión del desarrollo sustentable, es decir, la producción, aprovechamiento y uso de los recursos naturales están íntimamente ligados a la conservación ambiental, y que ambos temas deben tratarse conjunta o coordinadamente, es decir, crecimiento económico y conservación son indisolubles para el desarrollo sustentable, asumido como "el mejoramiento de la calidad de vida humana dentro de la capacidad de carga de los ecosistemas".

Es oportuno advertir que en los últimos años, -a pesar que de una u otra manera ha existido legislación enfocada en la protección algunos recursos naturales – se ha ido estructurando como rama autónoma al derecho ambiental, erigiéndose como un área dedicada al estudio particular del ambiente, en toda su extensión, que cada día abarca mayor contenido, en todo caso, se procura evitar la lesión o puesta en peligro del ambiente por parte del hombre, ya que este último es quien ha materializado las diversas formas de contaminación, generándose un desequilibrio en los ecosistemas, a consecuencia de la explotación irracional de la naturaleza y sus recursos, lo cual ha puesto sobre la mesa la necesidad de garantizar para las generaciones del futuro un ambiente ecológicamente equilibrado, que permita el desarrollo integral, eficiente desde un punto de vista social y económico.

Desde esta perspectiva nace el derecho ambiental, desde un enfoque de sostenibilidad, que para Real es, sin lugar a dudas, el paradigma de la postmodernidad. En virtud que, desde hace tiempo somos conscientes de que el modelo de producción y consumo imperante en nuestra sociedad conduce a un colapso ambiental y el derecho ambiental no es otra cosa que la reacción frente a esa certeza. Sin embargo, no se trata únicamente de que la Humanidad sobreviva sino de construir para las futuras generaciones una sociedad mejor, más justa e inclusiva.

Por estas razones, se destaca que los problemas jurídico-ambientales repercuten directamente en el desarrollo social, económico y ambiental, por tanto, en el desarrollo sostenible de un Estado. Es por ello que surge la imperante necesidad de tutela efectiva para la protección al medio ambiente y el denominado -por algunas Constituciones, como la de Ecuador del año 2008- derecho al buen vivir, en virtud que la degradación del medio ambiente trastoca esferas de derechos individuales y colectivos, lo cual implica que el Estado deba intervenir para garantizar los mismos.

Uno de los aspectos más resaltantes de la Constitución de 2008, es que consagra que la naturaleza es considerada como sujeto de derechos, tal como se desprende de su artículo 10, que establece:

"Las personas, comunidades, pueblos, nacionalidades y colectivos son titulares y gozarán de los derechos garantizados en la Constitución y en los instrumentos internacionales.

La naturaleza será sujeto de aquellos derechos que le reconozca la Constitución".

En la Constitución se desarrolla el contenido de los derechos de la naturaleza, en los siguientes términos:

Art. 71.- La naturaleza o Pachamama, donde se reproduce y realiza la vida, tiene derecho a que se respete integralmente su existencia y el mantenimiento y regeneración de sus ciclos vitales, estructura, funciones y procesos evolutivos.

Toda persona, comunidad, pueblo o nacionalidad podrá exigir a la autoridad pública el cumplimiento de los derechos de la naturaleza. Para aplicar e interpretar estos derechos se observarán los principios establecidos en la Constitución, en lo que proceda.

El Estado incentivará a las personas naturales y jurídicas, y a los colectivos, para que protejan la naturaleza, y promoverá el respeto a todos los elementos que forman un ecosistema.

Art. 83.- Son deberes y responsabilidades de las ecuatorianas y los ecuatorianos, sin perjuicio de otros previstos en la Constitución y la ley:

(…) 6. Respetar los derechos de la naturaleza, preservar un ambiente sano y utilizar los recursos naturales de modo racional, sustentable y sostenible.

En la Constitución del 2008 se ensancha la normativa ambiental bajo el enfoque de un paradigma biocéntrico al reconocer derechos a la naturaleza, no sólo impulsado por el derecho internacional y el derecho ambiental comparado sino por una reafirmación de la cosmovisión de las culturas indígenas autóctonas que reconocen el derecho al buen vivir o sumak kawsay y consideran que el ser humano es parte de un sistema natural integral y circular denominado Pacha Mama.

Asimismo, el artículo 396 de la referida Constitución, consagra la obligación del Estado de adoptar políticas y medidas que prevengan los impactos ambientales negativos o daños. Permitiéndose que el Estado adopte medidas protectoras que considere oportunas. E igualmente, se consagra la responsabilidad objetiva en materia ambiental, que abarca a cada uno de los actores intervinientes, teniendo responsabilidad directa de prevenir y en caso de daños, se debe asegurar la restauración integral de los ecosistemas, incluyendo la indemnización que corresponda a personas o comunidades afectadas, siendo imprescriptibles las pretensiones legales para asegurar la aludida responsabilidad, tal como se verifica a continuación.

Art. 396.- El Estado adoptará las políticas y medidas oportunas que eviten los impactos ambientales negativos, cuando exista certidumbre de daño. En caso de duda sobre el impacto ambiental de alguna acción u omisión, aunque no exista evidencia científica del daño, el Estado adoptará medidas protectoras eficaces y oportunas. La responsabilidad por daños ambientales es objetiva. Todo daño al ambiente, además de las sanciones correspondientes, implicará también la obligación de restaurar integralmente los ecosistemas e indemnizar a las personas y comunidades afectadas.

Cada uno de los actores de los procesos de producción, distribución, comercialización y uso de bienes o servicios asumirá la responsabilidad directa de prevenir cualquier impacto ambiental, de mitigar y reparar los daños que ha causado, y de mantener un sistema de control ambiental permanente. Las acciones legales para perseguir y sancionar por daños ambientales serán imprescriptibles.

De igual manera, el artículo 397 constitucional consagra que en caso de daños ambientales, el Estado debe actuar de manera inmediata, en procura de la restauración de los ecosistemas. De igual manera, se hace referencia a la reparación integral.

Como parte de la constitucionalización de los derechos ambientales, uno de los aspectos medulares es lo atinente a los principios que rigen en la materia, así el artículo 395 de la referida norma, establece como principios ambientales, los siguientes:

Art. 395.- La Constitución reconoce los siguientes principios ambientales:

1. El Estado garantizará un modelo sustentable de desarrollo, ambientalmente equilibrado y respetuoso de la diversidad cultural, que conserve la biodiversidad y la capacidad de regeneración natural de los ecosistemas, y asegure la satisfacción de las necesidades de las generaciones presentes y futuras.

2. Las políticas de gestión ambiental se aplicarán de manera transversal y serán de obligatorio cumplimiento por parte del Estado en todos sus niveles y por todas las personas naturales o jurídicas en el territorio nacional.

3. El Estado garantizará la participación activa y permanente de las personas, comunidades, pueblos y nacionalidades afectadas, en la planificación, ejecución y control de toda actividad que genere impactos ambientales.

4. En caso de duda sobre el alcance de las disposiciones legales en materia ambiental, éstas se aplicarán en el sentido más favorable a la protección de la naturaleza.

La constitución reconoce como primer principio en materia ambiental, se ubica lo relativo al desarrollo de un modelo sustentable, que se base en el equilibrio y respecto de la biodiversidad, así como la regeneración natural, pensando en generaciones futuras.

Lo atinente a las políticas ambientales transversales, consagrado en el numeral 2 del artículo 395 analizado, se refiere que las políticas generales aplicadas en materia ambiental, además de ser obligatorias por parte del Estado, abarcando a todos los niveles del poder público, así como a todas las personas naturales o jurídicas que hagan vida en el territorio nacional, deben ser aplicadas atendiendo al aspecto transversal, lo cual significa que se procura dar respuesta a las políticas requeridas, bajo un enfoque de integrar la organización de disciplinas.

El último de los principios consagrados expresamente en el artículo 395 se ubica en el numeral 4, el cual hace referencia que, en caso de dudas sobre el alcance de las disposiciones legales en materia ambiental, deben aplicarse en el sentido más favorable a la protección de la naturaleza, en ese sentido.

Además de los aspectos resaltados anteriormente, la Constitución regula de del artículo 400 al 415, otras políticas en materia ambiental, entre las cuales destacan que el Estado ejercerá la soberanía sobre la biodiversidad, cuya administración y gestión se debe realizar conforme a la denominada responsabilidad intergeneracional, que implique o abarque a las distintas generaciones implicadas en los temas ambientales. Igualmente, se declara de interés público, todo lo atinente a la conservación de la biodiversidad en todas sus dimensiones, siendo patrimonio genético del país, en el caso de la biodiversidad agrícola y silvestre (artículo 400).

Por otra parte, se establecen aspectos relativos a la conservación de los recursos hídricos, cuencas y caudales, asociados al ciclo hidrológico. En tal sentido, se debe regular toda la actividad que pueda afectar la cantidad, calidad del agua y equilibrio de dichos ecosistemas, priorizándose su equilibrio. La respectiva autoridad del agua será responsable de la planificación, regulación y control, cooperando con la gestión ambiental en general.

En relación a la energía, esta debe ser limpia, renovable y de bajo impacto, teniendo presente la mitigación del cambio climático y las emisiones de los gases de efecto invernadero, deforestación, contaminación atmosférica y protección de bosques y vegetación.

9.2 Código Orgánico del Ambiente.

La legislación ecuatoriana en materia ambiental se mantuvo dispersa durante décadas, con esfuerzos aislados para codificarla. Con la expedición del Código Orgánico del Ambiente, el Ecuador cuenta con una norma especializada y actualizada a las disposiciones constitucionales que propende la garantía de un medio ambiente sano y la defensa de los derechos de la naturaleza.

El Código Orgánico del Ambiente fue legalizado mediante el Registro Oficial Suplemento 983 de 12 de abril de 2017.

Cabe destacar que a pesar de tener un instrumento actualizado al paradigma ecuatoriano de la búsqueda de un modelo de desarrollo del buen vivir o "sumak kawsay", aún existe una estructura centralizada en la Autoridad Ambiental Nacional dependiente del Ejecutivo, así como la falta de desarrollo del concepto de los derechos de naturaleza, con lo cual se demuestra que se perdió una oportunidad única ya que por mandato constitucional esta norma era la adecuada para dotarle de contenido.

El aislamiento, la ausencia de coordinación, así como la falta de aplicabilidad respecto a los cambios constitucionales introducidos, y al tratarse principalmente de normativa jerárquicamente inferior a leyes orgánicas, puso en evidencia la necesidad de generar una codificación normativa a nivel ambiental, que se encargue de estos asuntos.

En este contexto, desde el 12 de abril de 2018, se encuentra vigente el Código Orgánico del Ambiente, CODA, el cual ha tenido un interesante camino para su aprobación, pues en primera instancia, parte de su articulado fue sometido a Consulta Pre legislativa, por mandato constitucional, y posterior a ello el mencionado cuerpo legal fue publicado en abril de 2017, no obstante su disposición final única, otorgó un plazo de doce meses para su entrada en vigencia.

Al tratarse de una Ley Orgánica4 que codifica la normativa ambiental ecuatoriana, el CODA realizó reformas a las siguientes leyes: Salud, Caminos, Código Orgánico de Ordenamiento Territorial y Administración Descentralizada, COOTAD, Código Civil, y Ley de Minería.

De igual manera, esta norma realizó la derogatoria de los siguiente cuerpos legales: Ley de Gestión Ambiental; Ley para la Prevención y Control de la Contaminación Ambiental; Ley que Protege a la Biodiversidad en el Ecuador; Ley para la Preservación de Zonas y Reserva y Parques Nacionales; y la Ley Forestal y de Conservación de Áreas Naturales y Vida Silvestre.

En la siguiente tabla encontraremos los principios ambientales dentro del CODA.

1. Responsabilidad Integral	Respecto de quien promueve una actividad que genere o pueda generar impacto sobre el ambiente.
2. Mejor tecnología disponible y mejores prácticas ambientales	El Estado deberá promover el desarrollo y uso de tecnologías ambientalmente limpias y de energías alternativas no contaminantes y de bajo impacto.
3. Desarrollo Sostenible	Proceso donde se articulan los ámbitos económicos, sociales, culturales y ambientales para satisfacer las necesidades generacionales.
4. El que contamina paga	Quien contamine estará obligado a la reparación integral y la indemnización a los perjudicados (compensación).
5. In dubio pro natura	En caso de duda se aplicará lo que más favorezca al ambiente y a la naturaleza.
6. Acceso a la información, participación y justicia en materia ambiental	Toda persona, comuna, comunidad, pueblo, nacionalidad y colectivo, de conformidad con la ley, tiene derecho al acceso oportuno y adecuado a la información relacionada con el ambiente
7. Precaución	Si no existe certeza científica sobre el impacto ambiental, el Estado adoptará medidas eficaces y oportunas destinadas a evitar, reducir, mitigar o cesar la afectación.
8. Prevención	Si existe certeza científica del daño, el Estado exigirá a quien la promueva medidas destinadas prioritariamente a eliminar, evitar, reducir, mitigar y cesar la afectación.
9. Reparación Integral	Conjunto de acciones, procesos y medidas que tienden a revertir impactos y daños ambientales; evitar su recurrencia; y facilitar la restitución.
10. Subsidiaridad	El Estado intervendrá de manera subsidiaria y oportuna en la reparación del daño ambiental, cuando el que promueve una actividad no asuma su responsabilidad sobre la reparación integral.

El Libro I, regula el régimen institucional ambiental, a partir del concepto constitucional del Sistema Nacional Descentralizado de Gestión Ambiental, SNDGA, el cual se encarga de integrar y articular a los distintos organismos del Estado con competencia ambiental.

La idea de coordinación interinstitucional se basa en evitar la duplicación de actividades, por ello su competencia ambiental es la rectoría, planificación, regulación control y gestión del patrimonio natural, biodiversidad, calidad ambiental, cambio climático y zona marino, y marino costera.

Con el propósito de hacer efectivo al sistema, se tienen en cuenta los siguientes instrumentos: a) Educación ambiental; b) Investigación ambiental; c) Participación ciudadana; d) Sistema Único de Información Ambiental; e) Fondos Públicos; f) Sistema

Nacional de Áreas Protegidas; g) Régimen Forestal Nacional; h) Sistema Único de Manejo Ambiental; i) Incentivos ambientales.

Especial atención se toma respecto a la creación de los fondos para la gestión ambiental, tanto pública como privada. En el primer caso, con la posibilidad que los Gobiernos Autónomos Descentralizados, GAD, lo hagan o en su defecto el Fondo Nacional el cual tendrá como objetivo el financiamiento total o parcial de investigación para conservación y manejo sostenible de la biodiversidad, entre otros.

En su Libro Segundo, el CODA hace una referencia especial al Patrimonio Natural, y lo aborda a través de siete títulos, relacionados con: la conservación de la biodiversidad, tanto in situ, así como ex situ; los recursos genéticos; los servicios ambientales; el régimen forestal nacional; y, el manejo responsable de la fauna el arbolado urbano.

Desde el punto de vista académico, resulta interesante que con el propósito de promover la innovación tecnológica de la biodiversidad, se delegó al Sistema Nacional de Ciencia Tecnología, Innovación y Saberes Ancestrales7, para que sea el ente encargado de la regulación y promoción de la investigación científica in situ y ex situ.

Además, siguiendo los presupuestos constitucionales en relación a que el Ecuador es un país intercultural y plurinacional, se reconoce el uso tradicional y el aprovechamiento de las especies de vida silvestre para subsistencia o prácticas culturales (medicinales).

Dentro de los mecanismos para la conservación in situ, constan: el Sistema Nacional de Áreas Protegidas, SNAP; las áreas especiales; y la gestión de los paisajes naturales. Integrándose en el SNAP los subsistemas estatal, autónomo descentralizado, comunitario y privado.

Además, es importante destacar los criterios que se toman para la declaratoria de áreas protegidas, entre las que se encuentra: un ecosistema representativo que contribuya a la conectividad ecosistémica; ecosistemas frágiles y amenazados (páramos, humedales, etc.); que existan especies amenazadas; que genere servicios ecosistémicos (recursos hídricos por ejemplo); y que contribuya a la protección de valores culturales o espirituales asociados a la biodiversidad.

Dentro de las categorías establecidas en el SNAP, constan: el parque nacional; el refugio de vida silvestre; la reserva de producción de fauna; el área nacional de recreación; y, la reserva marina.

Los servicios ambientales son fundamentales, ya que estos permiten tutelar la conservación, la protección, el mantenimiento, el manejo sostenible y la restauración de los ecosistemas. Pudiendo ser estos servicios los siguientes: aprovisionamiento; regulación; hábitat; y, culturales.

Así también el CODA, se detiene para referirse al Patrimonio Forestal Nacional (Poveda Burgos, Suriaga Sánchez, & Rivera Barberán, 2015), el cual tiene como principios: la integridad territorial del Estado en materia forestal; la obligación de protección; la tutela jurídica administrativa; la obligación de auxilio a la Autoridad Ambiental de las Fuerzas de Seguridad del Estado; los incentivos; el manejo forestal sostenible; y la regularización de la tierra.

Resulta novedosa la regulación del manejo responsable de la fauna y arbolado urbano, donde los GAD municipales y metropolitanos juegan un papel decisivo con el fin de promocionar y garantizar el bienestar animal, así como para evitar el sufrimiento y el maltrato de estas especies.

El Ecuador introdujo la obligación estatal de proteger el derecho de la población a vivir en un medio ambiente sano y ecológicamente equilibrado en la Constitución de 1998, y un año después el Legislativo dictó la Ley de Gestión Ambiental (1999), que tenía por objeto establecer los principios y directrices de la política ambiental, norma que fue codificada (2004), y que fue derogada con la entrada en vigencia del CODA.

No obstante, el tercer Libro de esta codificación, se refiere a la "Calidad Ambiental", a través de seis títulos, en los cuales se regulan los instrumentos, procedimientos, mecanismos, actividades, responsabilidades y obligaciones en materia de calidad ambiental.

Se regula el Sistema Único de Manejo Ambiental, SUMA, el cual tiene como misión trabajar en la prevención, control, seguimiento y reparación de la contaminación ambiental. Para lo cual a través de un carácter sistémico y transectorial, busca la colaboración de las diferentes instituciones del Estado, la coordinación con los diferentes GAD que tienen competencias ambientales, bajo la rectoría de la Autoridad Ambiental Nacional.

Se norma la obligatoriedad que tiene todo proyecto, obra o actividad que pueda causar riesgo o impacto ambiental, de regirse bajo el SUMA.

Así, el capítulo III se encarga de la regularización ambiental, la cual tiene por objeto autorizar la ejecución de proyectos, obras y actividades (públicas, privadas y mixtas), que generen impacto ambiental, estableciéndose una escala:

i) no significativo;

ii) bajo;

iii) mediano; y,

iv) alto.

Se establece la obligatoriedad de realizar estudios de impacto ambiental (riesgo medio o alto), así como el correspondiente plan de manejo ambiental, siendo sobre todo interesante la necesidad del establecimiento de un seguro (póliza) o una garantía financiera para el otorgamiento de las autorizaciones administrativas (licencias), con el propósito de cubrir las posibles responsabilidades ambientales de los operadores, derivadas de sus actividades económicas o profesionales.

A nivel local, el Ecuador ha asumido la protección y garantía de los derechos de la naturaleza en el Plan Nacional de Desarrollo (2017-2021), con el propósito de establecer una respuesta adecuada frente al cambio climático, a través de la construcción de territorios seguros y resilientes, la gestión de riesgos y la adaptación al cambio climático (Secretaría Nacional de Planificación, 2018).

Por su parte, a nivel legal el IV Libro del CODA, trata este problema para lo cual define el marco legal e institucional para el ejercicio de las acciones necesarias para la adaptación y mitigación al cambio climático a través de políticas que permitan prevenir y responder frente a este fenómeno que el legislador ecuatoriano lo califica como antropogénico, para lo cual dedica dos títulos y cuatro capítulos.

El CODA considera como prioridades para la gestión del cambio climático el reducir y minimizar aquellas afectaciones que se causen a las personas en situación de riesgos, grupos de atención prioritaria, la infraestructura de los sectores estratégicos, los sectores productivos, el ecosistema y la biodiversidad.

Para todo esto, la Autoridad Ambiental Nacional deberá elaborar y mantener actualizada una Estrategia Nacional en la materia, en la cual se coordinará con las entidades intersectoriales, y se contará con el apoyo del sector privado, las comunas y comunidades, así como de los pueblos y nacionalidades indígenas.

Es oportuna la incorporación que hace el CODA respecto de que en la planificación territorial, exista la obligación de observar criterios de adaptación y mitigación al cambio climático, situación que debe ser coordinada y tenida en cuenta con los diferentes niveles de gobierno.

Además, la norma señala que las zonas vulnerables o de alto impacto de desastres serán prioritarias para el Estado, todo ello con el propósito de disminuir su vulnerabilidad; así como entre las acciones de mitigación considera la reducción de emisiones de gases de efecto invernaderos y el incremento de sumideros de carbono, para lo cual la Autoridad Ambiental realizará el inventario respectivo.

El CODA dedica su V Libro a la regulación de la zona marino costera (Pazmiño Manrique, 2018), cuyo fin busca la armonía entre las actividades recreativas, comerciales y de producción con los derechos de la naturaleza reconocidos en la Constitución.

Para lo cual la Autoridad Ambiental Nacional, debe coordinar con los diferentes niveles de gobiernos que cuentan con competencias en materia ambiental la regulación de las actividades públicas o privadas a realizarse, todo ello para alcanzar la conservación, restauración, protección y aprovechamiento sostenible de los recursos existentes en la zona, situaciones que deberán reflejarse en los respectivos Planes de Ordenamiento Territorial, POT. Además, deberán establecerse los respectivos planes de manejo de las playas y de la franja adyacente (INEC, 2016).

El CODA establece un listado de actividades que debido a su impacto ambiental deberán ser reguladas, entre las que se encuentran: turismo, conservación del patrimonio cultural y natural, recursos paisajísticos, investigación, protección y conservación de la franja costera, desarrollo urbano e inmobiliario, así como actividades sociales y económicas que provengan del sector público o privado.

Por su parte, la normativa ecuatoriana define a los incentivos como aquellos instrumentos de tipo económico, establecidos en leyes y reglamentos para favorecer el cumplimiento de las normas ambientales (Ministerio del Ambiente, 2013).

El Ministerio del Ambiente, a través de Acuerdo Ministerial No. 140, de 4 de noviembre de 2015, estableció el "Marco institucional para incentivos ambientales", el cual tiene por objeto regular el otorgamiento de incentivos económicos (deducciones a impuestos, créditos, etc.) y honoríficos (certificación de Punto Verde) en materia ambiental a favor de personas naturales o jurídicas que operen en el país.

De manera complementaria, el Código Orgánico del Ambiente regula los incentivos ambientales en su sexto libro, y destaca la importancia que tiene la Autoridad Ambiental Nacional como ente rector para ejercer esta facultad en coordinación con los

Gobiernos Autónomos Descentralizados con el propósito de estos fomentar: el aprovechamiento sostenible de los recursos biológicos, la cultura de prevención y reducción de la contaminación, y el acatamiento de la normativa ambiental.

El Código Orgánico del Ambiente cierra su articulado con las disposiciones del Libro Séptimo, correspondiente a la reparación integral de los daños ambientales y al régimen sancionador, respectivamente.

De esta manera, el Libro Séptimo, tiene cuatro títulos, que corresponden a: i) la reparación integral de daños ambientales; ii) la potestad sancionadora; iii) las disposiciones ambientales en estos procedimientos; y, el último sobre, iv) el régimen de las infracciones y sanciones, subdividido en dos capítulos: a) infracciones administrativas ambientales; y, b) sanciones.

El CODA regula la reparación ambiental (arts. 288-297) y genera las directrices para garantizar la correspondiente reparación integral por los daños ambientales causados, ya sea por personas naturales o jurídicas, así como por eventos naturales.

Las infracciones administrativas en el CODA se clasifican en leves (art. 316), grave (art. 317) y muy graves (art. 318), siendo importante la aplicación del criterio de respeto a las prácticas de subsistencia, culturales y ancestrales, al ser el Ecuador un país intercultural y plurinacional. Mientras que las sanciones (art. 320) van desde la multa económica, el decomiso de especies, la destrucción de productos, la suspensión de la actividad, la revocatoria de la autorización, la pérdida de incentivos, y el desalojo.

Resulta novedosa la clasificación que hace el CODA para el cálculo de la sanción administrativa en atención a la capacidad económica, para lo cual usa los ingresos brutos obtenidos por el infractor, registrados en su declaración del Impuesto a la Renta, estableciendo 4 grupos.

Así también, premia a quienes paguen a tiempo sus multas, con una reducción del 10% (dentro de los 15 días posteriores a la notificación), y norma las circunstancias atenuantes y agravantes en materia ambiental. Sin embargo, en este Libro, es donde más críticas concentran el CODA, sobre todo por errores en el art. 320 que regula las sanciones administrativas, las cuales han sido demandadas su inconstitucionalidad ante la Corte Constitucional.

9.3 Institucionalidad Ambiental Internacional.

Tras la aparición del Informe sobre Nuestro Futuro Común, (1987-1988) coordinado por Gro Harlem Brundtland en el marco de las Naciones Unidas, se fue poniendo de moda el objetivo del "Desarrollo Sustentable", entendiendo por aquel que permite "satisfacer nuestras necesidades actuales sin comprometer la capacidad de las generaciones futuras para satisfacer las suyas". A la vez que se extendía la preocupación por la "sustentabilidad", se subrayaba implícitamente, con ello, la insostenibilidad del modelo económico hacia el que nos ha conducido la civilización industrial. Sin embargo, tal preocupación no se ha traducido en la reconsideración y la reconversión operativa de este modelo hacia el nuevo propósito. Ello no es ajeno al hecho de que el éxito de esta nueva terminología, se debió, en buena medida, al halo de ambigüedad que la acompañaba: se trata de enunciar un deseo tan general como el antes indicado sin precisar mucho su contenido ni el modo de llevarlo a la práctica.

A principios de la década de los setenta, el Primer Informe del Club de Roma sobre los Límites del Crecimiento, junto con otras publicaciones y acontecimientos, pusieron en tela de juicio la viabilidad del crecimiento como objetivo económico planetario.

Nacido en el seno de La UNESCO en 1970, el MAB (Man and the Biosphere) tiene sus orígenes en las recomendaciones de la Conferencia sobre la Biosfera, organizada por la UNESCO entre el 9 y el 19 de noviembre en Paris, 1968. Participaron treinta países, los cuales enviaron representantes u observadores, al igual que diversos Organismos internacionales, tales como la Organización de las Naciones Unidas para la Agricultura y la Alimentación (FAO), la Organización Mundial de la Salud (OMS), la Unión Internacional para la Conservación de la Naturaleza y los Recursos Naturales (UICN).

Queda claro que la creación del MAB se debió a la gran necesidad de coordinar los estudios científicos que incrementaran el conocimiento de la estructura y funcionamiento de la biosfera, y aumentaran nuestra capacidad para aplicar sistemas de gestión que minimizaran los riesgos ambientales en su relación con la humanidad.

La Conferencia de las Naciones Unidas sobre Medio Humano, es precedida por un amplio proceso de reflexión, en la que destacamos la Reunión de expertos celebrada en Founex, Suiza, del 4 al 12 de Junio de 1971. En dicha conferencia se recogieron informes que abordaban la problemática ambiental y las posibles alternativas resolutivas a tales problemas. El Informe Founex recopila de forma clara y precisa dichos informes.

La preocupación principal del Informe Founex, fue el reconocimiento de la desigualdad entre Crecimiento y Progreso, entendiéndose este último como una mejora de las condiciones de vida y por consiguiente de la Calidad de Vida.

Respectivamente, los países industrializados con gran crecimiento económico y desarrollo social, presentan o son los causantes de los mayores problemas ambientales con los que cuenta actualmente el planeta. Así se dejó constancia que los peligros locales, regionales e incluso nacionales rebasan las fronteras y amenazan a la totalidad del mundo.

Es reconocible que a lo largo de los distintos informes anteriores a la Conferencia de Estocolmo, se empezaran a aplicar conceptos que hasta entonces estaban fuera de la trayectoria seguida para la resolución de los conflictos ambientales y sociales. La incorporación de la dimensión ética a la dimensión Social y Económica, se hizo patente con la utilización del término "Solidaridad Uniforme".

Celebrada entre los días 5 al 16 de junio de 1972, tuvo lugar en Estocolmo la Conferencia de las Naciones Unidas sobre el Medio Humano. En este encuentro, estuvieron presentes 113 estados, junto con la asistencia de observadores de más de 400 Organizaciones Intergubernamentales y no gubernamentales.

Los debates de la Conferencia de Estocolmo fueron precedidos por la publicación de un informe oficioso, elaborado por más de un centenar de científicos de todo el mundo, y de cuya redacción final se responsabilizaron René Dubos y Bárbara Ward, denominado; "Una sola Tierra: El cuidado y conservación de un pequeño planeta". Se publicó en diez lenguas y fue puesto a disposición de todos los delegados.

Las deliberaciones de la Conferencia se desarrollaron en tres comités:

- Sobre las necesidades sociales y culturales de planificar la proteccibn ambiental.
- Sobre los recursos naturales
- Sobre los medios a emplear internacionalmente para luchar contra la contaminación.

La Conferencia aprobó una declaración final de 26 principios y 103 recomendaciones, con una proclamación inicial de lo que podría llamarse una visión ecológica del mundo.

El mayor logro de la Conferencia es dicho reconocimiento ecológico del planeta, en el que se ratificaba que "(...)el hombre es a la vez obra y artífice del medio que lo rodea(...), con una acción sobre el mismo que se ha acrecentado gracias a la rápida aceleración de la ciencia y de la tecnología(...), harta el punto que los dos aspectos del medio humano, el natural y el artificial, son esenciales para su bienestar". (Declaración de la Conferencia de las Naciones Unidas sobre el Medio Humano. Punto 1).

En esta conferencia se creó el Programa de las Naciones Unidas para el Medio Ambiente (PNUMA).

Bajo la necesidad de la creación de un 6rgano internacional que considerara la necesidad del estudio de los problemas ambientales, se creó en 1973 el Programa de las Naciones Unidas para el Medio Ambiente. Dicho Programa se percibía desde un marco internacional, donde la necesidad de una estrecha colaboración entre todos los países se hacía patente y donde las distintas políticas ambientales estuvieran enfocadas en resolver los apremiantes problemas que presentaba el mundo.

La creación del PNUMA presentaba los siguientes objetivos:

"La presentación de una asistencia técnica a los gobiernos, para la adaptación de medidas relativas al medio ambiente.

Una ayuda para fa formación del personal especializado.

Todas las formas de ayuda requeridas, incluidas la ayuda financiera, para reforzar las instituciones nacionales y regionales.

Los medios requeridos para apoyar los programas de información y de educación en materia de medio ambiente"

Así, la principal razón del PNUMA es la de favorecer la coordinación entre las organizaciones nacionales e internacionales y de animarlos para que le den al medio ambiente la importancia que se merece.

Dentro del marco del PNUMA, se abord6 la tarea de diseñar algún programa de educación Ambiental que abarcara a todos los países, desarrollados y en vías de desarrollo, y que sirviera de referencia para las acciones educativas regionales y locales. Se creó el Diseño del Programa Internacional de Educación Ambiental (PIEA)

La Cumbre de Río de Janeiro, también denominada Cumbre de la Tierra a la conferencia de las Naciones Unidas sobre el Medio Ambiente y el Desarrollo (CNUMAD), celebrada en Río de Janeiro (Brasil) en el mes de junio de 1992. La Cumbre reunid a representantes gubernamentales de 160 países y en ella re plantea por primera vez la capacidad de integrar el desarrollo y la protección ambiental.

Los modelos de desarrollo económicos impuestos por un mundo cada vez más globalizado, hicieron entrar al planeta en una crisis ambiental y social de dimensiones desconocidas.

Dentro de los resultados más importantes tras la celebración de la Cumbre de la Tierra, se encuentra la Declaración de Rio, que contiene 27 principios interrelacionados en los que se ponen las bases para conseguir el desarrollo sustentable al igual que se clarifican responsabilidades gubernamentales y locales.

La Declaración de Rio es un documento orientativo hacia donde la sociedad deberla marchar para conseguir unas metas determinadas en pro de las generaciones venideras.

Dentro de los acuerdos internacionales de la Cumbre de la Tierra tenemos:

Convenio Diversidad Biológica.

Ratificado por más de 183 países, antro en vigor el 29 de diciembre de 1993. El Convenio obliga a todos los países firmantes a proteger los animales y vegetales al igual que sus hábitats. En enero del 2000, fue ratificado por 17 países el Protocolo de Cartagena sobre Bioseguridad. El objetivo es reducir los riesgos de los movimientos animales a través de las fronteras. Actualmente se está discutiendo sobre los beneficios o perjuicios que implica el compartir material genético de un país a otro.

Convenio Marco Cambio Climático

Entró en vigor el 21 de marzo de 1994. Contiene 65 firmas, La mayoría de los países industrializados no alcanzaron la meta voluntaria de reducir sus emisiones de gases invernadero a los niveles de 1990 para el año 2000.

Convenio Desertificación.

Entró en vigor en diciembre de 1996. La desertificación o degradación de las tierras, afecta el sustento de 900 millones de personas, especialmente en África. Hasta el a Año 2002, 179 países se han unido a la Convención. Actualmente los recursos disponibles para la ejecución son limitados.

El acuerdo ambiental firmado en la ciudad japonesa de Kioto en 1997, exige que los países industrializados reduzcan sus emisiones de gases causantes del calentamiento global, en un promedio del 5% entre los años 2008 y 2012, medidos sobre la base de las emisiones registradas en 1990.

Los países se comprometieron con una reducción porcentual dependiendo con la producción de contaminantes, Esto permite que los países pertenecientes al Protocolo de Kioto reduzcan las emisiones de origen, beneficiándose de los mecanismos flexibles, (Comercio de emisiones, Desarrollo Limpio y la Aplicación Conjunta) como también el estudio de los bosques y los cultivos como sumideros de Carbono.

El impedimento para que el Protocolo de Kioto entre en vigor, no es tan sólo el número de ratificaciones al Convenio, sino que los países ratificantes sean contaminadores que superen los 55% de las emisiones de CO_2, mundiales.

Estos países deben de estar incluidos en el Anexo 1 del protocolo (países industrializados). El protocolo entrará en vigor 90 días después del cumplimiento de estos criterios.

A la fecha de 11 de diciembre de 2001, 83 participantes firmaron y 46 ratificaron el protocolo. A noviembre del 2002 todavía no se consiguió la total ratificación para cumplir con el 55% de CO_2.

El Acuerdo de Bonn.

En 2001, 108 países llegaron a un acuerdo global que incluía normas y procedimientos sobre fondos, traspaso de tecnología, capacitación, adaptación a los impactos del cambio climático, etc.

Se creó un paquete de fondos que incluía compromisos de la Unión Europea, Nueva Zelanda, Noruega y Suiza para conceder a los países en vías de desarrollo 410 millones de dólares por año para 2005 con una revisión de los fondos en 2008.

Los puntos más importantes que se establecieron en el Acuerdo de Bonn incluyen:

- Impulsar el uso de las energías renovables limpias, bajo el término de "Desarrollo Limpio".
- Frenar el uso de la Energía Nuclear en los países industrializados.
- Normas factibles para el comercio de emisiones.
- Medidas de cumplimiento que incluyan consecuencias, de obligado cumplimiento para aquellos países que no alcancen sus compromisos.

Cumbre de Johannesburgo

Desarrollada en Johannesburgo (Sudáfrica) entre el 26 de agosto y el 4 de septiembre de 2002 se celebró la Cumbre Mundial sobre Desarrollo Sustentable. Desde cualquier punto de vista que se valore la Cumbre, ésta ha generado un interés muy considerable. Un centenar de dirigentes mundiales tomaron la palabra y, en total, más de 22.000 personas participaron en ella; entre esas personas había más de 10.000 delegados, 8.000 representantes de ONG y de la sociedad civil y, 4.000 periodistas.

Sin embargo, grandes grupos ecologistas, ONG's y. activistas locales sintieron decepciones por las pocas repercusiones y conclusiones que había generado la Cumbre de Johannesburgo, llegándola a tachar de "fracaso casi absoluto".

Los acuerdos se redujeron a Declaraciones Políticas y a Planes de Acción, llenas de buenas intenciones sobre las problemáticas presentadas anteriormente.

Los Documentos aprobados en la Cumbre no contienen compromisos concretos, ni fondos nuevos ni adicionales, por lo que podría hablarse de "fracaso".

FORMA DE EVALUACIÓN

Se tomaran dos evaluaciones: un examen parcial (EP) y un examen final (EF). Además el maestrante tiene la opción de rendir un Examen Sustitutorio que reemplaza la nota más baja del Examen Parcial o Final. El contenido del examen sustitutorio comprende todas las materias de este texto.

El maestrante realizará tareas calificadas.

TABLA DE EVALUACIÓN DE LOS EJERCICIOS.

	EXCELENTE 10	BIEN 8	REGULAR 6	DEFICIENTE 4
PROCEDIMIENTO 70%	Realiza un correcto procedimiento	Realiza un correcto procedimiento,	No realiza todos los procedimientos	No presenta lógica el ejercicio

	paso a paso	pero se salta los pasos	requeridos	
RESPUESTA 20%	Presenta ampliamente todas las respuestas requeridas	Se equivoca en un signo	Se equivoca en un valor	Presenta entre un 75% 50% de las respuestas solicitadas.
PRESENT ACIÓN 10%	Presen ta sus ejercicios sin tachones	Se observan pocos borrones	Existe un tachón en el ejercicio	Existen muchos tachones

BIBLIOGRAFÍA

1. Métodos numéricos para ingenieros, Séptima edición. Steven C. Chapra, Raymond P. Canale. Mc Graw Hill.
2. Métodos numéricos aplicados con software, Primera edición. Soichiro Nakamura. Pearson, Prentice Hall.
3. Applied Numerical Methods with MATLAB® for Engineers and Scientists, Third Edition. Mc Graw Hill.
4. Métodos numéricos aplicados a la ingeniería, 4ta edición. Antonio Nieves Hurtado y Federico C. Domínguez Sánchez. Grupo Editorial Patria. 2014
5. Ingeniería de los Algoritmos y Métodos Numéricos, 2da Edición. José Luis de la Fuente O'Connor
6. Los sistemas energéticos. Prof. Wolf Häfele
7. Algoritmos genéticos para resolver sistemas energéticos globales. Diana C. Cantillo Pallares, Marlon J. Bastidas B. Revista Prospectiva Vol. 7, No2 Julio – Diciembre 2009. Páginas 27 – 34.
8. Código Orgánico del ambiente. Registro Oficial Suplemento 983 de 12-abr.-2017
9. Reglamento al código orgánico del ambiente. Decreto Ejecutivo 752 Registro Oficial Suplemento 507 de 12-jun.-2019
10. "El nuevo marco jurídico en materia ambiental en ecuador. Estudio sobre el código orgánico del ambiente". Andrés Martínez Pozo. 8 de abril de 2019, Actualidad Jurídica Ambiental, n. 89, Sección "Comentarios de legislación" ISSN: 1989-5666 NIPO: 693-19-001-2.
11. Objetivos Desarrollo Sostenible ONU video: https://youtu.be/dOvllZ8Q_zc https://youtu.be/345IxGgjF9s
12. Constitución del Ecuador. 2008.

Made in United States
Orlando, FL
19 April 2024